Une mystérieuse inconnue

La brûlure du soupçon

LISA CHILDS

Une mystérieuse inconnue

BLACK ROSE

HARLEQUIN

Collection : BLACK ROSE

Titre original : BRIDEGROOM BODYGUARD

Traduction française de CATHERINE VALLEROY

HARLEQUIN®
est une marque déposée par le Groupe Harlequin

BLACK ROSE®
est une marque déposée par Harlequin

© 2014, Lisa Childs.
© 2015, Harlequin.

Le visuel de couverture est reproduit avec l'autorisation de :
Mère & enfant : © MARCUS GARRETT/ARCANGEL
Réalisation graphique couverture : E. COURTECUISSE (Harlequin)

Tous droits réservés.

HARLEQUIN
83-85, boulevard Vincent-Auriol, 75646 PARIS CEDEX 13.
Service Lectrices — Tél. : 01 45 82 47 47
www.harlequin.fr
ISBN 978-2-2803-3067-1 — ISSN 1950-2753

1

« La tête de Parker a été mise à prix. »

Parker Payne entendait ces mots résonner dans son esprit peuplé d'échos. Le souffle de l'explosion, qui avait envoyé deux de ses collègues à la morgue et l'avait fait atterrir dans ce lit d'hôpital, vibrait encore dans ses oreilles.

Il était rempli de chagrin et de culpabilité. C'est lui qui aurait dû être dans ce 4x4, et non Douglas et Terry. Totalement inconscients du danger, ils avaient sauté dans sa voiture pour aller chercher le déjeuner. Parker leur avait couru après pour modifier la commande, mais il était trop tard. Quand Doug avait mis le contact, le véhicule avait explosé en une gerbe de morceaux de verre et de métal. Deux hommes étaient morts, laissant femmes et enfants derrière eux.

C'est lui qui aurait dû être dans cette voiture. Non seulement il était célibataire, mais c'est lui qu'on visait.

L'explosion lui avait causé une commotion cérébrale. Il avait mal à la tête et n'y voyait pas très clair. Fermant les yeux, il tenta de se concentrer sur la conversation qui se déroulait autour de son lit.

Sa mère était en train de protester :

— Allez parler dans le couloir, pour que Parker puisse se reposer !

Elle effleura son front, comme elle le faisait dans son enfance quand il avait la fièvre ou qu'il s'était écorché un genou. Elle l'avait encore fait quand son père était mort. Elle avait toujours été là pour ses enfants, même si personne n'était là pour elle.

Parker attrapa la main de sa mère et la serra gentiment pour la rassurer. La perspective de perdre son fils devait la terrifier. Durant les semaines précédentes, Logan, son jumeau, et Cooper, leur frère cadet, avaient été victimes de plusieurs tentatives de meurtre. Mais la plupart d'entre elles étaient en réalité dirigées contre *lui*.

Comme toujours, Logan jouait son rôle de chef.

— Il faut découvrir qui a mis sa tête à prix, dit-il d'une voix ferme.

Puis, d'un ton plus soupçonneux, indiquant qu'il s'adressait à l'un de ses nouveaux beaux-frères, il ajouta :

— A moins que tu ne saches déjà de qui il s'agit. Tes *contacts* ont dû te le dire quand ils t'ont parlé de la mise à prix.

Son interlocuteur poussa un juron sonore, et Parker reconnut le bouillant Garek Kozminski. De toute évidence, cette voix de stentor ne pouvait être celle du frère de ce dernier, le doux Milek.

— Si je savais qui c'est, je te le dirais… Notre sœur est en danger à cause de ce salopard !

Parker se força à ouvrir les yeux. La lumière du soleil qui filtrait à travers le store et la lueur crue des néons au plafond le firent battre des paupières. Son mal de tête s'accrut, mais c'était davantage dû à la culpabilité qu'à la douleur. Stacy Kozminski-Payne avait vécu des moments très durs depuis quelque temps, et c'était principalement par sa faute. Il regarda la femme aux cheveux blond vénitien qui était devenue sa belle-sœur. Elle se tenait entre son mari et son frère, comme pour les empêcher d'en venir aux mains. Une position dans laquelle elle resterait sans doute toute sa vie.

C'est alors que Logan fit quelque chose qu'il faisait rarement : il présenta des excuses.

— Désolé, vieux. Je sais que tu ferais n'importe quoi pour protéger ta sœur.

D'un hochement de tête, Garek accepta son mea-culpa et poursuivit :

— La seule chose dont je suis certain, c'est que c'est quelqu'un qui a beaucoup d'argent et beaucoup d'influence.

— Milek et toi, il faut que vous preniez contact avec toutes vos relations pour voir ce que vous pouvez apprendre.

Logan avait repris son rôle de chef. En tant que P-DG de Payne Protection et aîné — de dix minutes — des jumeaux Payne, il avait pris le pli de commander à tout le monde.

Les Kozminski n'acceptaient pas facilement les ordres, et Parker s'attendait à les voir se cabrer. Mais Milek s'exclama :

— C'est une proposition d'embauche ?

La Payne Protection était une société de sécurité fondée par Logan quelques années après son départ de la police. Il avait persuadé son jumeau de donner aussi sa démission pour venir travailler avec lui. Logan avait toujours été très attentif aux gens qu'il engageait : Terry et Douglas étaient parmi les meilleurs, et leur mort était une perte tragique.

Plissant ses yeux bleus, Logan considérait ses nouveaux beaux-frères. Leur lien était très récent, car son mariage avec Stacy venait d'être célébré dans cette chambre d'hôpital, afin que lui, Parker, puisse être son témoin.

— J'ai besoin de votre aide, dit Logan.

Et Parker connaissait assez son frère pour savoir que cet aveu n'avait pas dû être facile pour lui.

Stacy connaissait aussi son mari, car elle se serra contre lui pour lui témoigner son admiration et son affection. L'amour qu'elle lui portait était visible, tout comme celui de Logan pour elle.

L'évidence de leurs sentiments mutuels était telle que Parker en éprouva un pincement d'envie. Il chassa vite ce sentiment insensé : il avait dû se cogner la tête plus fort qu'il ne le croyait.

Logan passa un bras autour des épaules de sa femme et reprit :

— Il faut veiller à la sécurité de Stacy et de Parker.

Rassemblant ses forces pour lutter contre la douleur, Parker se redressa avec effort et s'assit au bord du lit.

— Ce n'est pas ton combat, Logan, dit-il. C'est le mien. Et cette fois, ce n'est pas toi qui donnes les ordres.

Il ne s'était jamais élevé contre le fait que son frère soit aussi son patron, mais le risque que Logan se fasse tuer suffisait à le pousser à se rebeller.

— Ce n'est pas Payne Protection qui va veiller sur moi. Je peux m'en occuper moi-même, reprit-il.

Maintenant qu'il savait qu'il était la cible…

Comme surpris de le découvrir là, Logan se tourna vers lui.

— Parker…

— Ça ne concerne que moi. Et toi, tu dois t'occuper de Stacy. Il faut que vous partiez en voyage de noces.

Serrant sa femme contre lui dans une attitude protectrice, Logan secoua la tête.

— Je ne partirai pas tant que tu seras en danger.

— Désolé de te contredire, mais c'est exactement pour ça que tu dois partir, souligna Parker. Parce que si je suis en danger, tu l'es aussi.

Avec leurs cheveux noirs, leurs yeux bleus et leurs traits sculpturaux, ils se ressemblaient tant que la plupart des gens n'arrivaient pas à les distinguer. Seule différence entre eux : Logan était toujours sérieux, alors que Parker adorait plaisanter.

— Nous devons tous collaborer pour découvrir qui a mis ta tête à prix, insista Logan.

— C'est sans doute un mari jaloux, lança la voix grave d'un homme qui venait de pénétrer dans la chambre.

— Cooper ! s'exclama leur mère en apercevant son plus jeune fils.

Bien qu'il ait deux ans de moins que Parker et Logan, Cooper aurait pu aussi être leur jumeau, tant il leur ressemblait.

— Bon sang ! grommela Parker. Toi aussi, tu devrais être encore en voyage de noces.

Il prit soudain conscience que ses deux frères étaient désormais mariés. Seuls sa sœur cadette et lui étaient encore célibataires. Et sa mère. Mais elle était veuve, ce qui était tout autre chose.

Il ne voulait pas que ses belles-sœurs deviennent veuves à leur tour.

— Tanya et toi, montez dans un avion et fichez le camp d'ici. Et pendant que vous y êtes, emmenez Logan et Stacy avec vous.

— Logan et Stacy ?

A la vue de la femme blottie dans les bras de son frère, Cooper haussa les sourcils.

Logan et Stacy s'étaient détestés pendant des années avant d'admettre soudainement qu'ils s'aimaient. Mais ce revirement ne s'était opéré qu'après le départ de Cooper et Tanya en voyage de noces.

— Parker s'agite, déclara leur mère. Et il faut qu'il se repose. Marier Logan et Stacy dans sa chambre n'était pas une bonne idée…

— Vous êtes mariés ! ? s'exclama Cooper.

Sa mère lui fit signe de baisser le ton.

— Allez continuer votre conversation dans le couloir, ordonna-t-elle.

L'autorité de son ton et la noirceur de son regard, habituellement si chaleureux, firent merveille. S'empressant de lui obéir, ses fils et les Kozminski sortirent dans le couloir en se bousculant.

Elle le repoussa gentiment contre ses oreillers.

— Le médecin te garde en observation cette nuit, lui rappela-t-elle, la commotion ayant affecté sa mémoire immédiate. Alors, tu dois te reposer.

— Maman…

— Tu auras besoin de toutes tes forces pour te battre aux côtés de tes frères, lui dit-elle, usant du même argument que quand, enfant, il ne voulait pas aller se coucher.

Elle l'embrassa sur le front avant de rejoindre le reste de la famille dans le couloir.

Enfin seul, Parker ferma les yeux. Il était épuisé, pourtant il ne parvenait pas à oublier l'attentat qui se rejouait sans cesse derrière ses paupières. Il revoyait Terry et Douglas à travers le pare-brise, avant que ce dernier vole en éclats, que la carrosserie explose et que leurs corps…

Avec un grognement d'horreur et de douleur, il se réveilla en sursaut et découvrit qu'il n'était plus seul. Une femme était penchée sur son lit. Ce n'était pas une infirmière, car elle ne portait pas de blouse, mais avec un tailleur chamois avec corsage à col montant. Elle aurait pu faire partie du personnel administratif de l'hôpital, n'eût été le bébé qu'elle portait à califourchon sur la hanche.

— Vous êtes Parker Payne ? demanda-t-elle.

Méfiant, Parker se tendit. Pourquoi voulait-elle le savoir ? Puis il écarta ses soupçons. Elle n'était sûrement pas là pour empocher la prime le concernant.

A moins que les assassins n'amènent des bébés avec eux. En ce cas, mieux valait qu'elle s'en prenne à lui plutôt qu'à Logan ou à Cooper.

— Oui, c'est moi.

Visiblement soulagée, elle laissa échapper un soupir tremblant.

— Vous n'êtes pas mort…

— Pas encore…

Elle frissonna.

— J'ai vu aux nouvelles ce qui vous est arrivé… ou plutôt ce qui a failli vous arriver. C'était votre voiture…

— Je vais bien, dit-il avec un pincement de culpabilité.

C'est Doug et Terry qui auraient dû être à sa place en ce moment. Mais ils avaient disparu en laissant des enfants derrière eux. Comme leur père les avait laissés, lui et ses frères, en se faisant tuer dans l'exercice de ses fonctions.

Si on réussissait à l'abattre, lui ne laisserait derrière lui aucun enfant qui le pleurerait comme il avait pleuré son père. Sa famille et ses amis pensaient qu'il restait célibataire parce que son tempérament de play-boy l'empêchait de s'engager. Mais c'était seulement en raison de son sens pratique. Les dangers de son métier ne faisaient pas de lui un bon parti. Il ne voulait infliger à personne le chagrin que sa mère, ses frères et sa sœur avaient enduré.

La femme l'observait, les sourcils légèrement froncés. Même plissés, ses yeux noisette étaient si grands qu'ils lui mangeaient la moitié du visage. Lâchés, ses cheveux couleur auburn auraient pu adoucir son visage, mais ils étaient noués en un chignon sévère à l'arrière du crâne. A voix basse, elle demanda doucement :

— Vous êtes sûr que vous allez bien ?

Parker se secoua et repoussa ses idées noires. Il n'allait laisser personne derrière lui car il n'allait pas mourir… Du moins pas avant d'avoir trouvé le salopard qui lui en voulait et de lui avoir fait payer les dégâts qu'il avait causés.

Assez de repos, se dit-il en s'asseyant au bord du lit. Un éblouissement le prit, et il cligna des yeux pour s'éclaircir la vision.

— Dois-je appeler quelqu'un ? demanda la femme en reculant vers la porte.

Elle remonta son enfant sur la hanche, ce qui le fit glousser doucement.

Parker reporta son attention sur le bébé. Vêtu d'une

petite salopette et d'un T-shirt rayé bleu et vert, il avait tout l'air d'être un garçon. Avec ses cheveux noirs bouclés et ses grands yeux bleus, il était très mignon.

— Vous savez qui je suis, articula-t-il, mais j'ignore qui vous êtes. Est-ce que je suis censé vous connaître ?

Il n'oubliait jamais les visages d'habitude, surtout les visages féminins. Mais cette jeune femme ne portait pas de maquillage et elle était si mal fagotée qu'en temps normal il ne l'aurait même pas remarquée… à moins qu'il n'ait été d'humeur à flirter avec un rat de bibliothèque. Peut-être était-ce le cas à présent, d'ailleurs, car il avait envie de savoir de quoi elle avait l'air avec les cheveux lâchés.

— Je m'appelle Sharon Wells, dit-elle avec une nuance interrogative dans la voix, comme si elle se demandait s'il se souvenait d'elle.

L'aurait-il dû ?

Il secoua la tête, un mouvement qui se répercuta dans son crâne et le fit gémir.

— Je devrais appeler, répéta-t-elle en jetant un regard nerveux vers le couloir. Vous avez besoin d'aide.

— Non, ce n'est rien.

Il y avait déjà bien trop de gens qui voulaient l'aider et résoudre le problème qu'il avait lui-même créé, d'une manière ou d'une autre. C'était *lui* qu'on voulait tuer. Qui avait-il contrarié au point qu'on lui en veuille ainsi ?

Cooper se trompait en parlant de mari jaloux. Parker ne s'était jamais attaqué à une femme mariée et ne le ferait jamais. Il y avait là une ligne qu'il se refusait à franchir.

— Je n'ai besoin de personne, dit-il.

A présent, la jeune femme contemplait le bébé qu'elle berçait doucement. Son petit visage s'anima et il tendit les bras vers elle. Bien qu'ils ne se ressemblent pas du tout, on aurait dit qu'ils ne faisaient qu'un, tant ils paraissaient attachés l'un à l'autre.

— Sharon Wells…, répéta-t-il.

Mais ce nom ne lui parut pas plus familier pour autant. Ce n'était pas la femme de Terry ou de Doug ; il connaissait leurs visages. Des visages qu'il ne pourrait plus jamais regarder sans un élan de culpabilité et de honte. Si Sharon Wells appartenait à la famille de l'un ou de l'autre, ce devait être une parente éloignée, car il connaissait la plupart de leurs proches.

Prenant appui sur le lit, il se mit debout. Gêné de constater à quel point ses jambes tremblaient, il se crispa.

Il n'allait pas passer la nuit à l'hôpital, alors qu'il devait rechercher un tueur.

— Je suis désolé, conclut-il. Je ne sais pas qui vous êtes.

La femme soupira.

— J'espérais que si…

— Ah bon et pourquoi ?

— Parce que cela m'aurait facilité les choses que vous vous attendiez à ma visite, expliqua-t-elle.

S'attendre à sa visite ? Pourquoi l'aurait-il dû ?

Il ne s'attendait à rien d'autre qu'aux bombes ou aux balles qu'on lui destinait.

— Quelles choses ?

Etait-ce une meurtrière ? Une tueuse à gages ?

Il chercha du regard son holster et son arme mais, tout comme ses vêtements, ils avaient disparu. De même que tous les membres de sa famille. Pourquoi l'avaient-ils laissé tout seul ?

— Ce que j'ai à vous dire…, reprit-elle.

Elle inspira profondément comme pour se donner du courage.

— … c'est qu'Ethan est votre fils.

Parker reposa les yeux sur l'enfant. Le petit avait des cheveux noirs et des yeux bleu vif. Il était certain qu'il ressemblait comme deux gouttes d'eau aux vieilles photos de Logan, de Cooper et de lui-même. Il aurait pu être un Payne. Il aurait pu être son propre…

Il avait peut-être besoin de plus de temps pour se remettre, après tout, se dit Parker. La station debout lui demandait tellement d'efforts qu'il avait le tournis. Ses genoux cédèrent, et il s'effondra par terre. La dernière chose qu'il entendit avant de sombrer dans l'inconscience fut le cri de la jeune femme.

2

Le cri que la chute soudaine de Parker lui avait arraché déclencha un véritable vacarme. Le bébé se mit à hurler de peur, et plusieurs personnes s'engouffrèrent dans la chambre.

Sharon avait vu ces gens dans le couloir, postés comme des gardes à la porte. Etant donné les déclarations de la police et les précédentes tentatives d'assassinat contre les frères de Parker, elle ne s'était pas étonnée de ce déploiement de sécurité. Pourtant, ils l'avaient laissée passer sans lui poser de questions et s'étaient contentés de fixer Ethan avec des yeux ronds.

Ils avaient immédiatement saisi ce qu'il avait fallu beaucoup plus longtemps à Parker pour comprendre — à savoir qu'il s'agissait de son fils.

— Que lui avez-vous fait ? jeta avec colère l'un des frères de Parker en s'accroupissant près de lui.

Il ressemblait tant à Parker qu'il aurait pu être son jumeau. Il y avait donc deux hommes aussi beaux dans le monde ? C'était injuste.

Un troisième homme se précipita pour aider le premier à remettre Parker dans son lit. S'agissait-il de triplés ? Les cheveux du dernier étaient plus courts, coupés à la mode militaire, mais en dehors de cela il ressemblait tant à ses frères que c'en était troublant. Et Ethan avait l'air d'une version miniature des trois réunis. Il devait être le portrait craché des bébés qu'ils avaient été.

Repoussant ses frères, Parker se remit debout comme si ses forces lui étaient revenues. Et, vu la façon dont ses muscles tendaient sa blouse d'hôpital, il devait être très robuste.

— Tout va bien, assura-t-il à sa famille inquiète. Je me suis seulement levé trop vite.

Détachant son regard de Parker, une des femmes, la plus âgée, fixa le bébé.

— Ou alors, c'était le choc…

Elle tendit une main un peu tremblante vers le petit poing d'Ethan. Il s'empara d'un de ses doigts, et ses gémissements se calmèrent aussitôt.

— … de découvrir que tu as un enfant, conclut-elle.

Parker secoua la tête et tressaillit, sans doute à cause de la douleur.

— *Maman !* s'exclama-t-il avec exaspération. Ce n'est pas mon fils.

Il regarda l'un de ses frères.

— C'est le tien ? demanda-t-il.

Une femme aux cheveux blond vénitien éclata de rire tandis qu'un homme blond se mettait à ricaner.

Les yeux du frère en question s'agrandirent d'horreur et il lui jeta un coup d'œil.

— Je n'ai jamais vu cette femme de ma vie.

— Moi non plus, rétorqua Parker.

Sharon sursauta. Ils s'étaient déjà rencontrés plusieurs fois, bien que ce soit plusieurs mois auparavant. Pourquoi ne se souvenait-il pas d'elle ?

— Tu as pris un sacré coup sur la tête, lui rappela son frère. Le médecin a dit que tu pourrais souffrir de pertes de mémoire dues à la commotion.

— Une perte de mémoire à court terme, précisa Parker. Ça veut dire que je peux oublier ce qui s'est passé quelques minutes ou quelques heures plus tôt, mais pas plusieurs mois.

Sharon sentit son cœur se serrer. Elle aurait dû se rendre compte qu'un homme comme lui ne pouvait se souvenir d'une femme comme elle. Elle faisait tout pour être discrète et effacée, aussi ne fallait-il pas s'étonner que ceux qui la remarquent soient si rares.

Mme Payne posa sur elle un regard chaleureux. Ses cheveux étaient auburn, sans aucune trace de gris : elle n'avait pas l'air assez âgée pour avoir trois fils de plus de trente ans, encore moins un petit-fils.

— Quel âge a-t-il ? demanda-t-elle.

— Neuf mois.

Ethan se retourna et tendit la main vers ses cheveux. C'était parce qu'il adorait les tirer que Sharon les attachait fermement en chignon.

Mme Payne se mit à rire.

— Les garçons aussi me tiraient les cheveux, dit-elle. Je peux le prendre ?

Elle tendit les bras tout en parlant, et le bébé se pencha vers elle.

Sharon se sentit envahir par la panique en voyant avec quelle facilité l'enfant passait de ses bras à ceux d'une inconnue. C'est ce qui arriverait quand ces gens apprendraient la vérité. Elle serait exclue de la vie d'Ethan, comme si elle n'en avait jamais fait partie.

— Maman ?

Parker tentait d'attirer l'attention de sa mère qui était en train de contempler le bébé avec émerveillement.

— Tu peux l'emmener dans le couloir ?

Il se tourna vers les autres.

— Sortez, vous aussi. Je dois parler seul à seule avec Mlle Wells.

Sharon sentit sa peur augmenter et son pouls s'accélérer. Elle tendit les bras pour reprendre Ethan, mais Mme Payne avait déjà franchi la porte avec son petit trésor. Parker lui prit le poignet pour la retenir, tandis que les autres sortaient.

Grâce à Ehan, elle ne s'était encore jamais retrouvée seule avec Parker. Seule face à son courroux. Parker devait être furieux. Et il en avait le droit : on lui avait caché qu'il avait un fils et on avait essayé de le tuer.

Mais il n'était pas le seul qu'on tentait d'assassiner.

Si l'explosion l'avait physiquement anéanti, la déclaration de Sharon Wells l'avait atteint sur le plan émotionnel. Parker aurait préféré mettre sa réaction sur le compte de la commotion, mais il avait déjà récupéré.

A présent, il tenait Sharon par le bras et c'était elle qui tremblait. Un gros sac à langer était accroché à son épaule. Elle recula pour se dégager de son emprise ; apparemment elle était plus forte qu'elle n'en avait l'air.

— Je n'aurais pas dû venir, dit-elle. C'était une erreur…

— Essayer de faire passer ce bébé pour le mien ? rétorqua-t-il. Oui, c'était une erreur.

Et pourquoi avait-elle fait cela ? Qu'espérait-elle y gagner ? Si elle voulait forcer quelqu'un à l'épouser, Cooper ou Logan auraient davantage fait l'affaire ; ils étaient plus sensibles que lui aux questions d'honneur. Mais non, cette fichue mémoire à court terme lui jouait encore des tours : ils étaient déjà mariés.

— C'est le vôtre, insista-t-elle.

Elle soutint son regard, une expression franche et sincère dans ses étranges yeux dorés.

— Vous pouvez faire un test de paternité pour en avoir la preuve. Puisque nous sommes déjà à l'hôpital, on pourra sans doute avoir le résultat rapidement.

Parker laissa retomber sa main et recula d'un pas.

— Vous êtes sérieuse… ?

— Ce n'est qu'un frottis buccal, précisa-t-elle. Cela ne lui fera pas mal, sinon je ne l'aurais pas suggéré.

Elle voulait protéger son fils.

Leur fils ?

Il scruta son visage. En général, les femmes avec qui il sortait accordaient de l'importance à leur look. Mais avec ses yeux immenses et ses traits délicats, Sharon n'en avait pas vraiment besoin. En fait, elle était naturellement très belle. Parker sentit poindre le désir : son pouls s'accéléra et il eut brusquement envie de voir à quoi elle ressemblait sous ce tailleur informe.

Pourtant, ses yeux, son visage et cette attirance soudaine le confortèrent dans la certitude qu'il ne l'avait jamais rencontrée auparavant — et qu'il n'avait jamais couché avec elle.

— Impossible que je sois le père de votre bébé, déclara-t-il avec fermeté. Je ne vous aurais pas oubliée si nous avions été intimes.

Il n'était pas ce play-boy étourdi dont tout le monde parlait. Ses conquêtes n'étaient pas assez nombreuses pour qu'il ne se souvienne pas d'elles.

Sharon baissa les yeux et rougit.

— Mais… vous avez eu une commotion cérébrale…

Il secoua la tête et la douleur réapparut. Cette fois, cependant, il ne fut pas pris d'étourdissements. La confusion qui l'habitait faisait peu à peu place à la colère.

— Votre enfant n'est pas le mien.

— Faites ce test, le pressa-t-elle. Je vous assure qu'Ethan est votre fils.

Comme tout le monde, elle devait croire qu'il ne se souvenait pas des femmes avec qui il avait couché. De plus, il utilisait toujours des préservatifs. Aucune de ses anciennes liaisons ne pouvait avoir été enceinte de lui. Par conséquent, Sharon Wells se jouait de lui et elle avait pour cela des motivations secrètes.

Pourquoi ? Ce test de paternité ne servirait qu'à prouver qu'il avait raison. Ne cherchait-elle qu'à gagner du temps ? Essayait-elle de détourner son attention ? Qu'espérait-elle ?

Voulait-elle toucher la récompense pour son meurtre ? D'après ce que Garek Kozminski en avait dit, il s'agissait d'une somme substantielle.

Peut-être devait-il fouiller ce sac à langer pour s'assurer qu'elle n'y avait pas dissimulé une arme. Ou une bombe. Il tendit la main pour saisir la bandoulière mais ne réussit qu'à effleurer la poitrine de la jeune femme.

Ses yeux déjà immenses s'agrandirent aussitôt.

Elle ne fut pas la seule à être surprise. De toute évidence, ce tailleur informe dissimulait des courbes généreuses. Parker se sentit aussi intrigué que méfiant.

— Que... que faites-vous ? questionna-t-elle d'une voix anxieuse.

— Vous essayez de me persuader que j'ai fait un bébé avec vous et que le choc m'a fait perdre la mémoire.

Pas étonnant qu'elle ait saisi cette occasion après avoir entendu les nouvelles sur son état.

— Les effets de cette commotion ne vont pas durer, poursuivit-il.

Elle hocha la tête, comme pour lui donner raison.

Jusqu'où irait-elle pour lui faire plaisir ? Et dans quel objectif ? Il voulait le savoir.

— Mais ma mémoire peut être stimulée, continua-t-il.

— Je... je ne comprends pas, bégaya-t-elle.

— Essayez donc, lança-t-il comme un défi en posant les mains sur ses épaules pour l'attirer vers lui.

Elle le fixa avec des yeux encore plus grands.

— Moi ? Vous voulez que je stimule votre mémoire ? Mais comment ?

— Embrassez-moi.

Sans attendre qu'elle morde à l'appât, il lui releva le menton et posa les lèvres sur les siennes.

Loin de stimuler sa mémoire, le baiser lui donna la preuve qu'il ne l'avait jamais embrassée auparavant. Tout était trop neuf : le soyeux de ses lèvres, la chaleur et la douceur de son souffle. Il profita de l'émotion de Sharon pour approfondir le baiser et glisser la langue dans sa bouche.

Il sentit son cœur s'emballer et sa tête redevenir légère, sans pour autant mettre cette réaction sur le compte de son état. C'était la faute de Sharon. Car, à présent, elle répondait à son baiser et jouait de la langue avec la sienne. Si son but était de détourner son attention, elle s'y prenait admirablement bien.

Parker posa les mains sur cet irritant chignon noué derrière sa tête et le défit pour lâcher ses cheveux sur ses épaules. Le choc de l'explosion avait dû l'aveugler, il n'y avait pas d'autre explication au fait qu'il n'ait pas remarqué la beauté de Sharon au premier coup d'œil…

Elle était aussi belle — et peut-être plus belle — que la plupart des femmes avec qui il était sorti. Et une chose était sûre : elle ne faisait pas partie de ses conquêtes.

Ce n'était pas un simple baiser. C'était davantage que cela. C'était monumental. Il avait l'impression que la terre tremblait sous ses pieds.

Ou du moins, le bâtiment. Soudain, il prit conscience que les fondations grondaient et que les vitres tremblaient. Mais il n'y avait pas de tremblement de terre dans le Michigan. Il y avait forcément une autre explication.

Avait-on posé une bombe dans l'hôpital ? Etait-on si impatient de le tuer qu'on avait pris le parti de sacrifier la vie de nombreux innocents ?

Le système d'alarme se mit à hurler, mais il était trop tard. La bombe avait explosé. Combien y avait-il de blessés ? Et combien se blesseraient en essayant de fuir l'hôpital ?

Le désordre dans le couloir était si grand que Parker recommença à souffrir de la tête. Des cris de peur et de confusion s'élevaient et des pas précipités résonnaient dans toutes les directions. Il jeta un coup d'œil à la fenêtre. Des flammes se reflétaient sur la vitre. Etait-il encore temps de fuir ou étaient-ils piégés dans cette chambre sans espoir d'en sortir ?

3

Les flammes montaient des débris brûlants de ce qui avait été sa voiture. Sharon se souvenait de l'avoir garée entre une Mini Cooper et un 4x4. La première avait été déplacée par le souffle de l'explosion, et le deuxième noirci par la chaleur de l'incendie.

Suffoquée, le cœur battant, elle contemplait ce spectacle par-dessus l'épaule de Parker. Elle était encore plus déstabilisée que quand ce dernier l'avait embrassée. Mais elle ne devait plus se soucier de ce baiser.

A la seule pensée de ce qui leur serait arrivé, à Ethan et à elle, s'ils avaient été dans la voiture, elle plaqua une main sur la bouche pour étouffer un cri de terreur. Ce petit garçon était si intelligent, si gentil, si affectueux. Sa vie ne faisait que commencer ; elle ne pouvait pas s'achever aussi vite.

Elle avait déjà résolu de faire tout ce qui serait en son pouvoir pour le protéger. L'amener ici avait été une erreur. Elle se détourna de la fenêtre pour se diriger vers le couloir.

Mais la prenant par le bras, Parker l'arrêta net.

— Où croyez-vous aller ?

— Je veux voir Ethan, répondit-elle.

Elle avait besoin de le tenir et de s'assurer qu'il allait bien. Le vacarme le terrifiait, et il avait peur des inconnus. C'était un miracle qu'il ait accepté aussi facilement que Mme Payne le prenne dans ses bras, mais c'était avant cette explosion et le chaos résultant.

— Il faut…

— Le voilà, annonça Mme Payne en entrant dans la chambre avec le bébé.

Comme Sharon l'avait craint, des larmes ruisselaient sur les joues rebondies du petit garçon. Ses sanglots avaient dû atteindre leur paroxysme car, à présent, il poussait de longs soupirs tremblotants.

Sharon tendit les bras et il se jeta contre elle pour se blottir dans son cou. Puis il agrippa ses cheveux pour s'y cacher. Elle ignora la douleur. Ses yeux la piquaient à l'idée de le perdre. Elle aimait tellement ce petit garçon ; elle n'aurait pas pu l'aimer davantage s'il avait été effectivement son fils.

— C'était la voiture de Mlle Wells, annonça Logan, confirmant ce que Parker soupçonnait déjà.

Heureusement, l'explosion n'avait pas eu lieu à l'intérieur de l'hôpital, ni même assez près des bâtiments pour causer des dommages matériels. Seuls les vitres et le sol avaient tremblé tandis que la fumée en provenance du parking déclenchait les alarmes.

— Et le bébé est bien de toi, ajouta son frère.

Stupéfait, Parker posa par réflexe la main sur son arme. Ce bébé était de lui ? Mais cela n'avait aucun sens… A moins que…

Logan leva les bras dans un geste de défense.

— Ne me tire pas dessus ! Je ne suis que le messager.

Parker glissa le revolver dans le holster fixé sous son bras. Bon sang, comme il était soulagé de se débarrasser enfin de cette blouse d'hôpital ! Dans quelques minutes, il quitterait cette chambre. Après l'explosion et l'invasion des journalistes, il doutait que le médecin proteste en le voyant partir plus tôt que prévu.

— Le résultat du test est déjà arrivé ? demanda-t-il en s'efforçant de calmer les battements de son cœur.

Cela s'était passé exactement comme Sharon Wells l'avait dit : un simple prélèvement buccal. Sur le bébé, sur lui-même et sur Logan et Cooper.

— Maman a persuadé le labo de faire vite, répondit Logan.

Quelques heures s'étaient écoulées depuis l'attentat. Ils avaient effectué le test de paternité avant l'arrivée de la police. Puis un officier avait emmené Sharon dans un bureau, probablement pour lui demander si elle savait pourquoi on avait mis une bombe dans sa voiture.

Parker aurait bien aimé écouter ses réponses à cette question. Mais ce n'étaient pas les seules explications qu'il voulait obtenir d'elle.

— Alors, qui est cette femme ? demanda Logan.

— Je n'en ai pas la moindre idée, répondit-il honnêtement.

— Il n'y a que toi et moi ici, Parker, dit son frère en balayant la chambre d'un geste. Dis-moi la vérité.

— Je n'en sais rien du tout, répéta Parker.

— C'était un coup d'une nuit ?

Pris d'une colère subite, Parker agrippa le T-shirt de son frère.

— Tu crois que c'est mon genre ?

Ce n'était pas non plus celui de Sharon Wells, vu la manière innocente dont elle s'habillait. Il aurait bien voulu savoir qui elle était. Une voleuse ? Une intrigante ? Une tueuse ?

Il espérait de toutes ses forces qu'elle n'était rien de tout cela. Mais il ne pouvait laisser la douceur de leur baiser minimiser ses soupçons à son égard.

— Tu ne sais même pas qui elle est, remarqua Logan.

— Je vais m'occuper de ça, répliqua-t-il.

Quand la police en aurait terminé avec elle, ce serait à son tour de l'interroger. Il fallait espérer qu'il n'avait pas perdu la main après ses années au commissariat de River City. Bien sûr, il avait passé plus de temps à faire de l'infiltration qu'à interroger des suspects. Cette compétence était davantage du ressort de Logan : il avait un don pour mettre les autres sur le gril, comme il venait de le faire avec lui.

— Vu que vous avez eu un bébé ensemble, ça me paraît une bonne idée, commenta son frère en secouant la tête. Je n'arrive pas à croire que tu aies un enfant…

Lui non plus. Mais il n'avait aucune raison de douter du résultat du test. Ce dont il doutait, c'était Sharon Wells.

C'était une erreur, Sharon l'avait compris avant même que Parker ne l'embrasse. Elle n'aurait jamais dû venir le voir. Mais on l'avait prévenue de ne se fier à personne. Elle n'avait donc rien dit à la police. En réalité, elle n'avait pas grand-chose à leur raconter. Elle ne savait pas pourquoi on essayait de la tuer ni pourquoi. Pourtant, elle n'avait pas parlé à l'officier de police des autres tentatives d'assassinat dont elle avait fait l'objet.

Et elle avait tenté de faire passer celle-ci pour une méprise : ce n'était pas sa voiture que l'on visait, mais peut-être celle de Parker. Après tout, c'était lui qu'on essayait de tuer, comme le prétendaient les infos.

Le policier aux cheveux gris ouvrit la porte du cabinet médical où il l'avait fait entrer pour la questionner et s'effaça pour la laisser passer. Entre le bébé et le sac à langer, elle avait les mains occupées. Epuisé par sa crise de larmes, Ethan s'était endormi. Mais même dans son sommeil, il se cramponnait à elle, serrant des mèches de ses cheveux dans ses petits poings.

Pourquoi aimait-elle tant cet enfant ? Il n'avait jamais fait partie de ses plans. Elle n'avait jamais songé à se marier ni à avoir des enfants. Son seul objectif était sa carrière.

— Vous avez eu beaucoup de chance, mademoiselle, dit l'officier.

Vraiment ? Alors qu'en plus de sa voiture elle avait perdu son portefeuille et ses bagages ? Elle soupira.

— Je sais que ce n'est qu'une voiture…

L'argent et les affaires personnelles pourraient être remplacés. Quant à Ethan… même s'il n'avait pas été blessé dans l'explosion, elle allait tout de même le perdre.

En le remettant à son père.

— Il y a autre chose, coupa le policier. La bombe n'a explosé qu'au démarrage de la voiture.

— Mais c'est moi qui avais la clé, murmura Sharon.

En tapotant la poche frontale du sac à langer, elle réalisa soudain qu'elle n'était plus là. Elle devait l'avoir laissée sur le contact.

— Les caméras de sécurité ont montré quelqu'un qui examinait les voitures, manifestement dans l'intention d'en voler une, reprit le policier.

— Vous voulez dire qu'on a essayé de voler ma voiture ?

Elle avait laissé ses clés, son portefeuille et ses valises à l'intérieur. Comment avait-elle pu être aussi négligente ? Bien sûr, elle avait les mains occupées par Ethan. Mais elle était également nerveuse à l'idée de présenter à Parker Payne un bébé dont il ignorait l'existence.

Secouant la tête d'un air de pitié, le policier conclut :

— Il a choisi la mauvaise voiture.

Et le voleur était mort à cause de ça — à cause d'*elle*. Submergée par la culpabilité, elle resta bouche bée. A cet instant, une grande main lui pressa gentiment l'épaule, comme pour lui offrir un réconfort.

Levant les yeux, elle vit Parker Payne. Il était vêtu d'une chemise d'un bleu presque aussi vif que ses yeux et d'un jean délavé. Il était si beau qu'elle regretta presque de porter une blouse d'hôpital.

— Les caméras ont-elles filmé le poseur de bombe ? demanda Parker au policier.

L'homme hocha de nouveau la tête avec regret.

— Il savait manifestement où se trouvaient les caméras et il les a évitées. Nous avons demandé aux techniciens d'étudier la bande pour essayer de trouver des indices.

Parker approuva d'un signe de tête.

Sharon était surprise que le policier communique aussi librement sur une enquête. Mais elle le vit poser la main sur l'épaule de Parker.

— Ravi que tu t'en sois sorti, Payne, dit-il. Perdre ton père a déjà été assez dur.

Un muscle tressauta sur la mâchoire de Parker et il hocha la tête.

— Tu n'es pas fatigué de travailler pour ton frère ? reprit l'officier. On adorerait te voir revenir chez nous.

Parker leva un sourcil sceptique.

— Bon, peut-être pas tout de suite, corrigea le policier, mais quand tu auras découvert qui essaie de te tuer...

— Ça ne devrait pas tarder, assura Parker.

— N'oublie pas qu'on est là pour te donner un coup de main, ajouta le policier.

Ce dernier se tourna vers elle.

— Mais jusqu'à ce qu'on l'attrape, il vaudrait mieux vous tenir à l'écart de M. Payne, mademoiselle, pour votre propre sécurité.

Sharon savait déjà qu'elle n'était en sécurité nulle part.

— Nous allons aussi la protéger, déclara Parker. C'est le boulot de Payne Protection.

La famille de Parker possédait une agence de sécurité, et lui-même travaillait comme garde du corps. Mais que se passait-il quand c'était lui qui avait besoin de protection ? Qui le protégeait ?

Comme Parker s'effaçait pour permettre au policier de s'éloigner, Sharon aperçut ses frères dans le couloir, ainsi que les hommes blonds qu'elle avait vus un peu plus tôt dans la chambre d'hôpital. Tous la regardaient avec attention, comme s'ils s'attendaient à la voir se jeter sur Parker pour le tuer.

Bien sûr, ils étaient assez intelligents pour ne faire confiance à personne, surtout pas à elle. Il fallait qu'elle dise la vérité à Parker. Mais quand elle se retourna et le vit fixer avec émerveillement le bébé endormi dans ses bras, elle comprit qu'il était déjà au courant.

— C'est votre fils, dit-elle.

— Je sais.

Il secoua la tête comme si le fait d'être père le remplissait d'incrédulité. Mais peut-être n'était-ce pas cela qu'il mettait en doute…

Elle sentit le chagrin l'envahir et, bien que cet aveu lui coûte énormément, elle ajouta :

— Je ne suis pas sa mère.

— Je le sais aussi.

Evidemment qu'il le savait. Malgré sa commotion cérébrale, il se serait souvenu d'elle s'ils avaient couché ensemble. Quand ils s'étaient rencontrés, on ne les avait pas présentés l'un à l'autre. Ils n'avaient fait que se jeter un coup d'œil en passant. Apparemment il ne l'avait pas remarquée, mais elle-même ne l'avait pas oublié. Il était impossible de ne pas remarquer un homme au charme aussi dévastateur que Parker Payne.

Pourtant, il n'était pas plus son type qu'elle n'était le sien. Elle n'aurait jamais fréquenté un homme ayant sa réputation et son physique. Les seuls hommes avec qui elle était sortie — et il y en avait eu peu — prenaient comme elle les études et le travail au sérieux.

Avant que son petit homme n'apparaisse. Avant Ethan…

Qu'était-elle censée faire à présent ? Remettre son fils à Parker et s'en aller ? C'était ce qu'on lui avait demandé de faire, mais sa voiture était partie en fumée.

Ses papiers et son argent aussi. Elle n'avait aucun moyen de s'en aller… même si elle réussissait à laisser le bébé à des inconnus.

— Vous allez venir avec moi, lui dit-il comme s'il avait lu dans ses pensées. Et vous me direz ce qui se passe…

Si seulement elle le savait…

Mais, tout comme elle n'avait pu avouer immédiatement qu'elle n'était pas la mère d'Ethan, elle rechignait à admettre son ignorance. Et elle avait besoin de passer un peu de temps avec le petit garçon pour s'assurer qu'il serait en sécurité… sans elle.

Parker prit son coude pour la guider vers sa famille et ses amis.

— Il faut que vous fassiez diversion, leur dit-il. Pour qu'on ne nous suive pas.

L'un de ses frères acquiesça.

— On va faire en sorte de détourner l'attention. Tu sais où l'emmener ?

Parker fit signe que oui.

Sharon n'en conçut aucun soulagement. Parker pouvait sans doute les protéger de ceux qui leur en voulaient, mais qui la protégerait de lui ?

L'un des hommes blonds déclara :

— Mes contacts m'ont donné d'autres infos.

Parker haussa les sourcils d'un air interrogateur.

— Tu sais qui a mis ma tête à prix ?

— Non, mais je sais que tu n'es pas le seul. On a mis une autre tête à prix, le même jour que toi.

Les yeux assombris par l'inquiétude, Parker jeta un coup d'œil à son frère.

Mais l'homme hocha négativement la tête.

— C'est une femme…

Les yeux gris de l'homme se posèrent sur elle.

— Une femme du nom de Sharon Wells.

Ainsi, elle ne s'était pas seulement trouvée au mauvais

endroit au mauvais moment. Ce n'était pas une coïncidence ni une erreur sur la personne. Quelqu'un essayait bien de la tuer, *elle*. Quelqu'un qui voulait que Parker Payne et elle meurent.

4

Parker referma la porte derrière Sharon et le bébé. Puis il remit son arme dans le holster accroché sous son bras. Avant de les faire entrer dans la maison que son frère possédait au bord du lac Michigan, il avait vérifié qu'elle était vide. Il s'était aussi assuré qu'on ne les avait pas suivis depuis l'hôpital.

— Nous serons en sécurité, ici, affirma-t-il.

La jeune femme tremblait de froid, ou d'épuisement à cause du poids de l'enfant endormi. Parker avait monté à l'étage de la maison le couffin que sa mère avait fait apparaître comme par magie à l'hôpital. Il l'avait posé dans un coin de la chambre principale. Il voulut la décharger du bébé, mais l'enfant, même dans son sommeil, se cramponnait aux cheveux de Sharon, comme s'ils le reliaient à elle.

Elle n'était pas sa mère, elle l'avait enfin admis. Mais il existait un lien évident entre eux. Sharon déplia doucement les petits doigts du bébé pour se libérer, et Parker put enfin le prendre dans ses bras.

Ethan. Son fils s'appelait Ethan. Il fixa avec émerveillement le petit garçon. Ses joues rouges et rebondies, le filet de salive qui s'échappait de sa bouche entrouverte. Ses cheveux frisés et humides. Par peur de le voir disparaître, Sharon l'avait tenu si serré qu'il avait eu trop chaud. A présent, elle retenait son souffle, comme si elle avait peur qu'il ne le laisse tomber.

Et qu'il lui fasse du mal…

Le test avait prouvé que, d'une façon ou d'une autre, cet enfant était le sien. Il s'était juré de ne jamais devenir père, et voilà qu'à présent il l'était. Et il était prêt à faire n'importe quoi pour son fils. Prêt à mourir plutôt que de laisser quelque chose lui arriver.

Si Ethan avait été dans la voiture quand elle avait explosé…

Parker frémit d'horreur à cette pensée. Il aurait pu perdre son enfant, avant même d'apprendre qu'il en avait un. Il avait envie de le garder pour toujours dans ses bras, mais le petit garçon avait déjà trop chaud. Et Parker avait chaud, lui aussi. La colère provoquée par le mensonge de Sharon le faisait transpirer. Mais elle l'observait comme si c'était lui dont il fallait se méfier.

Très doucement, afin de ne pas l'éveiller, il déposa le bébé dans le couffin. L'enfant soupira doucement en se détendant sur le mince matelas, et son sommeil se fit plus profond.

— Nous sommes en sécurité ici, répéta Parker.

Mais c'était plus pour se rassurer lui-même.

— Vous m'en voulez certainement de vous avoir induit en erreur, dit doucement Sharon.

Parker ricana.

— Induit en erreur ?

Empoignant son bras, il l'éloigna du berceau, afin que les accents de sa colère ne réveillent pas le bébé.

— C'est tout ce que vous pensez avoir fait ?

— Je ne vous ai pas menti, protesta-t-elle, un air d'innocence dans ses grands yeux noisette. Je ne vous ai jamais dit que j'étais la mère d'Ethan, seulement que vous étiez son père.

Il laissa retomber sa main et comprit qu'elle avait raison. C'était lui qui avait supposé qu'elle était sa mère. Pourquoi n'était-ce pas la mère de l'enfant qui était venue elle-même ? Qui qu'elle soit, elle lui avait caché sa grossesse.

— Pourquoi est-ce vous qui m'avez amené mon fils ? demanda-t-il d'une voix courroucée.

Alors qu'il ignorait qu'il était devenu père, cette femme avait servi de messagère. Elle avait révélé un secret qui ne lui appartenait même pas.

— Je devrais sans doute vous remercier plutôt que de vous en vouloir, reprit-il en se tournant vers le couffin et en observant le bébé endormi.

Sans Sharon Wells, il n'aurait sans doute jamais su qu'il avait un fils.

— Alors vous ne m'en voulez plus ? questionna-t-elle d'un ton hésitant, comme si elle n'arrivait pas à lui faire confiance.

D'un autre côté, vu qu'on essayait de la tuer, mieux valait ne se fier à personne.

Il haussa les épaules.

— Vous avez peur que je vous supprime ?

Il la taquinait pour alléger la tension, comme faisaient les membres de sa famille.

— L'argent de la récompense pourrait m'être utile, dit-il en souriant. Je pourrais ouvrir un compte pour les futures études d'Ethan…

Elle sourit nerveusement, sans doute pas totalement convaincue qu'il plaisantait.

En réalité, il ne plaisantait qu'à moitié. Il lui faudrait effectivement ouvrir un compte, veiller à l'avenir de son fils. Mais il ne pourrait rien faire de tout cela s'il mourait.

Et pourquoi la tête de Sharon était-elle aussi mise à prix ? Elle n'était pas la mère du bébé, alors qui était-elle exactement ?

— Vous ne m'avez peut-être pas menti, reprit-il, mais vous n'avez pas non plus été tout à fait honnête. Vous en savez beaucoup plus que moi. Vous savez qui est la mère d'Ethan.

Les joues de Sharon s'empourprèrent, trahissant un sentiment de culpabilité.

— Et je pense que vous savez aussi qu'on essaie de nous tuer, continua-t-il. Vous savez peut-être même qui...

Elle secoua la tête et ses épais cheveux volèrent sur ses épaules. Il était ravi de les avoir dénoués. Leurs ondulations auburn adoucissaient les traits de son visage et la rendaient très belle.

— Je ne sais ni qui ni pourquoi, dit-elle.

Il la fixa dans les yeux, essayant de jauger sa franchise. Si seulement il avait eu le même don que son frère pour les interrogatoires...

Mais il avait travaillé sous couverture, un rôle qui exigeait de garder les secrets plutôt que de les découvrir. Il n'avait pas besoin d'aveux ; il prenait les criminels en flagrant délit.

Sharon Wells avait-elle commis un crime ?

— Qui êtes-vous ? demanda-t-il.

Ce n'était pas la question qu'il s'apprêtait à poser. Il aurait dû lui demander qui était la mère d'Ethan. Mais c'était Sharon dont on voulait la tête, pas la mère du bébé. Et pour cette raison, Parker s'intéressait davantage à Sharon qu'à celle qui lui avait dissimulé la naissance de son fils.

— Qui êtes-vous ? répéta-t-il.

Sharon s'attendait à de la colère, pas à des soupçons.

— Je vous ai dit qui j'étais. Je vous montrerais bien mon permis de conduire, mais il a brûlé dans ma voiture.

Ce n'était pas seulement ses possessions matérielles que l'explosion avait fait disparaître. Quelqu'un avait perdu la vie à cause d'elle, parce qu'on voulait la tuer. Et il n'était peut-être pas le seul à avoir été pris dans la tourmente...

Traversant la chambre, Parker se dirigea vers un petit bureau placé à côté d'une fenêtre donnant sur le lac

Michigan. Le soleil se couchait et ses rayons rougissaient la surface de l'eau. Il récupéra une feuille de papier dans le fax.

— Voici la copie de votre permis.

Le visage tendu, Sharon examina le papier qu'il lui tendait. Puis Parker exhiba une autre photo : celle d'un immeuble noirci, dont les ouvertures étaient condamnées avec des planches.

— Et voici une photo de l'adresse inscrite sur votre permis de conduire…

Sharon s'approcha de lui.

— Quelqu'un est mort dans l'incendie ? demanda-t-elle.

Elle prit la photo, qui illustrait un article de journal. Parker en profita pour lui saisir le poignet.

— Vous étiez au courant ?

Un muscle tressautait sur sa joue et ses yeux bleus avaient une expression intense.

— Où étiez-vous, Ethan et vous, quand l'immeuble a pris feu ?

Il se faisait du souci pour le bébé. Mais elle aussi. On le lui avait confié. Elle n'avait rien demandé, mais elle prenait cette tâche plus au sérieux que son travail réel. Et elle avait failli échouer. Elle posa les yeux sur la photo et frémit.

— Nous n'étions pas là, répondit-elle. Mais je l'ai vu aux informations.

Le souvenir de l'instant affreux où elle avait compris que c'était son immeuble qui brûlait fit monter de nouveau la panique en elle. Elle revit les flammes qui se reflétaient dans les vitres brisées, éparpillées sur la pelouse noircie.

— Je sais qu'il y a eu des blessés, dit-elle. Mais je n'ai pas vu les nouvelles depuis et je ne sais pas s'ils s'en sont sortis.

Un muscle tressauta de nouveau sur la joue de Parker, et il répondit lentement, comme à contrecœur :

— Il y a eu une victime…

— Deux personnes, murmura-t-elle en reprenant son souffle. Deux personnes sont mortes à cause de moi.

— Aujourd'hui, deux personnes sont mortes aussi à cause de moi.

Lâchant son poignet, il lui pressa l'épaule en signe de réconfort.

— Deux de mes amis, des pères de famille, ont perdu la vie parce qu'on voulait ma mort.

Sharon sentit les larmes lui monter aux yeux et elle battit des paupières pour les retenir. Elle savait depuis longtemps que pleurer était une perte de temps. Et personne ne lui avait jamais offert une épaule ou des bras pour la consoler. Elle avait toujours été seule avec ses yeux gonflés et son visage rougi.

— Pourquoi veut-on vous tuer ? demanda Parker, avant de répéter sa question : *Qui* êtes-vous ?

— Vous avez une copie de mon permis. Vous savez qui je suis.

Il secoua la tête.

— Je connais votre nom et votre ancienne adresse. Mais ça n'explique pas pourquoi on veut vous tuer. Vous fréquentez les mauvaises personnes ?

Elle ne le pensait pas… jusqu'à maintenant.

— Vous avez un petit ami dérangé ? continua-t-il en la mitraillant de questions. Un métier dangereux ? Vous appartenez à une mafia ?

Elle se mit à rire devant l'image qu'il peignait d'elle. Cela n'aurait pas pu être plus éloigné de la vérité. Il devait encore plaisanter, comme quand il avait insinué qu'il envisageait de la tuer pour toucher la récompense.

Durant les brefs instants qu'elle avait passés avec sa famille, elle avait remarqué qu'ils ne cessaient de se taquiner. Mais que savait-elle des familles ? Elle n'en avait jamais vraiment eu une.

— Vous trouvez ça drôle ? dit-il d'un ton chargé de désapprobation.

— Bien sûr que non, répondit-elle.

Entre la peur et la culpabilité, elle avait peine à se contenir. Si elle se laissait aller à penser à ces gens…

Des larmes lui piquèrent de nouveau les yeux et elle pressa ses paupières. Si elle commençait à pleurer, elle ne pourrait plus s'arrêter.

— Je trouve ça surréaliste. Rien de tout cela ne ressemble à ma vie. Tout ça n'a rien à voir avec moi. Je ne suis que la messagère qui vous a livré votre fils.

Il rit amèrement.

— A vous entendre, on croirait une employée de Fedex livrant un paquet.

Mais c'était exactement la manière dont on lui avait décrit le bébé : « un paquet ». Elle se crispa en se remémorant les paroles glaciales de la mère d'Ethan.

— Vous racontez n'importe quoi, dit Parker, parce que vous avez un lien indéniable avec…

Sa pomme d'Adam eut un mouvement convulsif, comme si l'émotion l'étouffait. Il déglutit et termina :

— … mon fils.

Il revendiquait déjà son droit sur l'enfant. Où cela le mènerait-il ? Si elle lui avouait tout, Sharon se retrouverait seule, comme elle l'avait été la plus grande partie de sa vie. Ecartant cet accès d'apitoiement sur elle-même, elle se concentra sur le plus important : Ethan avait un père, qui allait l'aimer et le protéger.

Et pour protéger son fils, Parker devait découvrir qui essayait de le tuer. Elle devait donc lui dire tout ce qu'elle savait, même si ce n'était pas grand-chose.

— Je m'occupe de lui pratiquement depuis sa naissance, dit-elle.

— Vous êtes une famille d'accueil ? demanda-t-il.

Elle secoua la tête.

— Une nounou ?

Elle soupira. Ce n'était pas le travail qu'elle avait choisi, mais c'était celui qui lui était échu.

— J'étudie le droit.

— Et vous gardez des enfants pour gagner votre vie ?

— Je travaille comme assistante juridique pour une juge.

Elle vit la lumière se faire tout à coup dans l'esprit de Parker. Il venait de comprendre qui était la mère de l'enfant.

Il jura, puis se tendit et jeta un coup d'œil au bébé, comme s'il se sentait coupable. Ethan dormait toujours.

— La juge Foster ?

Sharon cacha son étonnement. Il avait couché avec elle et ne l'appelait pas par son prénom ? Elle fit signe que oui.

— Elle m'avait dit qu'elle ne pouvait pas avoir d'enfants…

— En fait, elle suivait un traitement hormonal pour en avoir, dit Sharon d'un air tendu en se rappelant les fréquentes sautes d'humeur de la juge.

Avant de débuter dans son poste, elle avait été ravie à l'idée de travailler pour la célèbre Brenda Foster. Mais son rôle s'était rapidement limité à celui de nounou, car la juge avait été incapable de conserver les nourrices précédentes.

Parker jura de nouveau, cette fois à mi-voix.

— Il faut que je lui parle.

— Bonne chance, murmura Sharon. J'essaie sans succès depuis deux semaines.

— Deux semaines ? dit-il d'un air choqué. Elle n'a pas vu son enfant depuis quinze jours ?

Compte tenu des heures que la juge consacrait à sa vie professionnelle et publique, ce n'était pas la plus longue période durant laquelle elle n'avait pas vu son fils.

— Elle nous a envoyés à l'hôtel, Ethan et moi, pendant deux semaines, avec assez d'argent en liquide pour que je n'aie pas à utiliser de carte de crédit.

— Parce qu'elle ne voulait pas qu'on vous retrouve,

murmura Parker. Elle devait savoir que quelqu'un vous en voulait.

Sharon secoua la tête.

— Personne ne m'en voulait.

Il serra si fort le papier qu'il tenait à la main qu'il le froissa.

— Cet article prouve le contraire. De même que l'explosion de votre voiture sur le parking de l'hôpital.

Sharon frémit à l'idée que quelqu'un pouvait vraiment lui vouloir du mal. Mais pourquoi ?

— Que vous a-t-elle dit d'autre ? demanda Parker.

Elle soupira de nouveau.

— Seulement que si je n'avais pas de nouvelles d'elle au bout de deux semaines, je devais vous amener Ethan.

Ce n'était pas exactement ce que la juge avait dit, mais Parker était déjà tellement en colère contre Brenda — à juste titre d'ailleurs — que Sharon ne voulait pas en rajouter.

D'un autre côté, la situation ne pouvait guère empirer, se dit-elle… jusqu'à ce qu'elle entende grincer les marches de l'escalier.

Parker l'entendit aussi, car il prit son arme. Manifestement, il n'attendait pas de visites.

Il avait promis qu'ils seraient en sécurité dans la maison. Mais Sharon commençait à se dire qu'ils n'étaient en sécurité nulle part — pas tant qu'on serait résolu à les tuer.

Les marches grincèrent de nouveau. Plusieurs personnes gravissaient l'escalier. Même s'il était armé, Parker était en infériorité numérique. Et même s'il avait une autre arme, Sharon ignorait totalement comment s'en servir. Impuissante, elle le regarda s'approcher de l'escalier — s'interposant entre Ethan, elle et ceux qui en voulaient à leur vie…

5

Parker jura mentalement. Dire qu'il était tellement sûr de ne pas avoir été suivi et d'avoir fait le nécessaire pour protéger Sharon et Ethan… Il n'avait même pas précisé à sa famille où il les emmenait, il avait seulement dit que c'était un endroit qu'il connaissait.

En voyant une tête émerger au-dessus de la rampe, il jura encore, tout haut cette fois :

— Bon sang, Logan ! J'aurais pu te tuer.

Son frère jumeau l'avait sermonné plusieurs fois sur le danger qu'il y avait à approcher en silence. Pourquoi cette règle ne s'appliquait-elle pas à lui ?

— Je n'étais pas sûr que tu connaisses cette maison, dit son frère. Mais maman insistait pour que je te trouve.

La tête de leur mère apparut alors. Contournant Logan, elle se précipita dans la chambre. A la vue du bébé endormi, elle poussa un soupir de soulagement.

Elle ne connaissait l'existence de son petit-fils que depuis quelques heures mais, manifestement, elle l'aimait déjà. Parker sentit suelque chose remuer dans son cœur et il se rendit compte qu'il aimait lui aussi l'enfant. Ethan faisait déjà partie de sa vie.

Et de celle de Brenda Foster. Elle lui avait menti. Elle l'avait mystifié. Ces tactiques avaient fait d'elle un procureur si efficace qu'elle était l'un des plus jeunes magistrats jamais nommés. Et son caractère impitoyable avait fait d'elle la plus respectée et la plus haïe de tous les juges.

Parker s'était senti flatté qu'une femme aussi célèbre s'intéresse à lui. Mais durant le laps de temps où il lui avait servi de garde du corps, il avait refusé d'avoir un comportement autre que professionnel. Elle avait alors dénoncé son contrat avec Payne Protection. Une fois libre, envoûté par sa beauté et son intelligence, il avait cédé à ses avances.

Et à son insu, ils avaient conçu un enfant. Elle ne lui avait pas seulement menti une fois ; elle avait continué à lui mentir chaque jour en lui cachant l'existence du bébé. Qu'est-ce qui l'avait finalement décidée à demander à Sharon de lui amener son fils ?

Quel genre d'ennuis avait-elle ? Sa sévérité en tant que juge lui avait attiré de nombreux ennemis, et elle avait reçu d'innombrables menaces de mort. Mais pourquoi ces criminels voulaient-ils s'en prendre au père et à la nounou de son fils ?

— En fait, je suis content que tu sois venu, admit Parker avec mauvaise grâce.

— Quoi ?

La main posée sur son arme, Logan inspectait la pièce comme s'il s'attendait à trouver des intrus dans les coins.

— Tu as été suivi ?

— Non. J'ai été prudent.

S'il ne l'avait pas été, Sharon et le bébé seraient déjà morts.

— Je dois m'absenter un moment pour aller voir quelqu'un, expliqua Parker.

Et découvrir à quoi jouait cette femme… Il ne pouvait pas s'agir d'un criminel qui gardait rancune à Brenda car, dans ce cas, c'est sa tête, à elle qui aurait été mise à prix, et non celle du père et de la nounou de son fils.

— J'ai besoin que tu protèges Sharon et… mon fils.

Il avait réussi à dire les mots qu'il croyait autrefois ne jamais prononcer, car il ne pouvait *pas* ne pas assumer la paternité de ce beau petit garçon. Comme sa propre mère, il aimait déjà l'enfant.

— Je veux que tu les protèges pendant que je ne suis pas là.

— Où vas-tu ? s'enquit Logan.

Sharon se contentait de le regarder car elle savait bien sûr où il allait. Elle savait qu'il devait aller voir Brenda. Il fallait qu'il la voie et qu'il lui dise le fond de sa pensée. Il n'arrivait pas à croire qu'elle l'ait roulé durant tout ce temps.

— Je vais voir la juge Foster, avoua-t-il. Elle a beaucoup à voir avec cette affaire.

Pas question pourtant de révéler qu'elle avait quoi que ce soit à voir avec Ethan, pas avant d'avoir pu lui parler en personne.

— Elle nous a virés il y a un an et demi, lui rappela Logan. Qu'est-ce qu'elle a à voir avec Sharon et toi ?

— Je travaille pour elle, dit Sharon.

Mais, comme Parker, elle ne divulgua aucune autre information. Soit pour suivre son exemple, soit pour que la famille ne sache pas qu'Ethan n'était pas son fils.

Logan se passa la main dans les cheveux et dit d'un ton irrité :

— Tu ne peux pas te balader tout seul alors qu'on a lancé un contrat contre toi !

— Tout ira bien, l'assura Parker. Ils ne m'ont pas encore eu. Même si ce n'est pas faute d'essayer.

— Il ne sera pas seul, intervint Sharon. Je vais avec lui.

Parker refusa d'un signe de tête.

— Ils ne m'ont pas eu, répéta-t-il, mais beaucoup de gens ont été blessés ou tués parce qu'ils se trouvaient avec moi.

Pour lui, il était hors de question de la mettre encore plus en danger qu'elle ne l'était déjà.

*
* *

Sharon se disait qu'elle n'aurait pas dû quitter le bébé, car elle avait peur de ne plus jamais le revoir. Mais, au moins, elle savait qu'il avait une vraie famille. Ils le protégeraient et prendraient soin de lui, non par obligation mais par amour.

Mme Payne était visiblement tombée amoureuse de son petit-fils. Pour elle, ce n'était pas un fardeau. Ni le résultat des errements de son fils.

C'était tout ce que Sharon avait représenté pour ses grands-parents : la preuve que leur fille parfaite avait fauté. L'erreur qui avait gâché sa vie et avait fini par la lui coûter. Après la mort prématurée de la jeune femme, ils s'étaient chargés de l'éducation de la petite fille. Non par amour, mais par peur que leurs amis et collègues ne leur reprochent de l'avoir fait adopter, comme ils l'avaient eux-mêmes conseillé autrefois à leur fille. Même si Sharon n'avait pas entendu leurs violentes discussions à ce sujet, elle avait compris leurs sentiments à son égard.

— Vous auriez dû rester avec Ethan, dit Parker comme s'il avait perçu ses pensées.

A moins qu'il n'ait simplement vu la peur sur son visage.

Mais la nuit était tombée. Et il avait verrouillé la voiture afin qu'on ne voie pas la lumière du tableau de bord de l'extérieur. Il était garé à quelque distance de la propriété de la juge et des projecteurs qui éclairaient le portail.

— Je n'aurais pas dû vous emmener, dit-il ensuite, comme s'il s'en faisait lui-même le reproche.

— Il le fallait, lui rappela-t-elle. Vous n'auriez pas franchi le système de sécurité sans moi.

Il avait essayé d'appeler Brenda, mais elle n'avait répondu ni à la maison, ni au bureau, ni sur son portable. Soit elle n'était pas chez elle, soit elle ne pouvait pas répondre.

Sharon sentit la frayeur lui comprimer les poumons. Et si quelque chose était arrivé à son employeuse ?

Elle avait pris soin du bébé jusque-là, mais les Payne

n'auraient sûrement pas besoin d'elle. Elle n'aurait plus de lien avec cet enfant qu'elle aimait à présent comme son propre fils.

Parker grogna.

— Ce fichu système de sécurité…

Payne Protection avait fait installer un système high-tech basé sur la reconnaissance des empreintes digitales. Sharon s'était étonnée que les empreintes de Parker ne soient pas enregistrées. Mais, bien sûr, Brenda ne voulait pas qu'il entre chez elle parce qu'elle ne voulait pas qu'il apprenne l'existence de son fils.

La juge voulait un enfant, et non un mari. Malgré son respect pour elle, Sharon n'avait jamais compris son désir d'enfant. Tout ce qu'elle-même voulait, c'était une carrière aussi réussie que celle de la juge Foster. Puis elle avait rencontré Ethan et s'était entichée du petit garçon.

— Je n'aurais quand même pas dû vous emmener, insista Parker.

— Alors il aurait fallu me couper le doigt, répondit Sharon en frissonnant à cette idée.

Parker rit doucement.

— Je pense que mes nouveaux beaux-frères auraient trouvé une manière moins sanglante de s'y prendre. Je doute qu'il existe un système de sécurité qu'ils ne puissent pas déjouer.

— Mais ils auraient eu besoin de temps pour ça et je n'ai pas de nouvelles de Brenda depuis deux semaines, lui rappela Sharon.

— Et c'est exceptionnel pour elle ? demanda Parker.

Ne voulant pas critiquer la juge, Sharon hésita.

— Elle est toujours très occupée. En général, elle me confiait Ethan si elle voulait avoir la paix. Mais, cette fois, elle m'a demandé de quitter la ville pendant deux semaines, répéta-t-elle au cas où Parker souffrirait encore de pertes de mémoire. Et elle m'a ordonné de tout payer en liquide : l'hôtel, la nourriture, tout.

— Elle ne voulait pas qu'on puisse retrouver votre trace, dit Parker. Elle vous cachait, Ethan et vous. Elle devait donc savoir que vous étiez en danger.

— Je n'étais pas en danger avant ces deux semaines, objecta Sharon. Ce n'est pas pour cela qu'elle nous a éloignés.

— Mais vous travaillez pour elle et elle s'expose toujours au danger, insista Parker. Vous auriez pu être prise entre deux feux.

— Je suis du genre invisible. Les gens ne me remarquent pas.

Ignorant les protestations de son amour-propre, elle ajouta :

— Vous ne m'avez pas remarquée non plus, puisque vous n'avez pas cessé de dire que vous ne m'aviez jamais vue.

— J'ai dit que je n'avais jamais couché avec vous, précisa-t-il, ce qui est vrai.

Peut-être, mais il l'avait dit d'une telle manière qu'on aurait cru que c'était tout à fait inenvisageable. Bien sûr, ça devait l'être.

— Vous avez aussi dit que vous ne m'aviez jamais vue avant, répéta Sharon, ce qui n'est pas vrai.

— Et quand vous ai-je vue ?

— Quand vous jouiez les gardes du corps pour Brenda, répondit-elle. Je travaillais dans son cabinet à l'époque.

Même si on ne lui donnait guère de travail juridique, mais plutôt des corvées de café et de déjeuner.

— Moi, je vous ai vu plusieurs fois, ajouta-t-elle d'un ton blessé.

Il fallait admettre que ces rencontres avaient été brèves, mais le charme ravageur de Parker avait continué à hanter son esprit bien après ses courtes apparitions.

Elle vit ses yeux briller dans l'obscurité.

— Non, je me serais souvenu de vous…

— C'est peut-être à cause de votre commotion, conclut-elle.

Mais elle savait que c'était à cause de sa propre médiocrité. Elle avait appris très tôt à se montrer discrète et effacée. Malgré cela, ses grands-parents lui avaient toujours fait sentir à quel point elle constituait un fardeau et une déception pour eux.

Parker se gratta la tête.

— C'est peut-être la commotion qui m'a fait accepter de vous emmener. J'aurais dû vous laisser avec Logan pour qu'il vous protège.

— Et comment seriez-vous entré dans la propriété ?

— Grâce aux Kozminski.

— Ils n'auraient pas pu désactiver aussi vite le système, souligna-t-elle. Vous voulez encore attendre avant de parler à Brenda ?

Même dans l'obscurité, elle remarqua le muscle qui tressautait sur sa joue. Il devait être furieux contre la juge de l'avoir utilisé pour concevoir Ethan, puis de lui avoir caché l'existence du petit garçon.

Il répondit d'une voix rogue :

— Non.

Il ouvrit sa portière. Il avait dû débrancher le plafonnier, car Sharon resta dans l'obscurité.

Elle chercha la poignée à tâtons, mais la portière s'ouvrit avant qu'elle ait pu la trouver. Parker lui offrit sa main et l'aida à sortir de voiture.

— Venez, dit-il, mais restez près de moi.

Rester à ses côtés ne lui posait pas de problème, elle aimait la proximité de son grand corps musclé. Il l'abritait un peu du vent glacial qui fouettait sa chevelure et traversait son tailleur. Et l'arme que Parker serrait étroitement dans sa main diminuait un peu la peur qui la glaçait encore plus que le vent.

Sharon était grande, mais elle dut presser le pas pour rester à la hauteur de Parker. Quand ils atteignirent le portail, elle reprit sa respiration avant de tendre la main vers le panneau de sécurité. Parker l'arrêta d'un geste.

— Qu'est-ce qu'il se passe ? demanda-t-elle.

Elle sentit sa peau se réchauffer là où il la touchait.

Ne voulait-il pas entrer ? N'était-ce pas le but qu'il poursuivait en venant chez Brenda ?

Parker survola la zone du regard, inspectant la rue, avant de glisser un regard vers la demeure obscure, de l'autre côté du portail en fer forgé.

— Je préférerais avoir Toutou avec moi, murmura-t-il.

— Toutou ?

— Le berger allemand de ma belle-sœur, expliqua-t-il. Il est très doué pour renifler les bombes.

— Vous croyez qu'il y en a une à l'intérieur ? questionna Sharon en reportant son attention sur la grande bâtisse en brique. Personne ne peut s'introduire dedans avec ce système d'alarme.

Parker observait à présent le panneau, comme pour s'assurer qu'il n'avait pas été trafiqué. Puis il leva leurs deux mains toujours nouées.

Sharon pressa l'index sur la paroi de verre. Une lumière s'alluma tandis que la machine lisait son empreinte. Il y eut un déclic, le ronronnement d'un moteur, puis un grincement métallique quand le portail s'ouvrit. Parker fit un pas en avant, mais la stoppa en posant une main sur son épaule.

— Ne me laissez pas toute seule ici ! cria-t-elle d'une voix angoissée.

Cela lui rappelait une autre nuit, des années auparavant, où elle était restée toute seule dans le noir.

— Ne me laissez pas ! répéta-t-elle en agrippant le bras de Parker.

Elle avait dit la même chose, cette nuit-là, mais il était trop tard.

— Vous aurez besoin de moi pour ouvrir la maison.

— Je ne vous laisse pas, dit-il d'un ton rassurant. Mais nous devons être prudents. Nous ne savons pas ce qu'il y a à l'intérieur.

Sharon sentit son estomac se nouer.

— Vous croyez qu'elle est morte ?

— On en aurait parlé aux infos, si elle avait été tuée ou même si elle avait disparu.

Sharon secoua la tête.

— Elle est en congé.

— Brenda Foster ? s'exclama-t-il d'un ton incrédule.

Il n'était pas le seul à être surpris. Des congés, Brenda en prenait très rarement. Elle n'était restée absente que deux semaines après son accouchement, se rappela Sharon.

— Je crois qu'elle écrit ses mémoires ou quelque chose comme ça, expliqua Sharon. Elle m'a demandé de me préparer à corriger son texte quand elle aura fini. Mais elle ne m'a encore rien montré.

— Depuis combien de temps est-elle en congé ? demanda Parker.

— Depuis quinze jours. C'est pourquoi personne ne s'est inquiété de ne pas avoir de ses nouvelles au tribunal.

— Et les autres ?

— Vous voulez dire ses amis ou ses amants ?

L'irritation l'envahit, dominant sa peur. Elle ne voulait pas parler des amants de Brenda avec Parker alors qu'il l'avait embrassée. Mais, bien sûr, il l'avait fait uniquement pour prouver qu'elle n'était pas la mère de son enfant, et non parce qu'il était attiré par elle.

— Ce que je vous demande, c'est si quelqu'un aurait pu s'inquiéter au point de signaler sa disparition.

Prenant conscience qu'elle se montrait mesquine en jalousant une femme qu'elle avait toujours respectée par ailleurs, Sharon se sentit coupable. Mais elle faisait partie des rares proches de la juge.

— Je ne sais pas…

Elle ne savait pas non plus qui aurait pu signaler sa propre disparition. Avec le nombre d'heures qu'elle consacrait à son travail, il ne lui restait guère de temps pour les mondanités. Non qu'elle ait jamais fréquenté beaucoup de gens. Elle avait toujours passé plus de temps à étudier et travailler qu'à se faire des amis.

— C'est sans doute moi qui l'aurais fait.

Ayant à s'occuper d'Ethan, elle était plus proche de sa mère que quiconque.

— Mais elle m'avait dit de m'adresser à vous si je n'avais plus de ses nouvelles… et de ne me fier à personne d'autre.

— Pas même à la police ?

Elle haussa les épaules en frissonnant.

— Personne en dehors de vous.

Parker se retourna vers la demeure et, en jurant, avoua à contrecœur :

— J'aurais dû laisser Logan nous fournir des renforts.

— Mais la tête de Brenda n'a pas été mise à prix, lui rappela-t-elle. Il n'y a aucune raison de penser qu'on veut la tuer.

— Non, concéda-t-il, mais il y a des raisons de penser qu'on veut nous tuer, nous.

— Personne ne sait que nous sommes ici, vous avez veillé à ce que nous ne soyons pas suivis.

— Alors je pourrais vous laisser dehors…

— Vous avez besoin de moi pour ouvrir la porte suivante, dit-elle vivement.

Ils s'avancèrent donc jusqu'à la massive porte d'entrée. Après que Sharon eut posé l'index sur le deuxième panneau de sécurité, les battants s'ouvrirent silencieusement, comme actionnés par un maître d'hôtel fantôme.

Parker franchit le seuil le premier, arme à la main. Il

avait allumé une petite torche fixée au canon, qu'il dirigeait à présent dans toutes les directions. Mais la maison
était étrangement silencieuse. Il dut aussi le remarquer,
car il demanda :

— Elle n'a donc aucun employé à demeure ?

— Non.

Brenda attendait de Sharon qu'elle soit à sa disposition
vingt-quatre heures sur vingt-quatre, mais n'avait jamais
voulu la faire vivre chez elle.

— Elle tient beaucoup à son intimité, alors elle a juste
une femme de ménage qui vient dans la journée.

Une femme de ménage qui avait visiblement cessé de
venir car, en traversant le hall d'entrée, ils constatèrent
que rien n'avait été rangé. Des escarpins à talons aiguilles
gisaient abandonnés sur le sol en marbre, et un manteau
avait été jeté un peu plus loin, au pied du double escalier
menant à l'étage. Parker s'apprêtait à poser le pied sur la
première marche quand Sharon lui prit le bras.

— Elle ne peut pas être là-haut.

— Mais il est tard. Toutes les lumières sont éteintes.

Sharon savait que Brenda ne se serait pas déjà couchée
à moins d'avoir de la compagnie et, dans ce cas, quelques
lampes seraient restées allumées.

— Elle est peut-être en train de travailler, dit-elle.

Puis, traversant le luxueux salon, elle se dirigea vers la
porte à double battant qui ouvrait sur le bureau.

Parker la retint avant qu'elle puisse poser la main sur
la poignée et dirigea le faisceau de sa lampe sur le cham-
branle de la porte.

— Qu'est-ce que vous regardez ? demanda Sharon.

— Je cherche des fils qui pourraient déclencher une
bombe.

Elle frémit.

— Tout va bien, dit-il après une seconde.

Mais Sharon ne bougea pas, et il dut tourner lui-même la

poignée. Il poussa la porte et balaya la pièce de sa torche. Le pinceau lumineux révéla des livres et des papiers éparpillés sur le sol.

— Quelqu'un a fouillé cette pièce, déclara Parker.

Mais Sharon secoua la tête.

— Non. Son cabinet a souvent cette allure.

Les livres étaient ouverts comme si on les avait étudiés. Mais tandis qu'elle avançait dans la pièce, Sharon remarqua qu'on avait aussi arraché la couverture de certains d'entre eux.

— Vous voyez, c'est ce que je disais, insista Parker. Est-ce qu'il manque quelque chose ?

— Son ordinateur portable.

Il n'était ni sur le bureau ni sur le sol.

— Elle a dû l'emporter avec elle. On dirait qu'elle est partie, conclut Parker.

Sharon se déplaça prudemment entre les papiers et les livres pour contourner le grand bureau en ébène. Si Brenda avait emmené son portable, elle avait dû le ranger dans la sacoche qu'elle laissait tomber d'habitude derrière son fauteuil.

Mais Sharon aurait tout donné pour ne pas voir le spectacle qui l'accueillit derrière le bureau. Cédant à la terreur, elle sentit un hurlement monter à sa gorge.

6

Il aurait mieux valu que Sharon ne vienne pas avec lui. Mais aucun contrat n'ayant été lancé contre Brenda, Parker s'était dit qu'il n'y aurait pas de danger à pénétrer chez elle, une fois qu'il se serait débarrassé d'une éventuelle filature. A présent, il savait pourquoi la tête de la juge n'avait pas été mise à prix.

Parce qu'elle était déjà morte. Derrière le bureau, son cadavre gisait en travers du fauteuil renversé. Son cou formait un angle bizarre, non à cause de sa position, mais parce qu'il était brisé. S'écoulant de la bouche, un filet de sang avait coagulé sous la tête. Son visage était d'un blanc crayeux. Elle était sans doute morte depuis un bon moment. Plusieurs jours peut-être…

En état de choc, Sharon tremblait et frissonnait dans ses bras. Mais elle avait cessé de hurler. Après avoir crié à s'en briser la voix et lui avoir martelé la poitrine, elle s'était finalement effondrée contre lui.

Il n'aurait pas dû l'emmener. Il aurait dû se douter de ce qu'ils allaient trouver. C'était ce qu'ils n'avaient pas trouvé qui le surprenait, à savoir le garde du corps. Même si Brenda ne laissait personne passer la nuit chez elle, elle aurait dû faire une exception pour son garde du corps — surtout si elle se savait en danger.

Pourquoi, sinon, aurait-elle éloigné Sharon et le bébé ? Elle devait aimer son fils. Brenda Foster n'était peut-être pas aussi manipulatrice et égoïste qu'il l'avait pensé. Elle l'avait utilisé et trompé, certes, mais elle aimait leur fils…

— Je suis désolée, murmura Sharon, toujours agrippée à sa chemise. Vraiment désolée…

De quoi s'excusait-elle ?

— C'est moi qui devrais être désolé, dit-il. Et je le suis, en effet. Je n'aurais pas dû vous amener ici. Vous n'auriez pas dû la voir dans cet état…

Retenant ses sanglots, elle poussa un long soupir tremblant.

— Mais c'était la mère de votre fils.

Sa voix se fêla et ses larmes recommencèrent à couler.

— Ethan…

Le bébé n'avait plus de mère. Et son père ne connaissait son existence que depuis quelques heures…

Parker sentit la panique le gagner. Etait-il à présent seul responsable de cet enfant ? Il n'avait aucune idée de la manière dont on s'occupait d'un bébé. Il se rassura aussitôt. Il apprendrait… avec l'aide de sa famille. Ecartant ses interrogations, il revint à la femme qui tremblait dans ses bras. Il se devait d'être solide pour elle.

Mais Sharon avait cessé de se cramponner à lui. Retrouvant la maîtrise d'elle-même, elle se dégagea et s'éloigna un peu.

— Ça va ? lui demanda-t-il. Il faut que je passe des coups de fil.

Elle hocha la tête en enroulant les bras autour de son corps.

— Bien sûr. Il faut que vous appeliez la police.

Devant son hésitation imperceptible, elle répéta d'un air choqué :

— Vous appelez la police, n'est-ce pas ?

— Brenda vous avait recommandé de ne vous fier à personne, lui rappela-t-il, incertain de la marche à suivre.

Sharon écarquilla ses yeux déjà immenses.

— M... mais... vous ne pouvez pas la laisser comme ça !

Il n'était plus possible d'aider Brenda, et c'était pour Sharon et Ethan que Parker s'inquiétait. La scène de crime devait cependant être examinée en quête d'indices. Il prit son portable et passa un appel avant de téléphoner à la police.

Une femme aux cheveux auburn — sans doute la personne qu'il avait appelée — fit bientôt son apparition. Mais Parker ne la laissa pas regarder le corps ; en fait, il ne la laissa pas dépasser le panneau de sécurité situé à la porte du bureau.

Sharon sentit le doute s'insinuer dans son esprit. Et si Brenda s'était trompée en se fiant à Parker ?

— Vous allez bien ? lui demanda l'inconnue, une lueur d'inquiétude dans ses yeux bruns.

Sharon se doutait que son apparence devait trahir ses sentiments. Découvrir le cadavre de Brenda avait ravivé chez elle des souvenirs si affreux qu'elle avait perdu tous ses moyens. Elle avait du mal à s'en remettre. Elle ne put que hocher la tête.

La femme se tourna vers Parker.

— Tu as appelé une ambulance ?

Accroupi derrière le bureau, Parker, qui étudiait le corps, leva les yeux.

— Les secours ne pourront plus rien pour elle.

— Je ne parlais pas de la juge, dit l'inconnue en la désignant.

— Ça... ça va, répondit Sharon. Je n'ai pas besoin d'une ambulance.

— Elle est en état de choc, déclara la femme à Parker, comme si Sharon n'était pas là.

Qui étaient-ils l'un pour l'autre ? Visiblement, la nouvelle venue travaillait aussi dans le domaine de la sécurité, car elle avait raccordé un ordinateur portable au panneau du système avec une aisance qui trahissait une longue habitude de ce genre de choses.

Parker sortit de derrière le bureau pour la rejoindre. Mais elle ne le regarda pas ; elle se concentrait sur ce qu'elle était en train de faire. Comment pouvait-elle ignorer Parker Payne ? Comment n'importe quelle femme l'aurait-elle pu ?

Enfin, l'inconnue se tourna vers elle et la dévisagea.

— Vous êtes sûre que vous allez bien ?

Sharon hocha de nouveau la tête. Physiquement, elle allait bien. C'était émotionnellement qu'elle était sens dessus dessous. Mais ce n'était pas uniquement la découverte du cadavre qui la bouleversait. Des soupçons commençaient à naître dans son esprit.

Pourquoi Parker avait-il demandé à cette femme de trafiquer le système de sécurité ? Pour qu'elle couvre ses traces ?

Dire qu'elle avait laissé Ethan à la mère de Parker ! S'il n'était pas digne de confiance, sa famille l'était-elle ?

— Je… je devrais retourner chercher Ethan, dit-elle. S'il se réveille et que je ne suis pas là, il va s'effrayer.

— Ethan ? s'exclama l'inconnue, c'est le nom de votre bébé ?

Parker n'avait révélé à personne qu'elle n'était pas la mère de l'enfant ; il avait seulement dit qu'il voulait voir la juge, sans préciser pour quelles raisons, en dehors du fait que Brenda pouvait détenir des informations utiles sur les contrats dont Parker et elle-même faisaient l'objet.

La juge ne pouvait plus les aider à présent. Elle n'était plus qu'une victime de plus…

Mais la victime de qui ?

— Ethan est mon fils, dit Parker à la femme. Tu le saurais si tu étais venue à l'hôpital.

S'ils étaient liés d'une manière ou d'une autre, pourquoi

n'était-elle pas venue le voir ? Son ton légèrement vexé impliquait que cette femme était importante pour lui.

A sa place, Sharon serait accourue aussitôt. D'ailleurs, elle s'était précipitée à l'hôpital dès qu'elle avait entendu parler de l'explosion dans les locaux de Payne Protection. Mais elle aurait dû de toute façon se mettre à sa recherche, car cela faisait deux semaines qu'elle était sans nouvelles de Brenda.

A présent, elle savait pourquoi…

— J'étais là, répondit l'inconnue.

Parker fronça les sourcils.

— Tu étais là ? Alors pourquoi n'es-tu pas venue me voir ?

La femme haussa les épaules, visiblement tendue.

— Qu'est-ce que tu veux savoir sur le système ?

Il soupira avant de répondre.

— Je veux savoir qui est la dernière personne à être entrée ici.

— Sharon Wells, répondit-elle.

Sharon frémit. Jamais elle n'aurait dû venir avec Parker ; il aurait mieux valu qu'elle se coupe un doigt plutôt que de voir ce qu'elle avait vu derrière le bureau.

— Avant aujourd'hui, précisa Parker. Qui était la dernière personne ?

— Sharon Wells, répéta la femme. Il y a deux semaines.

Parker se tourna vers elle, une lueur de soupçon dans le regard.

— Vous êtes la dernière à être venue ici ?

— Je suis venue prendre les affaires d'Ethan et l'argent pour notre séjour à l'hôtel, il y a quinze jours, dit Sharon. Mais je ne peux pas être la dernière à l'avoir vue…

— Vivante ?

Sachant ce que cela impliquait, Sharon secoua la tête. Si elle était la dernière personne à avoir vu la juge en vie, cela la désignait comme coupable. Et si c'était ce que pensait Parker, la police le penserait aussi.

Des voitures de police, sirènes et gyrophares en marche, franchirent le portail à toute vitesse et s'arrêtèrent devant la maison.

Si elle était arrêtée, elle ne reverrait jamais Ethan. Prise de panique, Sharon agrippa le bras de Parker.

— Brenda n'était pas seule quand je suis venue la dernière fois, dit-elle. Son garde du corps était là, lui aussi.

Et il lui aurait été impossible de maîtriser ce gorille pour tuer Brenda. Il était d'ailleurs impensable qu'elle ait pu faire du mal à Brenda ou à qui que ce soit. Parker devait la croire. Mais comment l'aurait-il pu, alors qu'elle-même doutait de lui ?

La parole de cette femme allait peser contre la sienne en ce qui concernait ses allées et venues. Mais l'inconnue pouvait très bien avoir effacé un nom, celui de Parker par exemple.

Parker n'avait peut-être pas besoin d'elle pour entrer dans la maison. Peut-être ne l'avait-il amenée là que pour brouiller sa piste. Peut-être voulait-il juste faire d'elle une coupable idéale.

— Le garde du corps était présent quand Brenda vous a ordonné de vous cacher pendant deux semaines et de me contacter si vous n'aviez plus de nouvelles ? demanda Parker.

Elle acquiesça.

— Qui était-ce ?

La femme ricana.

— Quelqu'un de pas très doué, apparemment…

— Je… je ne connais que son prénom. Chuck…

Cette information suffirait-elle pour retrouver l'homme et prouver que Brenda était encore en vie quand elle l'avait quittée deux semaines auparavant ?

Se tournant vers la porte, Sharon vit les policiers se ruer

dans la pièce, armes aux poings. Pourquoi se comportaient-ils comme si le tueur était toujours là ? Etait-ce le cas ?

Parker et la femme levèrent les mains.

— Nous sommes de l'agence Payne Protection, dit Parker. C'est moi qui ai appelé le 911.

Un officier chauve lui adressa un signe de tête.

— Salut, Parker. Tu protèges toujours la juge ?

Parker fit signe que non.

— Si c'était le cas, vous ne seriez pas ici.

Il pointa un doigt en direction du bureau.

— Nous avons trouvé son cadavre.

— Nous ? releva l'officier.

— Sharon Wells et moi.

Il pointa le doigt dans sa direction. Un doigt accusateur ? Allait-il l'accuser du meurtre ?

— Je suis Sharon Wells, déclara-t-elle. Et je travaille… je travaillais, corrigea-t-elle, pour la juge Brenda Foster.

Les policiers lui jetèrent le même regard que Parker précédemment. Mais comment pouvaient-ils croire qu'elle ait pu faire du mal à qui que ce soit ?

La réponse était simple : Parker ne la connaissait pas. Il ne s'était même pas rappelé l'avoir déjà rencontrée.

Et les policiers ne la connaissaient pas du tout.

Selon les données du système de sécurité, elle était la dernière à avoir vu Brenda en vie. Elle était donc la suspecte numéro un.

Les policiers allaient-ils l'arrêter avant de quitter la maison ? Si elle était emprisonnée, personne ne paierait sa caution et elle ne reverrait jamais Ethan. Quand elle avait amené le bébé à Parker, elle était consciente qu'elle devrait peut-être se séparer de lui. Mais elle n'aurait jamais pu imaginer qu'elle serait dans l'impossibilité de revoir l'enfant parce qu'elle serait derrière les barreaux pour le meurtre de sa mère.

7

Parker ne pouvait rien faire pour Sharon à cet instant. Les policiers allaient lui poser la question qu'il lui avait lui-même posée : pourquoi était-elle la dernière personne à avoir vu son employeuse en vie ?

Sauf qu'elle n'était pas la dernière. Et il allait en apporter la preuve. Mais il devait d'abord vérifier quelque chose. Il se précipita donc dehors pour rattraper sa sœur qui s'esquivait en douce.

— Pourquoi n'es-tu pas venue me voir à l'hôpital ? lui demanda-t-il.

Nikki ne se retourna pas. Il l'attrapa par l'épaule pour l'obliger à le regarder.

Elle se dégagea d'un geste brusque. Avant qu'elle ne lui échappe, il eut le temps de voir des larmes briller dans ses yeux.

— Nikki, qu'est-ce qui se passe ?

Elle haussa les épaules.

— Rien.

— Nikki ?

Il l'attrapa de nouveau et, cette fois, l'étreignit pour l'empêcher de fuir. Sa petite sœur ne pleurait jamais : elle était trop solide pour cela, ou trop déterminée à le prouver à ses frères.

— Je suis désolée, dit-elle, vraiment désolée…

De ne pas lui avoir rendu visite ?

— Ça ne fait rien, la rassura-t-il. Je ne voulais pas te faire de reproche.

— J'ai honte parce que c'est ma faute, murmura-t-elle d'une voix brisée par l'émotion.

Passablement désorienté, Parker demanda :

— Qu'est-ce qui est ta faute ?

— C'est à cause de moi que tu as failli te faire tuer ! s'exclama-t-elle.

— Ce n'est pas toi qui as mis la bombe dans ma voiture, dit-il, incapable de suivre sa logique.

Il aimait sa sœur, mais il ne la comprenait pas aussi bien que ses frères.

— C'est moi qui t'ai demandé de modifier la commande, dit-elle en reniflant pour retenir ses larmes. Si je n'avais pas fait ça, tu n'aurais pas été blessé…

— Je ne suis pas blessé, affirma-t-il sans mentionner son mal de tête qui avait presque disparu.

— Tu as une commotion cérébrale, dit-elle. Tu n'arrives même pas à te souvenir de la mère de ton enfant…

Elle ne l'avait pas vu à l'hôpital, mais elle avait visiblement entendu parler de ce qui s'était passé. Dans leur famille, personne n'avait de secrets pour personne.

— Oh si, je me souviens d'elle…

Il jeta un coup d'œil à la camionnette du médecin légiste, dans laquelle on était en train de charger le corps de Brenda Foster.

Pauvre Ethan. Il était si petit qu'il ne se souviendrait pas de sa mère.

— Tant mieux, dit Nikki avec un soupir de soulagement. Je suis contente que tu aies retrouvé la mémoire.

Il ne l'avait jamais vraiment perdue. Ce n'était pas sa commotion qui l'avait empêché de se souvenir de sa première rencontre avec Sharon. Simplement, confiant dans les détecteurs de métaux et les scanners du tribunal, il n'avait pas prêté une grande attention aux gens qui se trouvaient là, car ils ne représentaient pas une menace pour Brenda.

— Je suis content que tu sois venue, dit-il à sa sœur, même si les informations qu'elle avait extraites du système de sécurité pouvaient faire plus de mal que de bien à Sharon.

Il jeta un regard à cette dernière, assise à l'arrière d'une voiture de police. Selon l'officier Green, l'inspecteur Sharpe avait ordonné qu'on l'emmène au commissariat pour un interrogatoire. Sharpe avait récemment été promu inspecteur, alors qu'il n'avait rien fait pour le mériter. Fort de sa nouvelle autorité, il essayait sans doute d'impressionner Sharon, bien que ce ne soit pas nécessaire.

La pauvre avait été absolument terrifiée en voyant le cadavre de Brenda. Il était impossible qu'elle l'ait tuée. Physiquement, elle n'était pas assez forte et, émotionnellement, elle avait bien trop de sensibilité pour faire du mal à qui que ce soit.

— Tu lui as dit que j'étais ta sœur ? demanda Nikki, qui avait suivi son regard.

Parker ne parvenait pas à se rappeler s'il les avait présentées l'une à l'autre. La découverte du corps de Brenda avait monopolisé ses pensées, de même que la question de savoir qui l'avait tuée et comment.

Si le garde du corps était toujours présent quand Sharon avait vu Brenda pour la dernière fois, pourquoi n'avait-il pas protégé la juge ? Pourquoi n'avait-il même pas essayé ?

Parker n'aurait jamais failli ainsi à sa tâche, il aurait préféré mourir pour protéger sa cliente. Mais peut-être avait-il aussi manqué à son devoir. S'il n'avait pas laissé Brenda le renvoyer pour pouvoir coucher avec lui, elle serait toujours en vie.

Il ne laisserait personne faire du mal à Sharon non plus.

— Ils l'emmènent au commissariat pour prendre sa déposition, dit-il à Nikki, je voudrais que tu l'accompagnes pour veiller sur elle.

Pour ne pas mettre également sa sœur en danger, il appellerait Cooper en renfort. Vu la brutalité avec laquelle la juge avait été assassinée, Parker avait décidé de ne se fier à personne en dehors de lui. Et de sa famille, bien sûr.

— Où vas-tu ? questionna Nikki.

— Tu t'en doutes. Chercher qui est ce Chuck qui était censé protéger la juge.

Logan le savait sans doute. En tant que P-DG de Payne Protection, il connaissait toutes les agences de sécurité de la région.

— Aucun Chuck n'a enregistré ses empreintes dans le système, dit Nikki en jetant un coup d'œil à la voiture de police. Tu crois que Sharon a menti ?

Il secoua la tête.

— Non.

Il ne la croyait pas capable de mentir. Il n'aurait jamais dû douter d'elle.

— Brenda ne devait pas faire suffisamment confiance à ce type pour le laisser entrer.

— Dans ce cas pourquoi l'a-t-elle engagé ?

Parce qu'elle l'avait licencié, lui, Parker…

C'était peut-être à cause de lui qu'elle avait été tuée…

Comme Parker s'y attendait, Logan savait qui était Chuck. Charles « Chuck » Horowitz.

Parker se tenait devant l'immeuble de l'homme en question. Il était censé attendre Logan, qui l'avait averti que le dénommé Chuck était davantage un mercenaire qu'un garde du corps et que sa loyauté allait au plus offrant. Mais Parker n'avait pas besoin de renfort. Il préférait que son frère s'occupe de son fils et de leur mère.

Dernièrement, quelqu'un avait essayé de tuer Logan. Mais c'était avant que Parker n'apprenne que c'était lui, la cible. Maintenant qu'il le savait, il était prêt à tout.

Un escalier extérieur menait à l'appartement de Chuck Horowitz, au deuxième étage. Brenda avait sérieusement revu ses critères à la baisse en engageant ce butor après avoir dénoncé son contrat avec Payne Protection.

Se félicitant d'être habillé en noir, Parker gravit l'escalier en restant dans l'ombre. Inutile de servir de cible à ceux qui avaient envie de l'abattre pour toucher la récompense.

Il espérait de tout son cœur que Sharon n'était pas en danger. Son frère Cooper lui avait assuré que rien ne leur arriverait, à elle ou à Nikki. Mais s'il pouvait la protéger à l'extérieur, qu'en serait-il si elle se retrouvait en prison ?

Il n'y aurait rien à faire sinon prouver son innocence.

Un avocat pourrait sans doute argumenter que, bien que plus grande que Brenda, Sharon n'avait pas la force nécessaire pour lui briser le cou. Le légiste conclurait sans doute aussi que cet acte nécessitait la force d'un homme.

Parker sentit une onde de chagrin le traverser. Un jour, Ethan découvrirait, par des commérages ou par Internet, la brutalité du meurtre de sa mère. Il savait d'expérience que les gens n'oubliaient pas les morts tragiques, comme celle de son propre père. Quand viendrait le jour où il l'apprendrait, Parker voulait pouvoir dire à son fils qu'il avait arrêté l'assassin de sa mère.

Parvenu en haut de l'escalier, il s'apprêtait à frapper à la porte quand son portable se mit à vibrer dans sa poche. Il l'ignora et prit son arme.

Mais l'appareil émettait des vibrations insistantes. Il finit par répondre dans un murmure :

— Bon sang, Logan…

— N'entre pas seul ! cria son frère.

— Tu me fais surveiller ?

Parker sonda l'obscurité autour de lui. Il n'aurait pas été étonné que son jumeau ait demandé à un de leurs gardes du corps de le suivre. Cela aurait expliqué pourquoi ce dernier ne s'était opposé qu'avec mollesse à son départ de la maison du lac.

— Je te connais, répliqua Logan sans répondre à la question de Parker. Je sais que, quand tu t'énerves, tu fonces sans attendre les renforts.

Effectivement, Parker était à bout de nerfs. Ça l'exaspérait qu'on essaie de les tuer, Sharon et lui. Et ça le rendait fou que des innocents soient morts à sa place.

— Je n'ai pas besoin de renforts. Je maîtrise la situation, frangin.

— Avant de se faire virer de la ligue, Chuck Horowitz était champion d'arts martiaux, reprit Logan. Il pourrait te tuer à mains nues.

Parker sentit ses entrailles se nouer. Brenda avait été tuée à mains nues. Un champion d'arts martiaux aurait facilement pu y arriver. Il pensait que le gorille avait échoué à la protéger, mais se pouvait-il qu'il l'ait tuée lui-même ?

Il resserra sa prise sur son arme.

— Il n'échappera pas à mes balles.

— Attends-moi, ordonna Logan. Je suis en route.

— Je t'ai dit de rester avec maman et Ethan.

Il ne savait même pas si Chuck Horowitz était chez lui.

— Candace les protège, assura Logan.

Son expérience dans l'armée et la police faisait de Candace non seulement leur meilleure garde du corps féminine, mais aussi l'une des plus compétentes tous sexes confondus.

Parker ne se sentait pourtant pas rassuré. Il regarda la rue obscure. Dans ce quartier, les lampadaires étaient en panne. Il saisit néanmoins une lueur dans l'obscurité. S'agissait-il de l'éclat métallique d'une arme ?

— Tu n'as pas demandé à Candace de me filer ?

— Pas depuis que tu as quitté la maison de la juge.

Ainsi, sa collègue les avait protégés, Sharon et lui. Si

seulement il l'avait su, il aurait laissé la pauvre Sharon dehors pour qu'elle ne voie pas le cadavre de son employeuse.

Parker maudit son frère en jurant.

— Hé, c'était seulement pour te protéger !

— Ça aurait été plus efficace si j'avais été au courant. Tout comme en ce moment.

— Et maintenant, quelqu'un me suit ?

— Je ne sais pas, répondit Logan. Tu t'es débrouillé pour semer tout le monde en voiture.

Apparemment, cela n'avait pas suffi à décourager Candace. Mais elle avait beaucoup d'expérience. Quelqu'un d'autre aurait eu du mal à le filer... A moins que...

— Mais toi, tu sais où je suis, souligna Parker.

Logan avait pu envoyer quelqu'un en éclaireur, quelqu'un qui l'observait dans l'obscurité.

— Et je suis presque arrivé, dit Logan. Alors attends-moi.

Et si Chuck Horowitz était bien l'assassin de la juge ? Dans ce cas, il ne s'était sans doute pas contenté de la tuer, il était aussi celui qui essayait de les exécuter, Sharon et lui-même. Ce qui voulait dire que ce type l'avait confondu avec Logan plus d'une fois. C'était un risque que Parker n'était pas prêt à prendre : il ne voulait pas que Logan reçoive une balle qui lui était destinée.

Il déconnecta donc son portable et le mit dans sa poche. Puis, serrant son arme à deux mains, il ouvrit d'un coup de pied la porte de l'appartement d'Horowitz. Mieux valait prendre l'homme par surprise que de lui donner une chance de réagir.

A l'aide de sa torche, Parker balaya le petit appartement. L'endroit était littéralement dévasté. Un canapé renversé laissait échapper sa garniture sur la moquette sale, et les murs étaient criblés de trous.

Une bagarre s'était déroulée ici. Si ce Chuck était capable

de faire ça à son propre logement, il aurait peut-être dû attendre des renforts, en effet, se dit Parker.

Mais le faisceau de sa torche rencontra soudain la lueur vitreuse d'un regard mort. Parker dirigea sa lampe sur l'homme ligoté au fauteuil. A en juger par le ballonnement du corps et la puanteur qu'il discernait à présent derrière celle de tabac froid de l'appartement, le cadavre était là depuis un bon moment.

Chuck Horowitz avait été ligoté et frappé. Mais Parker remarqua autre chose : des griffures sur son visage et ses bras. Ce n'était pas celui qui l'avait tué qui lui avait infligé ces écorchures. C'était la femme qu'il avait tuée. Brenda avait lutté, même si elle savait qu'elle ne pourrait pas vaincre son adversaire, et elle avait sans doute gardé son ADN sous les ongles. Elle s'était montrée assez maligne et ingénieuse pour fournir un indice qui conduirait à l'arrestation et à la condamnation de son assassin.

Mais les morts ne pouvaient pas être jugés. Peu de temps après avoir tué la juge, Chuck Horowitz avait été tué à son tour. Et avant de l'abattre, on l'avait torturé et on avait retourné son appartement.

Que voulait donc le tueur ? Chuck avait certainement assassiné la juge pour de l'argent. N'était-ce pas un motif suffisant ?

Vu l'état de l'appartement et du corps, Parker conclut que l'assassin de Chuck n'avait pas trouvé ce qu'il cherchait. Peut-être pensait-il à présent que c'était Sharon ou lui-même qui le détenaient. Etaient-ils sans le savoir en possession de quelque chose d'important ? Ou savaient-ils quelque chose que le tueur ne voulait pas qu'ils sachent ? Etait-ce pour cette raison qu'on avait mis leurs têtes à prix ?

Il entendit le déclic d'une arme, et la lumière d'une torche lui éclaira soudain le visage, l'aveuglant tout à fait. Mais il n'avait pas besoin de voir pour savoir qu'il ne s'agissait pas de son frère : Logan n'aurait jamais braqué une arme sur lui.

Et si son frère jumeau lui avait envoyé des renforts, ils n'auraient pas non plus dégainé. Mais un tueur à gages, si…

8

Sharon tremblait de colère. Elle aurait dû pouvoir se fier à Parker Payne, mais il avait disparu, laissant la police la conduire au commissariat.

Pourquoi l'avait-il abandonnée au moment où elle avait le plus besoin de lui ?

Parce que lui-même n'avait pas besoin d'elle. Parce qu'elle n'était pas la mère de son fils. Parce qu'elle ne pouvait lui indiquer qui était prêt à payer pour son meurtre et le sien...

Elle n'avait rien à offrir à Parker Payne. Et il ne lui avait rien offert en retour. Il ne lui avait même pas fait signe quand la voiture de police avait démarré en l'emportant. Bien sûr, il était davantage préoccupé par la jeune femme aux cheveux auburn.

— J'ai répondu à toutes vos questions, dit Sharon à l'inspecteur assis en face d'elle dans la petite salle sans fenêtre. Vous n'avez aucune raison de me retenir ici.

A l'hôpital, le policier qui l'avait questionnée l'avait fait dans un bureau avec fenêtre, moins étouffant.

— Vous êtes la dernière personne à avoir vu l'honorable juge en vie, dit de nouveau l'inspecteur.

Il ne cessait de le répéter comme si, à elle seule, cette affirmation pouvait l'obliger à passer aux aveux.

Et puis « honorable », Brenda ? Sharon en doutait. Après l'avoir entendue se vanter plus d'une fois d'avoir réussi à faire un enfant dans le dos de Parker, elle avait compris que son idole avait des pieds d'argile. Et à présent, Brenda avait aussi le cou brisé. Sharon grimaça au souvenir de son cadavre grotesquement contorsionné.

Elle était épuisée, tendue, et elle avait mal à la tête. Peut-être était-ce aussi pour cela qu'elle tremblait.

— La dernière personne à l'avoir vue vivante est son garde du corps, répéta-t-elle pour la énième fois.

— Un homme dont vous ignorez jusqu'au nom, remarqua l'inspecteur avec le rictus ironique qu'il lui réservait depuis plusieurs heures.

Il n'était guère plus âgé qu'elle, ce qui signifiait qu'il était devenu inspecteur assez jeune pour que cela lui monte à la tête.

— C'est très pratique, ajouta-t-il.

Rien de tout cela n'était pratique pour elle. Que ce soit à cause de la fatigue ou du mal de tête, elle sentit sa fragile maîtrise d'elle-même lui échapper soudain.

— Et la façon dont vous oubliez mes droits est aussi très pratique, inspecteur Sharpe. Des droits que vous ne m'avez pas lus, parce que vous n'avez aucun élément pour justifier mon arrestation !

Le rictus de l'homme s'élargit.

— On voit que vous avez travaillé pour une juge. Vous devriez donc savoir que je peux vous retenir en tant que témoin…

— Je n'ai été témoin de rien.

Cette fois-là au moins.

— Et je n'ai pas seulement travaillé pour une juge.

L'inspecteur se pencha par-dessus la petite table en métal et lança d'une voix vibrante d'excitation :

— Ah ! La juge Foster et vous étiez donc plus qu'employeuse et employée ?

Il croyait visiblement avoir trouvé un motif salace au meurtre de Brenda. Une querelle d'amoureuses…

Sharon avait peine à croire qu'un tel crétin ait pu être nommé inspecteur. Il aurait dû comprendre qu'il était physiquement impossible qu'elle brise le cou de son employeuse. Sa mauvaise humeur s'en trouva renforcée, et elle abattit son dernier atout.

— Je n'ai pas seulement travaillé pour une juge, je suis aussi la petite-fille d'un juge.

Sharpe se redressa et haussa un sourcil.

— Vraiment ?

— Je suis la petite-fille du juge Wells.

Son grand-père n'aimait pas s'en vanter, mais c'était un fait irréfutable. Et, comme pour la juge Foster, les policiers avaient du respect pour les sentences sévères du juge Wells.

L'inspecteur se pencha en avant avec l'expression d'horreur inquiète qu'elle connaissait si bien et qui disait qu'il était au courant de son histoire. Même à son âge, il en avait entendu parler.

— Je suis désolé…

Il ne faisait bien-sûr pas allusion au fait qu'elle était la petite-fille du juge Wells, mais à tout autre chose…

— Ça a dû vous faire un choc de voir le cadavre de la juge, après ce qui est arrivé à…

Il s'en tint là.

C'était arrivé il y a plus de vingt ans, pourtant Sharon faisait encore parfois des cauchemars. Aucun doute, elle allait en faire un la nuit prochaine… si elle réussissait à s'endormir. Elle hocha la tête.

— Mais ça ne veut pas dire que vous ne l'avez pas tuée, poursuivit l'inspecteur.

Sharon montra ses mains.

— Je ne l'aurais pas pu. Physiquement, c'est impossible, et vous le savez très bien.

Sharpe haussa les épaules.

— Vous auriez pu vous servir d'une arme. Vous n'aviez rien sur vous quand mes collègues vous ont emmenée ?

Elle secoua la tête.

— J'ignore quel genre d'arme aurait pu infliger ça à Brenda.

Elle frémit, pour elle-même et pour son employeuse.

— Si c'est vrai, pourquoi avez-vous dissimulé vos affaires aux policiers sur la scène de crime ?

— Quelles affaires ? Je n'ai rien apporté avec moi.

Tout ce qu'elle possédait avait disparu dans l'explosion de sa voiture.

L'inspecteur soupira d'un air exaspéré.

— Mademoiselle Wells…

— Vous perdez votre temps avec moi, alors que vous devriez chercher le garde du corps de la juge, lança Sharon. C'est lui le dernier à l'avoir vue vivante, car il était avec elle quand je l'ai quittée.

Et Chuck était tellement massif qu'il n'aurait pas eu besoin d'une arme pour tuer Brenda, ni même un homme de deux fois sa taille. Parker le cherchait-il ? Etait-ce pour cela qu'il ne l'avait pas accompagnée au commissariat ?

S'il le pourchassait tout seul, il risquait de finir lui aussi brutalement assassiné. Malgré la chaleur de la petite pièce, Sharon sentit son sang se glacer dans ses veines et frissonna.

— Vous devez retrouver cet homme, dit-elle à Sharpe.

Avant que Parker ne le trouve lui-même. A moins qu'il ne soit déjà trop tard.

L'inspecteur effleura son oreille, qui devait être équipée d'une oreillette.

— Trop tard, dit-il comme s'il avait lu dans ses pensées.

— Trop tard pour quoi ? dit-elle d'un ton hésitant.

Parker l'avait-il déjà retrouvé ?

— Il est mort.

Son cœur fit un bond.

— Qui est mort ?

— Le garde du corps. Chuck.

Sharon poussa un long soupir. Son soulagement fut

toutefois de courte durée quand elle comprit que la mort du garde du corps n'impliquait pas automatiquement que Parker soit vivant.

Mais l'inspecteur n'avait pas manqué de noter sa réaction.

— Ça vous rassure ? J'imagine que oui, vu qu'un mort ne peut pas vous contredire.

— Vous allez aussi m'accuser de l'avoir tué ? déclara-t-elle. Je ne connaissais même pas son nom de famille.

— Parker Payne le connaissait, lui, dit le policier. Il était chez lui quand nous avons découvert son cadavre.

Ainsi, c'est là qu'il était allé. Mais que s'était-il passé ensuite ?

Puis elle se souvint de ce que venait de dire l'inspecteur.

— Le cadavre ?

— Le coroner pense que Chuck Horowitz est mort à peu près au même moment que la juge.

Quelqu'un les avait donc tués tous les deux ? Sharon frissonna.

Sharpe se pencha en avant avec une expression mauvaise.

— Que savez-vous de Parker Payne, mademoiselle Wells ?

— Que la juge lui faisait confiance, répondit-elle.

— Et vous ? lança l'inspecteur.

Elle avait cru qu'elle le pouvait. Mais, à présent, elle n'en était plus certaine.

— Si le garde du corps a été tué il y a plusieurs jours, alors Parker n'a rien à voir avec sa mort.

— Vous savez ce qu'il faisait à ce moment-là ?

— Bien sûr que non !

A ce moment-là, elle se cachait. Mais s'il fallait en croire les infos, on avait tiré sur Parker et il avait failli mourir dans l'explosion de sa voiture.

— Mais je parie que vous, vous le savez, dit-elle.

L'inspecteur haussa les épaules.

— Payne Protection a fait l'objet d'un bon nombre de signalements, ces derniers temps.

— Alors vous savez que Parker est en danger.

Tout comme elle. Mais si Sharpe n'était pas au courant qu'on avait également mis sa tête à prix, elle préférait ne pas attirer son attention là-dessus. Brenda lui avait dit de se méfier de tout le monde, sauf de Parker. Et maintenant, elle ne faisait plus confiance à personne, pas même à Parker.

— A moins que ce ne soit *lui*, le danger. Je me disais que vous devriez vous méfier de lui parce que c'est un play-boy, mais c'est peut-être aussi un tueur, l'avertit l'inspecteur.

Sharon secoua la tête.

— Ce n'est pas lui qui s'est tiré dessus ou qui a essayé de se faire sauter.

— Mais il aurait pu tuer la juge, insista Sharpe. Et le garde du corps.

— Et retourner chez elle hier soir ? releva Sharon. Pour quelle raison ?

— Votre grand-père ne vous a pas dit que les criminels revenaient toujours sur le lieu de leur crime ? rétorqua l'inspecteur en haussant les épaules.

— Parker Payne n'est pas un criminel, dit Sharon d'une voix assurée.

Le fait qu'elle défende ainsi spontanément Parker mit presque fin à ses doutes le concernant. Si son cerveau trouvait encore des raisons de se méfier, son cœur se fiait à lui.

L'inspecteur pencha la tête comme pour jauger la véracité de sa déclaration. Manifestement il ne connaissait pas Parker aussi bien que les policiers qui l'avait interrogée à l'hôpital et chez la juge.

— J'aurais tendance à être d'accord avec vous, admit Sharpe, mais il s'est récemment associé à des criminels reconnus.

Ne sachant pas de quoi il parlait, Sharon afficha une expression d'incompréhension totale.

— Les Kozminski, précisa l'inspecteur comme si elle lui avait posé la question. Ils étaient présents à l'hôpital quand la bombe a explosé. Ils accompagnaient leur nouveau beau-frère, Logan Payne.

Ce devait être les hommes blonds aux yeux clairs qui avaient découvert que sa tête était mise à prix en même temps que celle de Parker.

— Les Kozminski ont un casier très chargé, poursuivit l'inspecteur. A commencer par des séjours en maison de correction pour cambriolage et meurtre …

— Je ne connais pas les Kozminski.

Mais si c'était en partie à cause d'eux qu'on l'interrogeait, elle ne les aimait pas beaucoup.

— Je n'ai rien à voir avec tout cela. Non seulement j'aurais été physiquement incapable de…

Un frisson involontaire la secoua au souvenir du cadavre de Brenda…

— … faire ce qu'on a fait à la juge, mais je n'avais aucune raison de lui en vouloir. A présent qu'elle est morte, j'ai perdu mon emploi.

Elle n'avait plus non plus de mentor pour l'aider à préparer l'examen du barreau. Non que Brenda l'ait beaucoup aidée dans ses tentatives précédentes. Elle lui avait même suggéré d'abandonner le droit pour se consacrer à Ethan. A présent, Sharon ne pouvait même plus faire cela, et c'était de loin ce qui la faisait le plus souffrir.

L'inspecteur ricana.

— Vous voulez dire que vous aviez le plus grand des mobiles, mademoiselle Wells.

— Le chômage ? railla-t-elle.

— L'héritage.

L'inspecteur avait manifestement perdu les pédales.

— Quel héritage ?

La juge ne la payait même pas correctement.

— Quand on a annoncé son meurtre à la télévision, son avocat nous a contactés à propos de son fils. Il pensait que le petit était avec vous…

— Il est… chez des amis.

Vu l'opinion de l'inspecteur sur les Payne et les Kozminski, mieux valait rester dans le vague. Il aurait été capable d'envoyer une voiture de police chercher Ethan.

— La juge vous a désignée comme tutrice légale de son fils et comme administratrice de son héritage — une fortune considérable, dont vous tirerez un revenu appréciable en échange de vos services.

Le rictus était de retour.

— Un bon mobile pour un assassinat.

— Je suis la petite-fille du juge Wells, rappela Sharon. Je n'ai pas besoin d'argent.

Et peut-être était-ce pour cela que Brenda ne la payait pas bien. La juge savait qu'elle avait hérité l'argent de ses grands-parents, quelques années auparavant. Bien qu'ils ne lui aient jamais donné ce dont elle avait vraiment besoin : leur amour.

— Je ne pourrais jamais tuer…

— Pas même pour ce petit garçon ? la coupa Sharpe. La juge devait vraiment vous faire confiance pour vous nommer tutrice.

Sharon se rendit compte qu'elle avait menti… Car Ethan était la seule personne pour laquelle elle pourrait tuer. Elle aurait fait n'importe quoi pour le protéger.

Elle haussa les épaules.

— Je n'étais pas au courant de ce que pensait Brenda, ni de ce qu'elle faisait. C'est en enquêtant sur *sa* vie et non sur la mienne que vous découvrirez qui l'a tuée.

Dans un sens, Sharon n'avait jamais eu de vie. Elle n'avait fait qu'étudier et travailler.

— Alors, à moins que vous ne me mettiez en garde à vue, je m'en vais, inspecteur, acheva-t-elle.

Cela dit, elle se leva et se dirigea vers la porte. Mais elle ne parvint pas à l'ouvrir car elle était verrouillée. L'inspecteur l'avait enfermée dans cette petite salle d'interrogatoire sans fenêtre.

Ses genoux fléchirent brusquement, et elle s'effondra sur le sol. La dureté du sol en béton fut la dernière sensation qu'elle enregistra avant de perdre connaissance.

Le cœur battant, Parker regarda les ambulanciers pousser la civière sur laquelle Sharon gisait, inconsciente. En attendant leur arrivée, il avait fait les cent pas dans la salle d'attente des urgences.

— Tu devais la protéger ! hurla-t-il à sa sœur en la voyant apparaître derrière les ambulanciers.

Cooper, qui suivait Nikki, l'apostropha durement.

— Arrête ! Elle ne pouvait pas la suivre en salle d'interrogatoire.

— Elle était en salle d'interrogatoire quand elle s'est évanouie ? Qui l'interrogeait ?

— Sharpe, lui répondit Nikki.

Parker sentit la moutarde lui monter au nez. Ce petit fouinard n'aurait jamais obtenu le grade d'inspecteur si sa mère n'avait pas été la sœur du chef de la police.

— Je vais le tuer !

Convaincu que, lui, Parker, était un tueur, cet imbécile d'inspecteur avait ordonné à une jeune recrue de le suivre de la maison de Brenda à l'appartement de Chuck. Parker avait failli abattre le policier qui, terrifié par la scène de crime, ne s'était pas annoncé. Si Logan n'était pas apparu juste après lui…

— Ne profère pas de menaces, lui conseilla Logan, qui venait d'arriver.

— Mais qu'est-ce qu'il lui a fait, bon sang ?

Nikki et Cooper échangèrent un regard d'impuissance, et ce dernier précisa :

— Il l'a gardée longtemps en salle d'interrogatoire.

— Et elle était déjà en état de choc, ajouta Nikki, les yeux brillants de colère. C'est à l'hôpital qu'elle aurait dû aller, pas au commissariat.

A ce moment, l'inspecteur Sharpe franchit la porte des urgences. Logan s'interposa avant que son jumeau ne mette les mains autour du cou du policier.

— Pas de menaces, calme-toi ! lui dit-il. Sinon, il aura une bonne raison de t'arrêter.

— Qu'il essaie seulement ! gronda Parker avant de pivoter pour faire face à l'inspecteur. Qu'est-ce que vous lui avez fait ?

Sharpe roula des yeux effarés.

— Qu'est-ce que je lui ai fait ? Dites plutôt ce que *vous* avez fait : amener Sharon Wells sur une scène de crime !

— Je ne savais pas que c'était une scène de crime, rétorqua Parker. Pas plus que je ne savais qu'il y en avait une autre chez Chuck Horowitz.

Un sourire condescendant apparut sur le visage de Sharpe. Il hocha la tête.

— C'est ce que disent tous les criminels…

— D'accord, tu peux le frapper après tout, remarqua Logan. Vous dépassez les bornes, mon vieux.

Parker se fichait de ce que cet imbécile disait de lui. C'est pour Sharon qu'il s'inquiétait.

— Que vouliez-vous à Sharon ?

— Vous savez qui c'est ? lança Sharpe d'un air important.

Parker avait vraiment envie de se ruer sur lui.

— Dites-moi ce que vous savez… sur elle, dit-il en ravalant l'insulte qu'il avait sur le bout de la langue.

De toute façon, le frapper ne l'aurait mené nulle part, vu que l'homme avait une si haute opinion de lui-même.

— C'est la petite-fille du juge Wells.

— Le juge Wells ?

Le nom lui semblait vaguement familier. Peut-être avait-il témoigné devant ce magistrat dans une affaire de drogue, à l'époque où il travaillait au commissariat de River City.

Il haussa les épaules.

— Je ne me souviens pas de lui.

— J'imagine que vous ne prêtez attention qu'aux juges de sexe féminin ?

La tentation d'envoyer son poing dans la figure de l'inspecteur le submergea, mais il se contint.

— Quel âge a le juge Wells ?

Après tout, c'était le grand-père de Sharon.

— Il est mort.

— Alors comment pourrais-je le connaître ?

— Ooohh !

Cette exclamation avait échappé à Nikki.

— Votre sœur connaît l'histoire, dit Sharpe, et elle est plus jeune que vous.

Parker se tourna vers Nikki ; mieux valait l'entendre de sa bouche que de celle de ce policier taré.

— Qu'est-ce que tu sais ?

Elle frémit.

— C'est une histoire tragique.

— Oh oui, moi aussi, je m'en souviens, intervint Logan.

Où étais-je ? se demanda Parker.

— On était gosses quand ça s'est passé. Mais les gens en parlent chaque fois qu'on mentionne le juge.

Tout comme les gens parlaient du meurtre de leur père dès qu'ils entendaient le nom des Payne. Oui, personne n'oubliait les morts tragiques.

— Qui est mort ? questionna Parker.

— La mère de Sharon, répondit Nikki. Elle était très jeune. Ce n'était qu'une adolescente quand elle a eu Sharon. On dit que le juge et sa femme réprouvaient cette naissance et qu'elle s'était enfuie de chez eux. Elle travaillait de nuit dans une station-service…

Elle plissa le front dans un effort visible pour se souvenir.

— … ou une épicerie, quand elle a été assassinée.

— C'est horrible, dit Parker.

Comme Ethan, Sharon avait perdu sa mère durant sa petite enfance. Elle allait encore plus s'attacher au petit garçon désormais.

Nikki frissonna encore.

— Le pire de tout, c'est que la mère de Sharon n'avait pas de quoi se payer une baby-sitter, alors elle emmenait sa fille avec elle au travail. La petite était là quand sa mère a été assassinée.

— Quel âge avait-elle ?

— Trois ou quatre ans, je crois, dit Nikki. Quand des clients entraient, sa mère la cachait derrière le comptoir. Le tueur ne s'est pas douté de sa présence, sinon il l'aurait sans doute tuée aussi.

Parker frémit d'horreur.

— Tu crois qu'elle a vu ce qui s'est passé ?

— Elle a reconnu le tueur dans une rangée de suspects, intervint Logan, soulignant ainsi le détail dont, en tant qu'ancien inspecteur, il se souvenait le mieux.

— A trois ou quatre ans ? répéta Parker, incrédule.

Les enfants n'étaient pas les témoins les plus fiables, mais Sharon n'avait sans doute jamais oublié le visage de l'assassin de sa mère, même après vingt ans.

— A-t-elle témoigné contre lui ?

— Il n'y a pas eu de procès, dit Logan. Quand il a appris qu'il y avait un témoin, l'assassin a avoué.

Au moins, on avait épargné cette épreuve à Sharon. Mais comment imaginer l'horreur à laquelle elle avait dû assister ? La découverte du cadavre de Brenda avait sans doute réveillé son cauchemar.

Il fallait qu'il lui en parle. Mais qui était-il pour le faire ?

Il ne représentait rien pour elle. Il ne faisait pas partie de sa famille. Il ne pouvait même pas se considérer comme étant de ses amis, car un ami ne l'aurait pas laissée affronter la police toute seule. Mais il ignorait…

Il ne s'était pas douté de ce qu'elle devait ressentir. Ne pouvant garder sa colère pour lui, il s'en prit à Sharpe.

— Vous saviez tout ça sur elle et vous l'avez quand même enfermée dans une salle d'interrogatoire ? Espèce de brute sadique ! Vous savez qu'elle n'a pas pu tuer la juge.

— Elle n'est peut-être pas assez forte pour lui avoir brisé le cou, admit l'inspecteur, mais nous savons que c'est la dernière à avoir été enregistrée par le système de sécurité. Ce que nous ne savons pas, c'est si elle était seule.

— Brenda n'était pas seule, déclara Parker. Le garde du corps était là.

— Je voulais dire Mlle Wells, corrigea Sharpe. Elle aurait pu amener quelqu'un avec elle — quelqu'un qui aurait tué la juge pour elle.

Parker soupira. L'homme était encore plus idiot qu'il ne le pensait.

— Vraiment ? Alors elle se serait volontairement contrainte à assister à un autre meurtre ? C'est ridicule !

— En effet, appuya Logan. Vous avez déjà résolu une affaire, Sharpe ?

Une vague de rougeur colora le visage de l'homme, fournissant sa réponse à Logan.

— Elle n'a aucun mobile non plus, souligna Parker.

— La juge l'a nommée administratrice de ses biens avec un revenu généreux.

Nikki se mit à rire.

— C'est la petite-fille du juge Wells. Je doute fort qu'elle ait besoin d'argent.

Le visage de Sharpe s'empourpra davantage encore.

— Mais ce n'est pas seulement l'argent qu'elle va avoir. Elle aura aussi le gosse.

— Quoi ? dit Parker.

— Brenda Foster a désigné Sharon comme tutrice de l'enfant.

— Mais cet enfant a un père, lança Parker.

C'était lui, le père d'Ethan. Mais pas question de l'annoncer à Sharpe qui le suspecterait aussitôt d'avoir assassiné Brenda.

Le policier hocha la tête.

— Son certificat de naissance indique « père inconnu ». Elle a sans doute fait appel à un donneur de sperme anonyme.

A présent, c'était lui qui rougissait d'embarras. Il avait fait fonction de donneur de sperme — à son insu. Il avait pourtant insisté pour mettre un préservatif, mais Brenda avait dû l'endommager d'une manière quelconque.

— Mais si quelqu'un peut prouver qu'il est le père de l'enfant, insista Parker, il deviendrait de fait son tuteur, en tant que seul parent en vie.

Sharpe haussa les épaules.

— Il y aurait sans doute un procès. Il faudrait qu'il réclame la garde. Je doute que le père ait tué la juge, parce que sa mort lui complique plutôt la vie.

Parker était donc hors de cause en ce qui concernait le meurtre. Mais qu'en était-il de sa reconnaissance de paternité ?

Il voulait son fils. Il était prêt à se battre pour l'avoir. Pourtant, il ne se battrait pas contre une femme qui avait déjà tant souffert. Sharon aurait-elle même la force de supporter un procès ?

Elle n'en pouvait déjà plus de ces tentatives d'assassinat. La question de la garde d'Ethan pouvait attendre, décida Parker. Elle se poserait lorsqu'ils auraient découvert qui essayait de les tuer, Sharon et lui.

9

« Mais si quelqu'un peut prouver qu'il est le père de l'enfant… »

Les paroles que Sharon avait entendues en pénétrant dans la salle d'attente des urgences résonnaient à présent à son esprit, tandis qu'elle contemplait le bébé endormi.

Pourquoi l'avaient-ils attendue ? Elle n'était guère plus qu'une inconnue pour eux. Mais quand ils s'étaient tournés vers elle, elle les avait vus : ces visages pleins de sollicitude qui disaient qu'ils savaient. Ils savaient ce qui était arrivé à sa mère. Et ils pensaient qu'en avoir été témoin l'avait rendue fragile.

Faible.

Le fait qu'elle se soit évanouie dans la salle d'interrogatoire n'avait dû que confirmer leur opinion. Parker s'en servirait-il au tribunal quand il l'affronterait pour la garde de l'enfant ?

— Il ne s'est pas réveillé ? demanda Sharon à la grand-mère du bébé.

Elle était restée absente bien plus longtemps qu'elle n'en avait eu l'intention.

— Si, dit Mme Payne avec un soupir. Il a pleuré la plus grande partie du temps, mais il a fini par se rendormir il y a quelques minutes.

Il avait donc pleuré des heures parce qu'elle n'était pas là ?

Quand Parker ferait valoir son droit parental, ce ne serait pas pendant quelques heures qu'elle serait séparée d'Ethan. Ce serait le reste de sa vie. Et il ne se souviendrait pas plus d'elle que de sa mère.

Des larmes lui piquèrent les yeux et elle battit des paupières pour les retenir. Les Payne la considéraient déjà bien trop comme une personne fragile…

Mme Payne dut toutefois remarquer son geste, car elle lui caressa le dos, comme elle devait caresser le bébé.

— Vous feriez bien de vous reposer pendant qu'il dort. Vous devez être épuisée.

Eprouvée par ses nuits blanches de la semaine précédente, Sharon était à présent au-delà de la fatigue et craignait de ne plus jamais revoir Ethan si elle dormait.

— J'ai… J'ai envie de le regarder dormir.

Pour s'assurer qu'il allait bien et qu'il n'était pas mort, comme sa mère, le garde du corps, et tous ces gens tués pour des raisons qu'elle ne pouvait imaginer…

Parker et elle n'en savaient pas davantage sur les raisons pour lesquelles on voulait leur mort ; ils avaient seulement réussi à découvrir un cadavre de plus.

Les pleurs menaçaient de nouveau. Elle pressa les paupières, mais une larme glissa entre ses cils et roula sur sa joue pour tomber sur le bébé endormi.

Elle retint son souffle, mais le petit garçon se contenta de soupirer. Près d'elle, Mme Payne se tendit puis se détendit en même temps que l'enfant.

— On dirait qu'il sait que vous êtes là. Il sent la présence de sa mère.

Mais Sharon n'était pas sa mère. Elle n'était que sa tutrice… jusqu'à ce qu'un juge décide que les droits du géniteur prévalaient sur les siens.

Elle secoua la tête.

— Non, non… Je ne suis pas…

Pourquoi Parker ne l'avait-il pas dit à sa famille ? Il s'était fâché parce qu'elle lui avait laissé croire qu'elle était la mère du bébé. Pourquoi n'avait-il pas détrompé les siens après avoir appris la vérité ?

— La mère d'Ethan était la juge Foster, déclara-t-elle. J'ai travaillé pour elle, d'abord comme assistante juridique, puis comme nounou.

Brenda n'avait cessé de lui répéter qu'elle n'avait pas les aptitudes nécessaires pour être avocate, et ses échecs successifs à l'examen du barreau semblaient confirmer cette opinion.

Toutes ces années passées à étudier…

Ensuite, elle avait découvert qu'elle aimait Ethan. Uniquement parce que Brenda venait de licencier une nounou.

— Vous l'aimez comme s'il était à vous, observa Mme Payne. Et il a confiance en vous comme si vous étiez sa mère.

Sharon hocha la tête.

— Je l'aime beaucoup… en effet.

Et si elle n'avait pas craint d'être incapable de le protéger, elle ne l'aurait sans doute pas amené à Parker. Mais elle n'était pas en mesure de le préserver des incendies et des bombes… Il aurait fini par souffrir du simple fait d'être avec elle. La meilleure chose à faire était sans doute de le confier aux Payne.

— Allons-nous devoir nous battre pour sa garde ? demanda Parker.

Sharon était si fatiguée qu'elle ne l'avait pas entendu arriver dans la chambre des urgences où elle avait été admise.

— Vous battre ? répéta Mme Payne.

Les sourcils froncés, elle se tourna vers son fils.

Ce n'était pas à elle de donner des précisions, pourtant Sharon se surprit à expliquer :

— La juge Foster m'a attribué la tutelle d'Ethan dans son testament.

Elle était désolée que Brenda soit morte, mais elle lui en voulait toujours d'avoir traité son fils non comme une personne mais comme un bien. Même si elle était trop surchargée de travail pour avoir l'occasion de faire connaissance avec son fils et de constater combien il était vif et affectueux.

Mme Payne continuait à fixer Parker.

— Alors pourquoi vous battre ?

Ce fut au tour de Parker de froncer les sourcils.

— Parce qu'il n'est pas question que je renonce à mon fils.

Sharon sentit le chagrin envahir son cœur.

— Ainsi vous seriez prêt à m'exclure de sa vie simplement parce que je ne suis pas parente avec lui ?

Puis la colère monta en elle, l'aidant à sécher ses larmes.

— Je m'occupe de lui pratiquement depuis sa naissance, et vous vous attendez à ce que je vous le confie comme ça ? Que je m'en aille tout simplement ?

C'était ce que ses grands-parents avaient exigé de sa mère : qu'elle remette son bébé à des inconnus. Qu'elle renonce à elle et l'oublie.

Mais peut-être avaient-ils raison. Si sa mère avait accepté, elle serait allée à l'université au lieu de travailler dans une épicerie de nuit située dans un quartier mal famé. Et elle serait toujours en vie.

— Personne ne vous demande de faire ça, intervint Mme Payne.

Sharon fixa Parker. Il ne le demandait pas, mais il s'y préparait visiblement.

— Un juge pourrait trancher dans ce sens, dit-il.

— Un juge pourrait aussi écarter le fait qu'il possède votre ADN, répliqua Sharon. Vous ne connaissiez même pas son existence avant que je vous l'amène.

— Vous le regrettez sans doute, remarqua-t-il, ses yeux bleus brillant d'une lueur sarcastique.

Il avait le droit de ne pas apprécier qu'on lui ait attribué la garde d'Ethan à elle plutôt qu'à lui, mais ce n'était pas à elle qu'il devait s'en prendre.

En fait, elle regrettait de ne pas l'avoir informé plus tôt. Depuis longtemps, elle pensait que la juge avait eu tort de soustraire l'enfant à son père. Mais elle se souvint du prétexte dont la juge s'était servie.

— Selon Brenda, vous ne vouliez pas avoir d'enfants.

— C'est pour ça qu'elle m'a eu par la ruse.

Mais il y avait d'autres raisons pour lesquelles la juge avait choisi Parker comme père de son bébé : parce qu'il était intelligent, beau, protecteur et doté d'un indéniable charisme. Pourtant, Sharon n'avait pas l'intention de le lui dire et d'étayer ainsi ses arguments pour qu'il ait la garde d'Ethan.

— Tu as souvent dit que tu ne voulais pas avoir d'enfants, renchérit Mme Payne.

Parker prit une profonde inspiration.

— Maman, de quel côté es-tu ?

Sa mère désigna le bébé endormi.

— Je suis du côté de mon petit-fils. Je ne veux pas qu'il renonce à aucun de vous. Et si vous allez devant le juge, vous risquez de le perdre tous les deux.

Sharon en eut le souffle coupé. Cela ne lui avait pas traversé l'esprit.

— Si vous apportez chacun la preuve que l'autre n'est pas capable de s'en occuper, le juge placera Ethan dans une famille d'accueil, précisa Mme Payne.

Il s'était passé tant de choses, entre les attentats et les meurtres, que Sharon n'avait pas envisagé cette idée.

Et si le juge n'approuvait pas le testament de Brenda ? Etant donné les traumatismes qu'elle avait subis au cours de sa propre enfance, il pourrait considérer qu'elle n'était pas assez stable sur le plan émotionnel pour élever un enfant.

— Et ce n'est pas parce que tu es son père que tu l'auras automatiquement, continua Mme Payne. Tu ne t'es jamais intéressé aux enfants, ni même à l'idée d'en avoir...

— C'était avant que j'apprenne que j'en avais un, rétorqua Parker en mode défensif.

Sharon tendit la main pour toucher son bras et sentit ses muscles se contracter. Elle aussi était tendue.

— Nous ne pouvons pas le perdre comme ça.

Trop d'enfants étaient engloutis par le système. Son grand-père ne lui avait pas caché ce qui aurait pu lui arriver si sa grand-mère et lui ne l'avaient pas recueillie à la mort de leur fille.

Les yeux plissés, Parker étudia sa mère.

— Tu dois avoir un plan pour ton petit-fils, vu que tu as un plan pour tout le monde. Qu'est-ce que tu proposes ?

— Epouse-la, dit Mme Payne. Mariez-vous.

Sharon n'en croyait pas ses oreilles. Elle devait être en train de rêver, car il était impossible que quiconque suggère qu'elle — la timide et discrète Sharon Wells — puisse épouser un homme aussi beau et sexy que Parker Payne. Peu importait d'ailleurs qu'il s'agisse ou non d'un rêve, car cela ne deviendrait jamais réalité. Parker Payne ne lui demanderait jamais de l'épouser.

Le temps que Parker se débarrasse de tout le monde, Sharon s'était endormie au milieu du grand lit. Et il se surprit à la regarder dormir.

Elle était épuisée, c'est ce qu'elle avait dit pour expliquer son évanouissement et quitter les urgences avant même de voir un médecin. Les larges cernes sous ses yeux confirmaient cette théorie.

Mais ses murmures et ses petits sursauts trahissaient

son stress. Et sa peur. La découverte du cadavre de la juge avait dû ranimer d'affreux souvenirs dans sa mémoire.

Parker avait envie de la serrer dans ses bras pour la protéger. Sa mère avait peut-être raison. Peut-être devait-il l'épouser. Non seulement parce qu'ils auraient ainsi de meilleures chances de garder Ethan, mais aussi parce qu'il pourrait veiller sur elle.

Il n'avait pas fait le moindre progrès dans son enquête. Tout tournait autour de la juge, mais comment Brenda avait-elle pu les attirer dans un tel guêpier ?

Il avait perdu le contact avec elle peu après qu'ils avaient conçu Ethan. Il était conscient à présent qu'il lui fallait s'intéresser de plus près à la vie de la juge pour découvrir ce qui se tramait autour d'elle. Et personne ne la connaissait mieux que Sharon.

C'était sans doute pour cette raison qu'elle était en danger. Elle savait certainement quelque chose dont elle ne se rendait pas compte. Quelque chose qui mettait sa vie en danger.

Il devait veiller sur Sharon. Il se pencha vers elle et fit courir ses doigts sur sa joue. Sa peau était si douce, si soyeuse. Elle était très jeune, plus jeune qu'il ne l'avait cru ; c'était ce chignon strict et ce tailleur sévère qui la vieillissaient. Maintenant qu'elle avait laissé tomber la veste, dans ce corsage tout fripé, elle ressemblait à une adolescente qui aurait volé les vêtements de sa mère.

Après avoir été témoin de ce crime horrible, avait-elle jamais eu une vie normale ? Elle avait dû mûrir très vite. C'est elle qui avait identifié le meurtrier dans une rangée de suspects. Elle qui avait obtenu justice pour sa mère…

Lui aussi voulait obtenir justice pour Ethan — pour la mère d'Ethan. Mais il voulait aussi protéger la femme qu'Ethan considérait comme sa mère, celle qui prenait soin de lui.

Toutefois, l'épouser ne suffirait pas à la garder en sécurité. Il devait découvrir qui leur en voulait avant qu'ils ne finissent comme Brenda et son garde du corps… à la morgue.

Un cri brisa le silence inquiétant de l'appartement. Il ne venait pas du bébé, mais de la femme endormie. Un gémissement de peur et de chagrin suivit.

Cela lui transperça le cœur. Il posa une main sur sa joue.

— Sharon…

Elle était épuisée, mais il préférait la réveiller plutôt que la laisser dans cet état.

— Sharon…

Les cils de la jeune femme frémirent comme si elle ne voulait pas s'éveiller. Ou peut-être était-ce son rêve — son cauchemar — qu'elle essayait de fuir. Enfin elle ouvrit les yeux — d'immenses yeux noisette — et le fixa.

Mais la peur n'avait pas quitté son visage. Au contraire, elle parut augmenter. Avait-elle peur de lui ? A cause de la garde d'Ethan ou à cause des soupçons qu'elle semblait déjà nourrir à son encontre chez Brenda ?

Elle devait se demander s'il n'avait pas tué son employeuse. Et s'il n'avait pas également supprimé le garde du corps.

Soudain, elle tendit la main comme pour se cramponner à lui et se mettre sous sa protection. C'est alors qu'il les entendit, lui aussi.

Des pas dans l'escalier.

Sharon savait que Parker avait renvoyé tout le monde avec l'ordre de ne pas revenir avant qu'il les appelle.

Logan était le chef — comme il ne manquait jamais de le rappeler —, mais même lui avait accepté que, pour une fois, son jumeau commande. La seule qui aurait pu ignorer ses directives, c'était sa mère, pourtant elle avait préféré les laisser seuls pour qu'ils puissent réfléchir à sa suggestion de mariage. Et si Logan était capable de contrecarrer les ordres de son frère, il n'aurait jamais désobéi à leur mère.

Cette dernière était convaincue d'avoir raison et pensait qu'il se rendrait à l'évidence si on lui en donnait le temps. C'est pourquoi elle n'aurait laissé personne le déranger.

Parker posa la main sur son arme mais ne dégaina pas. Il y avait eu assez de morts. Sharon n'avait pas besoin de ça et les morts menaient à des impasses.

S'il tuait celui qui voulait les supprimer, il ne découvrirait jamais qui était son commanditaire. Et il fallait absolument que le coupable parle.

Mais s'il ne se servait pas de son arme, il prenait le risque que l'homme l'abatte ou s'enfuie. Ce qui reviendrait à mettre Sharon et Ethan en danger.

Prenant son arme, il la mit dans les mains de Sharon et, se penchant vers elle, lui murmura à l'oreille :

— Si je suis en mauvaise posture, pressez la détente. J'ai enlevé la sécurité…

Elle ouvrit la bouche pour protester. Mais il ne lui en laissa pas le temps.

Il se plaça en face de l'escalier, empêchant ainsi l'intrus d'en atteindre le sommet et de se mettre à tirer dans tous les sens. Puis il bondit par-dessus la rampe et dévala les marches.

10

Le revolver était lourd et froid dans ses mains. Elle aurait préféré remettre la sécurité et le poser, mais des jurons et des grognements venant de l'escalier prouvaient que Parker était en train de se battre.

Brusquement, Ethan se réveilla et poussa un premier cri qui se mua bientôt en un hurlement de terreur.

— Chut, mon trésor… Je suis là, dit Sharon d'un ton rassurant. Tu es en sécurité.

Mais était-ce vrai ?

Elle se leva prudemment, le revolver serré dans ses mains tremblantes. Prenant soin d'orienter le canon vers le sol, elle s'approcha du berceau.

— Chut…

Ethan agitait les jambes et tendait les bras vers elle. Elle aurait voulu le prendre mais, si elle posait le revolver…

Et si Parker avait besoin d'elle…

— Tout va bien, petit bonhomme, dit-elle au bébé.

Elle revint vers l'escalier et jeta un regard prudent par-dessus la rampe. Les deux hommes n'étaient plus qu'un enchevêtrement de bras et de jambes dans lequel il était impossible de distinguer qui était qui.

En revanche, elle distingua un éclat métallique dans le rayon de soleil qui descendait du Velux placé au-dessus de l'escalier. Parker lui avait donné son arme, mais apparemment son agresseur en avait une aussi.

Un revolver ?

Un couteau ?

Elle n'aurait su le dire. Pourtant...

Si Parker avait besoin d'être défendu, elle tirerait. Elle ne laisserait pas Ethan perdre son père après avoir perdu sa mère...

Glacé de peur, Parker fixa le canon de l'arme. Il n'aurait pas dû remettre le revolver à Sharon, qui le braquait à présent sur lui.

— Je viens te prévenir et c'est comme ça que tu me remercies, grommela Garek Kozminski. Tu m'as brisé le cou sur ces marches...

Sharon émit une sorte de hoquet, sans doute dû au souvenir du cadavre de Brenda. Lui-même aussi y avait pensé.

Le revolver s'agitait dans ses mains tremblantes. Non seulement elle était terrifiée, mais l'arme était sans doute trop lourde pour elle.

Pourquoi avait-il ôté la sécurité ?

— Fais preuve d'un peu de bon sens, mon vieux, dit-il en donnant un coup de coude à Garek, qui protesta bruyamment.

— Et toi, fais preuve d'un peu de reconnaissance, rétorqua l'autre. J'ai des nouvelles importantes.

En comprenant que l'homme sur lequel il avait sauté était le beau-frère de Logan, Parker avait d'abord été soulagé. Puis il s'était souvenu que Garek Kozminski n'était pas quelqu'un à qui l'on pouvait vraiment se fier. Alors que la famille Payne était par tradition dans la police et la sécurité, la famille Kozminski, elle, prospérait dans le vol de bijoux. Bien que ce ne soit pas le seul méfait de Garek qui avait aussi tué un homme.

Et s'il l'avait fait une fois...

— Pourquoi n'es-tu pas allé voir Logan ?

— Je croyais que c'était toi qui dirigeais les opérations, répliqua Garek. C'est ce que tu as dit à l'hôpital.

En effet…

— Mais comment m'as-tu trouvé ?

Garek se débattit en grognant, essayant de se débarrasser de lui. Mais Parker n'était pas encore prêt à le relâcher et préférait s'interposer entre lui et Sharon. Encore que ce ne fût pas la position la plus sûre, étant donné que celle-ci tenait d'une main tremblante une arme braquée sur lui…

— Je t'ai suivi, avoua Garek.

— Comment ?

Il avait soigneusement évité les filatures. Du moins, le pensait-il, car un policier débutant l'avait suivi et un criminel aussi, apparemment…

Garek haussa les épaules.

— Pas la peine de prendre la mouche, comme ton frère. Vous autres, vous êtes doués pour semer vos poursuivants, mais je suis plus doué que vous pour…

— Traquer ?

— Je ne traque personne, déclara Garek, blessé dans sa fierté.

— Alors pourquoi tenez-vous un couteau ? questionna Sharon d'une voix soupçonneuse.

En voyant Garek lever l'arme en question, elle releva le canon de son arme. Elle était prête à tirer. En dépit de tout ce qu'elle avait traversé et de son épuisement, elle était résolue à le protéger — mieux qu'il ne l'avait protégée, elle.

— Je ne peux pas vous dire de quoi il s'agit, commença Garek, étant donné que je ne suis pas censé posséder d'outils de cambrioleur. Mais, à titre d'hypothèse, ce truc ressemble davantage à un crochet de serrurier qu'à un couteau…

Il le contempla comme pour s'interroger sur les dégâts que l'objet pouvait faire.

— Ça ne coupe sans doute pas plus qu'un coupe-papier.

Parker faillit le contredire, songeant à sa chemise déchirée et à sa peau éraflée par l'ustensile en question. Mais il était inquiet à l'idée que Sharon tire. Bon sang, peut-être aurait-il dû la laisser faire.

— Je ne comprends toujours pas pourquoi tu m'as suivi jusqu'ici, dit-il. Logan aurait préféré que tu t'adresses à lui.

— Je ne veux pas exposer Logan ni ma sœur, dit Garek.

Cette réponse avait plus de logique que son prétexte précédent, à savoir qu'il voulait s'adresser directement à lui.

— Elle a failli se faire tuer quand on vous a confondus, Logan et toi. Ma sœur a déjà trop souffert…

Et son frère, Milek, en avait fait le reproche à Logan. A présent, Garek savait que c'était, lui, Parker, le responsable. Peut-être s'était-il dit que s'il le tuait, les gens cesseraient d'essayer de tuer son jumeau.

— Sharon aussi a souffert, dit Parker.

Il leva les yeux, mais elle avait disparu avec l'arme. Elle avait dû décider que Garek ne constituait pas une menace. Ou qu'Ethan avait davantage besoin d'elle, car les hurlements du bébé avaient augmenté de volume.

— Ne lui fais pas de mal.

— Tu crois que je suis venu avec de mauvaises intentions ? lança Garek d'un ton rogue. Je suis venu te prévenir, t'aider…

Le repoussant, ce dernier se releva en grognant. Il était visible qu'il était plus choqué que mal en point. Après le mariage de sa sœur avec Logan, Kozminski se considérait sans doute comme faisant partie de la famille. Parker avait aussi eu ce sentiment, jusqu'à ce qu'une autre famille lui tombe du ciel, en la personne d'Ethan… et de Sharon. Il n'était pas certain de savoir qui était Sharon, mais avant même de savoir que le bébé était le sien, il avait été témoin du lien qui unissait la jeune femme et l'enfant.

Sa mère avait raison…

— Je suis désolé, dit-il. Il faut que je sois prudent.

— Et il faudra l'être encore plus à l'avenir, l'avertit Garek.

— Pourquoi ? Qu'est-ce que tu as appris ?

Quelles informations pouvaient être assez importantes pour que son beau-frère ait décidé de faire ainsi irruption ?

— La récompense pour vos têtes a été doublée, dit Garek. Et c'était déjà une somme très généreuse pour des meurtres de commande.

Il secoua la tête comme s'il était désolé.

— Maintenant, c'est une somme faramineuse…

Parker jura.

Sharon apparut au sommet de l'escalier et l'interrogea du regard. Elle avait apparemment entendu les jurons, mais pas les paroles de Garek.

— Que se passe-t-il ?

Il aurait bien voulu le savoir. Pourquoi voulait-on à ce point les tuer, Sharon et lui ?

— Tu devrais le lui dire, conseilla Garek.

Parker n'était pas certain que Sharon puisse supporter de savoir à quel point quelqu'un voulait sa mort. Mais il se souvint que sa prise sur le revolver s'était raffermie et qu'elle s'était préparée à tirer pour le protéger.

— Me dire quoi ? questionna-t-elle.

Et comme elle approchait des marches, il vit qu'elle tenait le bébé dans ses bras. Ethan était cramponné à elle, les doigts emmêlés dans ses cheveux.

Même si, lui, Parker, était son père, il était clair qu'elle représentait la sécurité pour ce petit. Ethan ne pouvait pas la perdre. La meilleure chose qu'il pouvait faire en tant que père était de veiller sur cette femme.

— Celui qui veut notre mort a augmenté la mise.

Il n'était pas certain qu'elle ait bien compris ce qu'il venait de lui dire, mais elle hocha la tête et inspira bruyamment.

Installant soudain le bébé à califourchon sur la hanche, elle tira le revolver et le pointa directement sur eux.

Garek se mit à rire.

— Alors c'est elle qui va te tuer pour récupérer la récompense ?

— J'ai de l'argent, dit Sharon à ce dernier. Je vous en donnerai pour que vous nous laissiez tranquilles.

Garek se crispa en comprenant qu'elle partageait les soupçons qui l'avaient brièvement effleuré, nota Parker.

— Jamais rencontré deux ingrats pareils, murmura-t-il. Je suis venu pour vous avertir, et vous pensez tous les deux que je veux toucher cette fichue récompense.

— Je suis désolée, dit-elle. Mais vous êtes un Kozminski, n'est-ce pas ?

Il hésita puis acquiesça.

— L'inspecteur Sharpe m'a mise en garde à votre sujet.

Garek soupira.

— Evidemment.

— Il m'a aussi dit de me méfier de Parker.

Garek se mit à rire.

— Je savais que ce type était un crétin. Mais vous n'avez rien à craindre des Payne, tous autant qu'ils sont : ils sont du côté de la loi.

Il ne s'inclut cependant pas dans cette affirmation.

— Vous êtes plus en sécurité avec Parker qu'avec n'importe qui d'autre, sans doute plus qu'avec la police en ce moment.

Parker tressaillit en se rappelant comment la cupidité d'un policier leur avait enlevé leurs pères respectifs, à Garek et à lui. Le sien était mort et celui de Garek avait été accusé du meurtre et emprisonné, alors que c'était un autre qui avait pressé la gâchette. Parker n'avait pas eu le temps de comprendre comment le coéquipier de son père l'avait trahi. Au lieu de cela, il avait découvert que quelqu'un voulait s'en prendre à lui.

Et maintenant, il découvrait qu'il avait un enfant…

Pas étonnant qu'il ait mal à la tête. Ce n'était pas seulement la commotion ou l'épuisement…

Tout cela le dépassait.

Dépassée, Sharon l'était aussi, sans doute. Tant de gens lui avaient donné des informations différentes. Fallait-il s'étonner qu'elle se demande qui croire ?

— L'inspecteur Sharpe m'a dit que Parker était un play-boy et que…

Garek rit plus fort, si fort que le bébé se mit à glousser de joie.

— Après tout, il n'est peut-être pas si idiot que ça…

— *C'est* un idiot, intervint Parker en s'adressant à Sharon.

Il se tourna ensuite vers Garek.

— Et tu es mal placé pour en rire.

Son beau-frère s'esclaffa encore.

— Je ne le nie pas…

Parker ne pouvait pas contester sa réputation. Il s'était juré de ne jamais se marier et de ne jamais avoir d'enfants. Mais il avait ses raisons pour cela. En fait, c'était pour épargner à une femme le chagrin enduré par sa famille à la mort de son père. Avant même que ne soit lancé ce contrat sur lui, son existence avait souvent été menacée. En tant que policier infiltré, il risquait sa vie à chaque mission. Et quand il protégeait quelqu'un, c'était de son propre corps qu'il faisait un rempart contre le danger.

— Merci d'être entré par effraction pour nous mettre au courant, dit-il.

Garek haussa les épaules et fit la grimace.

— N'en parlons plus. Je resterais bien pour vous protéger, mais je suis très mauvais tireur. Et puis, il vaudrait mieux que j'aille aux urgences me faire faire une radio des côtes.

— Navré, dit Parker en lui donnant une tape légère sur l'épaule.

— J'aurais bien téléphoné…

Mais Parker avait retiré la batterie de son portable, afin que personne ne puisse pirater le GPS et repérer sa position. Il tira un autre téléphone de sa poche.

— J'ai remplacé mon portable par celui-ci. C'est un appareil intraçable.

Il donna le numéro à Garek.

— Comme ça, tu pourras appeler, la prochaine fois…

— Espérons qu'il n'y aura pas de prochaine fois, répondit Garek. Mieux vaut espérer que la récompense ne sera pas triplée.

Il sourit.

— Sinon, même moi, je serai tenté de la toucher.

Puis il tourna les talons et descendit l'escalier pour gagner le sous-sol.

Parker n'était pas certain que ce soit une plaisanterie. Si le double de la récompense était déjà faramineux, le triple serait sans doute irrésistible.

Quand la porte se fut refermée sur Garek, Parker la verrouilla et s'assura que l'alarme était branchée. Puis il remonta à l'étage où l'attendait Sharon. A la place du revolver, elle tenait un biberon qu'Ethan tétait avec avidité. Elle tourna la tête et lui indiqua l'arme posée sur la table de chevet, à côté du lit défait.

Parker ne put faire autrement que de remarquer la délicatesse de son cou. Elle était si mince et si vulnérable. Si belle, même dans cet état d'épuisement.

Elle n'avait pas beaucoup dormi, on le voyait aux cernes qui soulignaient ses grands yeux. Après ce qu'ils venaient d'apprendre, elle ne pourrait sans doute pas se rendormir, même si Ethan le faisait.

— Je suis désolé pour tout cela, dit-il.

Elle haussa un sourcil sceptique.

— Désolé que Garek vous ait obligé à me le dire ?

— Oui, avoua-t-il.

— Pourquoi ? lança-t-elle fièrement. Vous croyez que je suis trop fragile pour savoir ? Savoir que le prix pour notre exécution a augmenté ?

Parker jeta un coup d'œil au revolver.

— Vous vous êtes bien débrouillée avec ça.

Sharon esquissa un léger sourire.

— Ne soyez pas condescendant. J'arrivais à peine à le tenir. Mais ce n'est pas parce que je suis fragile. C'est parce que je n'aime pas les armes.

Avec raison, sans doute. Avait-on tiré à balles sur sa mère ? Ou pire ? Sharon avait été témoin d'un meurtre à un âge où on est impressionnable. Pourtant, elle avait survécu.

— Je ne pense pas que vous soyez fragile, assura-t-il.

Elle plissa les yeux et le fixa d'un air soupçonneux.

— Sans condescendance ?

— Oui, dit Parker. Je sais quelle force cela demande de surmonter la perte d'un parent.

Sharon sursauta et rougit violemment.

— Oh oui, bien sûr… Désolée…

— Vous êtes au courant pour mon père ? dit-il.

— Brenda m'a dit qu'il avait été tué quand vous étiez adolescent, dit-elle. Ensuite, j'ai entendu aux infos qu'on venait de découvrir que son assassin n'était pas l'homme qui avait été emprisonné pour son meurtre.

— Celui qui était en prison était le père de Garek, dit Parker. Il est mort à présent.

Sharon eut l'air surpris.

— Et sa sœur a épousé votre frère ?

Parker se mit à rire.

— Ils se haïssaient — ou du moins, c'est ce qu'ils

prétendaient. Mais Stacy a toujours su que ce n'était pas son père qui avait tué le nôtre.

Au souvenir de la trahison qui avait causé la mort de son père, il sentit le chagrin lui serrer le cœur.

— Elle avait raison. Il s'est avéré que c'était un policier — son coéquipier, en fait.

Sharon hocha la tête.

— Brenda m'avait recommandé de ne pas me fier à la police.

— Je ne peux pas le lui reprocher, fit Parker. J'aimerais croire qu'on ne peut pas corrompre les policiers, mais certains sont plus cupides qu'honnêtes.

Il repensa à Sharpe et au bleu que l'inspecteur avait chargé de le suivre. Pourquoi le jeune homme ne s'était-il pas présenté comme policier quand il avait braqué son arme sur lui ? Et que se serait-il passé si Logan n'était pas arrivé ?

— Et le prix de notre mort est très élevé ? demanda nerveusement Sharon.

Il ne voulait pas se montrer de nouveau condescendant en lui mentant, alors il répondit honnêtement :

— Une somme faramineuse, selon Garek.

Sharon resserra les bras autour d'Ethan et balaya l'appartement du regard comme pour vérifier qu'ils étaient seuls. Parker fit de même, au cas où…

La filature de Garek prouvait que n'importe qui pouvait les menacer. Ils n'étaient en sécurité nulle part. Et parce qu'ils étaient en danger, Ethan l'était aussi. Si quelque chose arrivait à l'un d'eux ou à tous les deux, qu'adviendrait-il de son fils ?

Sa mère pourrait-elle obtenir la garde de l'enfant ou serait-il placé directement en famille d'accueil ? Il devait le protéger et protéger Sharon.

Cette dernière avait pâli et la peur assombrissait ses yeux. Ce fut d'une voix un peu tremblante qu'elle demanda :

— Qu'est-ce qu'on fait maintenant ?

Ignorant la panique qu'il sentait monter en lui, Parker répondit :

— On se marie.

11

Sharon fixa son reflet dans le miroir ovale. Etait-ce vraiment elle dans cette robe bustier et ce voile en dentelle blanche ?

Elle l'avait relevé pour y voir plus clair, mais rien n'était clair. Pourquoi voulait-on les tuer, Parker et elle ? La récompense pour leurs meurtres ayant doublé, il ne se passerait plus beaucoup de temps avant qu'on ne réussisse à les exécuter.

Son estomac la rappela à l'ordre. Cela faisait longtemps qu'elle n'avait pas mangé. Rien à voir avec son inquiétude d'épouser Parker Payne. Elle ne craignait pas de se perdre en lui donnant son cœur. La seule chose qu'elle risquait de perdre, c'était Ethan. Et la vie.

— J'ai vu beaucoup de futures mariées dans cette pièce, mais aucune n'avait l'air aussi effrayée que toi, dit une voix féminine. Mais tout s'explique puisque tu épouses Parker.

Se retournant, Sharon vit la jeune femme aux cheveux auburn qu'elle avait vue chez Brenda, puis au commissariat et à l'hôpital. Sharon l'avait rencontrée partout où elle était allée, aussi n'aurait-elle pas dû être étonnée de la voir ici. Pourtant, elle eut un hoquet de surprise.

D'autant que la jeune femme n'était pas seule : un énorme chien l'accompagnait. En le voyant renifler dans les coins, Sharon comprit qu'il s'agissait de Toutou, le berger allemand dont Parker lui avait parlé. Il l'avait fait venir pour flairer une bombe éventuelle. Mais rien ne semblait intéresser l'animal dans la pièce, pas même elle.

— Je ne voulais pas t'effrayer encore plus, dit la jeune femme.

Sharon se souvint de son regard plein de sollicitude à l'hôpital ; elle était visiblement au courant de son passé. Avait-elle pitié d'elle ?

— Je vais bien, dit-elle. Et toi ?

Etait-elle dépitée que Parker épouse une autre femme ? La jeune femme soupira avant de répondre.

— Pas si bien que ça. Maintenant que tous mes frères sont casés, celle que ma mère va essayer de persuader de se marier, c'est moi.

— Tes frères ?

La jeune femme fit la grimace.

— Parker ne t'a toujours pas dit que je suis sa sœur ?

Elle tendit la main.

— Je m'appelle Nikki.

Sharon prit sa main et la serra vigoureusement.

— Ravie de te rencontrer.

Elle se sentit coupable de sa jalousie idiote. Après tout, Parker et elle n'étaient rien l'un pour l'autre, même s'ils allaient devenir mari et femme.

— Il aurait dû nous présenter chez la juge, dit Nikki. Mais j'étais dans un état lamentable après l'attentat.

Sharon n'avait pas réfléchi au fait que ces tentatives de meurtre pouvaient aussi avoir un impact sur la famille de Parker.

— Et moi qui croyais être la seule à être en miettes…

— Tu l'étais, remarqua Nikki à la manière directe des Payne.

Puis elle se mit à rire. Plaisantait-elle ?

— Et tu en avais le droit. Parker ne m'a pas laissée voir le corps, mais ce devait être horrible.

Elle se couvrit la bouche d'une main.

— Mon Dieu, je ferais mieux de me taire !

— Tu es franche, dit Sharon, c'est une chose que j'apprécie, même si je ne l'ai pas beaucoup été moi-même ces derniers temps.

Nikki rit de nouveau.

— Tu as mystifié Parker en le laissant croire que tu avais eu un enfant de lui, alors qu'il ne se souvenait pas de toi !

Lui en voulait-elle à cause de cela ? Sharon ouvrit la bouche pour se justifier, mais Nikki poursuivit :

— Bien fait pour lui. Il le méritait, après tous ces cœurs brisés !

Sharon secoua la tête.

— Il ne méritait pas qu'on lui cache l'existence de cet enfant si longtemps.

— Tu ne pouvais pas en parler, ce secret ne t'appartenait pas, commenta une femme qui venait d'entrer dans la petite chapelle privée appartenant à la mère de Parker.

Après avoir caressé le chien qui manifestait sa joie de la voir, elle lui tendit elle aussi la main.

— Je suis Stacy Koz... Stacy Payne, je veux dire, corrigea-t-elle avec un petit rire. La femme de Logan.

Le rire de Nikki s'éleva de nouveau.

— Je n'arrive toujours pas à y croire ! Je ne sais pas quel mariage me paraît le plus improbable, le vôtre ou celui de Parker...

— Le nôtre, répondit Stacy avec aisance. Je suis allée chez Parker alors que sa maison risquait d'exploser, et j'ai bien vu qu'elle était conçue pour une famille.

Nikki secoua la tête.

— Il s'en servait pour faire croire aux femmes qu'il envisageait éventuellement de se marier.

— Mais il se *marie !* intervint une autre voix féminine.

Mme Payne pénétra dans la pièce et s'exclama :

— Et très bientôt !

— Où est Ethan ? interrogea Sharon, alarmée de ne pas le voir dans les bras de sa grand-mère.

— Avec son père, répondit Mme Payne.

Et Sharon se rappela alors pourquoi elle épousait Parker : pour qu'on ne lui prenne pas Ethan.

Sa future belle-mère sourit.

— Les hommes sont en train d'enfiler leurs smokings.

— Je suis habillée, souligna Sharon. Je peux m'occuper de lui.

Mme Payne s'avança pour arranger les plis du voile autour de son visage.

— Tu es si belle. On ne va pas laisser le bébé déranger la coiffure et le voile de ma nouvelle fille.

« Ma nouvelle fille… »

Cette gentille remarque lui fit monter les larmes aux yeux, et elle se félicita qu'ils soient dissimulés par le voile. Non seulement Mme Payne considérait Ethan comme son petit-fils, mais elle était également prête à l'inclure, elle, dans sa famille.

— Je vais jeter un œil au futur marié, annonça Nikki. J'aimerais bien le voir enfiler un smoking à un bébé.

— C'est moi qui l'ai fait, déclara Mme Payne. Logan tient le petit pendant que Parker s'habille.

Elle se tourna vers Stacy.

— Il a l'air très à l'aise avec un bébé.

Cette dernière se mit à rire.

— Vous venez juste de nous persuader de nous marier. Attendez un peu avant de vouloir des petits-enfants !

— D'autant plus que tu viens d'en avoir un auquel tu ne t'attendais pas, remarqua Nikki.

Mme Payne eut un large sourire.

— Cela ne fait que renforcer mon envie d'en avoir d'autres.

Sharon n'avait pas la moindre intention de consommer

son mariage, et encore moins de procréer. Elle se tourna vers elle et demanda :

— Vous êtes sûre que nous devons nous marier dans votre jolie chapelle ?

— Nous avons déjà eu un mariage à l'hôpital. Le vôtre se fera ici, remarqua Mme Payne en jetant un regard à Stacy.

Sa belle-fille sourit avec un bonheur visible.

— Logan ne voulait pas attendre une minute de plus pour m'épouser et il tenait à ce que Parker soit son témoin.

Sharon se crispa. En parlant d'hôpital, Parker et elle risquaient d'y retourner très vite, que ce soit dans un lit ou à la morgue.

— Mais nous pourrions nous marier ailleurs, suggéra Sharon.

— Cela me briserait le cœur si vous le faisiez, affirma Mme Payne.

Mais Sharon, elle, en aurait le cœur brisé si la vieille chapelle soigneusement restaurée par sa future belle-mère pour en faire une source de revenus était détruite.

Cela ne signifiait pourtant pas qu'il n'y avait pas de danger ailleurs. Sharon caressa avec hésitation sa robe en dentelle.

— Et cette belle robe ?

Stacy secoua la tête avec stupéfaction.

— Comment peut-elle aller à toutes les mariées de la famille Payne ? Nous n'avons pas la même taille ni la même corpulence.

En effet, Stacy était plus petite et beaucoup plus ronde qu'elle, nota Sharon.

— Tu as aussi porté cette robe ? demanda-t-elle.

Stacy acquiesça.

— A l'hôpital. Et moi aussi, ça me rendait nerveuse. Je l'ai très vite enlevée.

— C'est la robe magique de maman, commenta Nikki.

Sa mère eut un rire de dérision peu féminin.

— C'est surtout du fil, une aiguille et des talons de hauteur différente. Et bien sûr, de belles mariées qui la mettent en valeur…

Elle se tourna vers Nikki, comme pour évaluer les changements qui seraient nécessaires sur elle.

— Oh non ! s'exclama sa fille. Ne commence pas à me regarder comme ça…

Désignant sa mère du doigt, elle dit à Sharon :

— Tu vois, je te l'avais dit…

— Je parlais du danger qui nous menace, Parker et moi, expliqua Sharon. Des gens essaient de nous tuer partout où nous allons. Je ne voudrais pas que cette chapelle soit réduite par une bombe.

Si elle explosait, la robe serait anéantie… de même qu'elle-même, son promis et tous les membres de sa famille.

— Toutou n'a reniflé aucun explosif. Et toute l'agence Payne est là, lui dit Nikki, tu ne peux pas être plus en sécurité qu'ici.

Pourtant, en s'avançant vers son fiancé, debout au pied de l'autel, Sharon ne se sentait pas rassurée. Parker tenait tendrement le petit garçon dans ses bras. Vêtu d'un smoking, Ethan ressemblait à une version miniature de son père. A ce spectacle, Sharon conçut une terreur telle qu'elle n'en avait pas connue depuis son enfance.

Si ce n'était pas pour sa vie qu'elle craignait, était-ce pour son cœur ? Avait-elle peur de le perdre au profit de l'homme qu'elle était sur le point d'épouser ?

Mon Dieu, elle est si belle…

On lui avait dit que Sharon porterait la robe de sa propre mère, celle que ses belles-sœurs avaient portée à leurs mariages. Mais sa mémoire devait encore lui jouer des tours, car il ne se souvenait pas d'avoir vu quiconque dans cet ensemble de soie et de dentelle. On aurait dit que le vêtement avait été fait pour Sharon, pour mettre en valeur son long corps svelte et ses jolies courbes.

Sharon s'avança seule dans l'allée que tant de mariées avaient parcourue au bras d'un père ou d'un frère. Elle, elle n'avait personne, en dehors d'Ethan, qui se mit à gigoter d'excitation dans ses bras en l'apercevant.

En la voyant approcher, Parker retint son souffle... Jusqu'à ce que le petit poing d'Ethan s'écrase sur sa mâchoire.

Même sous le voile, le bébé reconnaissait celle qu'il considérait comme sa véritable mère. Il voulait qu'elle le prenne dans ses bras. Avec une vive émotion, Parker prit soudain conscience qu'il n'était pas le seul. Lui aussi avait envie de sentir les bras de Sharon autour de lui. Mais il avait encore plus envie de la prendre dans les siens pour la protéger. Ce soudain accès de désir lui fit oublier où il était, et le bébé gesticulant faillit lui échapper.

En tendant les bras pour le prendre, Sharon laissa tomber son bouquet. Nikki le rattrapa avant qu'il ne touche le sol. Immobile, les yeux agrandis par l'horreur, elle balbutia :

— Ça ne compte pas...

Regagnant le banc près de sa mère, elle répéta :

— Ça ne compte pas, maman...

Un rire discret courut dans la chapelle. En temps normal, Parker aurait ri plus fort que les autres avant d'ajouter des commentaires de son cru. Mais il était trop abasourdi par la beauté de sa fiancée pour y prêter attention.

Ethan se mit à tirer sur le voile de Sharon. Riant soudain de la détermination du petit garçon, Parker s'avança et le releva lui-même. Ce n'était pas le moment ; il n'était censé le faire qu'à la fin de la cérémonie. Mais il avait hâte de regarder sa future femme. Et en voyant ses yeux noisette étincelants et son visage rougissant, il eut envie de l'embrasser.

Il refusa cependant de céder à la tentation, tout comme Ethan refusait de lâcher le voile. Parker n'avait pas prévu de lutter avec son fils le jour de son mariage, mais il n'avait pas prévu non plus de ressentir autant de désir pour Sharon.

— Fais attention, murmura doucement Sharon.

Elle s'inquiétait sans doute pour la dentelle. Mais c'était pour elle que Parker s'inquiétait. Elle le regardait comme si elle était aussi fascinée par lui qu'il l'était par elle. Même s'il s'était toujours montré honnête sur son incapacité à s'engager, il avait conscience d'avoir brisé de nombreux cœurs et il ne voulait pas briser celui de Sharon.

C'était son métier qui avait voulu qu'il reste célibataire. En même temps, il n'avait jamais été plus en danger qu'en ce moment, et il était pourtant là, devant l'autel, avec une femme qui tenait son fils dans ses bras.

Il entendit quelqu'un toussoter discrètement derrière lui et demander :

— Pouvons-nous commencer ?

Parker se débrouilla pour dénouer les doigts d'Ethan et remettre le voile en place. Ce faisant, ses mains effleurèrent les épaules nues de Sharon. Elle frissonna à ce contact et ses yeux s'assombrirent.

Il sentit un désir plus intense encore lui nouer le ventre. Il voulait cette femme. Il se tourna et fit un signe affirmatif.

— Nous sommes prêts…

Alors il articula les vœux qu'il s'était juré de ne jamais prononcer, des vœux qui parlaient d'aimer, d'honorer et de chérir jusqu'à ce que la mort les sépare. D'une voix tremblante, Sharon les répéta après lui.

La mort…

Pourrait-il l'en protéger ? Pourrait-il se protéger lui-même ?

Sa mère avait pensé à tout, car Logan lui glissa dans la main une alliance qu'il passa au doigt de Sharon. Elle en avait aussi une pour son mari, dont Ethan essaya de s'emparer.

— Non, mon bonhomme, lui dit-elle. Ce n'est pas pour toi.

Des rires s'élevèrent de nouveau dans la chapelle. Sharon parvint finalement à lui passer la bague au doigt. Ce seul contact lui donna l'impression d'avoir des fourmis sous la peau. Tout son corps le picotait du fait de cette simple proximité. Elle était si belle…

Ce n'était pas seulement sa main qu'il voulait toucher, il avait envie de caresser tout son corps. Enfin, il entendit les mots qu'il attendait avec impatience :

— Vous pouvez embrasser la mariée.

Il se pencha par-dessus l'enfant et pressa les lèvres sur celles de Sharon. Il l'entendit reprendre son souffle, mais elle lui rendit son baiser. Sa bouche s'entrouvrit et il approfondit leur baiser, consumé par un désir inextinguible. Elle était si douce, si fraîche, si pure.

Comme si elle n'avait jamais été embrassée…

Parker aurait voulu que ce baiser ne s'arrête jamais. Mais un petit poing s'abattit sur sa joue, le ramenant au temps présent juste au moment où les invités commençaient à applaudir et à siffler.

Il se sentit rougir. Il avait oublié leur présence, mais ils faisaient tous partie de sa famille, soit par les liens du sang soit par les liens professionnels. Aucun invité qui ne lui fût apparenté et à qui il ne puisse faire confiance. Bien sûr, les frères Kozminski étaient là, mais Logan et sa mère se fiaient à eux. Et ils faisaient partie de sa famille à présent.

En plus de sa protection, il pouvait offrir une famille à Sharon. Il doutait pourtant de pouvoir lui donner son cœur. Il espérait qu'elle ne s'y attendait pas, et que son baiser ne l'avait pas induite en erreur. Il avait décidé depuis si longtemps de ne jamais s'autoriser à aimer qu'il craignait de ne pouvoir y changer quelque chose. Mais qui sait ? Il avait bien fini par se marier…

Sa mère avait sorti le grand jeu, bien qu'il lui ait

demandé de n'en rien faire. Outre la robe, la cérémonie et les alliances, il y avait aussi une réception. Un banquet, un gâteau, de la musique…

Il prit son épouse dans ses bras et la serra contre lui tandis que la musique jouait en sourdine. Les hanches de Sharon effleurèrent les siennes et il se contracta, transpercé par le désir. Il avait envie d'être seul avec elle, loin de sa famille. Mais peut-être valait-il mieux qu'il ne le soit pas.

Sharon le contemplait avec un regard surpris, visiblement aussi étonnée et dépassée par son propre désir qu'il l'était par le sien. Mieux valait, en effet, qu'ils ne restent pas seuls.

Le bébé endormi dans les bras, sa mère s'approcha cependant pour leur dire :

— Vous devriez partir. Je vais m'occuper de lui cette nuit.

Cette idée parut alarmer Sharon, sans qu'il sache si c'était parce qu'elle craignait d'être séparée de l'enfant ou de se retrouver seule avec lui.

— Mais s'il se réveille…

— Il faut bien qu'il s'habitue à passer du temps chez sa grand-mère, répondit sa mère.

Parker aurait dû se douter que c'était vers cela que tendait toute l'entreprise. Leur mère avait toujours eu envie que ses enfants se marient pour avoir des petits-enfants. Eh bien, il avait fait sa part à présent, même si c'était sans préméditation.

— Maman, je te suis reconnaissant de tout ce que tu as fait pour que ça ressemble à un vrai mariage, mais…

— C'est un vrai mariage, chéri, dit-elle en lui tapotant la joue. C'est un vrai mariage. Tu as un certificat pour le prouver, maintenant.

Le mariage était donc vrai, mais l'union ne le serait pas. Il ne pouvait laisser personne faire du mal à Sharon, pas même lui.

— Maman…

Elle lui tapota de nouveau la joue, un peu plus fort, et se pencha pour lui murmurer :

— Il faut aussi qu'il ait l'air vrai, pour que le tribunal ne puisse pas le récuser.

Qu'était-elle en train de lui dire ?

— Allez-y maintenant, répéta-t-elle.

Puis elle se tourna vers Sharon et lui caressa gentiment la joue.

— Tu es aussi belle en mariée que tu l'es en tant que personne.

Le compliment fit rougir Sharon, mais elle secoua la tête comme pour le nier.

Parker comprit néanmoins que sa mère avait raison. La beauté de Sharon venait de l'intérieur. S'il se trouvait seul avec elle, c'était peut-être lui qui aurait besoin de protection. Mais comme ses frères l'avaient appris à leurs dépens, il était inutile d'argumenter avec leur mère. Sous une pluie de riz et de confettis, elle les poussa sur le parvis de la chapelle.

Parker ne quittait pas Sharon d'une semelle. A cause de son attirance pour elle d'abord, mais surtout parce qu'il avait failli être abattu sur ces mêmes marches. Logan avait cru que les balles lui étaient destinées, mais c'était lui, son jumeau, qu'elles visaient.

— Nous avons installé un périmètre de sécurité autour de la chapelle, lui dit son frère. Personne ne peut approcher. Tu ne risques rien.

— On devrait peut-être rester ici, murmura Sharon en se retournant vers le bébé endormi dans les bras de sa grand-mère.

La voyant prête à faire demi-tour, Parker lui prit la main pour lui faire descendre les marches. Une voiture les attendait au bord du trottoir. Quelqu'un avait attaché

des boîtes de conserves au pare-chocs et fixé un panneau
« JUST MARRIED » sur la plage arrière.

Nikki s'avança vers lui et lui mit la clé dans la main.

— Elle est sûre, l'assura-t-elle. Toutou et moi, nous
l'avons soigneusement vérifiée.

— Je vois ça, dit Parker en désignant les boîtes de
conserves et le panneau.

Elle sourit, lui tendit les bras et l'embrassa sur la joue.

— Prends soin de toi...

Puis elle se tourna vers Sharon et l'embrassa aussi.

Parker aida sa femme à monter en voiture et s'assura que
le bas de sa robe était bien à l'intérieur avant de refermer
la portière. Tandis qu'il se hâtait de contourner le véhicule
pour se mettre au volant, de nouvelles poignées de riz et
de confettis lui cinglèrent le visage. Il rit, se courba et
monta en voiture en claquant la portière. Des grains de
riz heurtèrent la vitre.

Pourtant son rire mourut quand il glissa la clé dans
le contact. Nikki avait vérifié la voiture et il lui faisait
confiance. Mais c'était la vie de Sharon qui était en jeu,
pas seulement la sienne.

— Tout va bien, lui dit celle-ci.

Et elle posa la main sur la sienne pour tourner la clé.

Le véhicule démarra et il appuya sur l'accélérateur.
Il poussa un soupir de soulagement. Pour empêcher les
autres voitures de passer, un gros camion avait été garé
au bout de la rue. Le poids lourd recula à leur approche
et Candace lui fit signe depuis le siège du conducteur.
Payne Protection avait sécurisé le périmètre. Une fois
qu'il eut dépassé le camion, il se retrouva pourtant seul.
Il devait s'assurer qu'ils n'étaient pas suivis. Il n'allait pas
les ramener à la maison du lac ; il avait trouvé un autre
lieu, un lieu que personne ne connaissait.

Il se concentra donc sur sa conduite, en jetant de fréquents
coups d'œil dans les rétroviseurs. Mais le mutisme et le

calme anormal de sa passagère ne cessaient de le distraire. Elle était sans doute effrayée. Peut-être ne lui faisait-elle pas confiance pour la protéger. Ou alors elle s'inquiétait d'avoir laissé Ethan à sa mère.

C'est en se tournant vers elle pour l'assurer que tout allait bien qu'il vit le 4x4 noir. Après avoir brûlé un stop, le véhicule se dirigeait droit vers eux, du côté de Sharon. L'impact de la collision fut tel que le pare-brise vola en éclats et la carrosserie gémit. Puis la voiture entama une série de tonneaux, éparpillant sur la route les boîtes de conserves encore attachées au pare-chocs. Parker sentit le verre lui couper le visage et le métal lui écraser la tête et le bras. Il lutta pour rester conscient.

Sharon, elle, ne l'était plus. Elle avait les yeux fermés, et un filet de sang coulait de sa tête. Etait-elle morte ou avait-elle seulement perdu connaissance ?

Parken entendit des pas s'approcher précipitamment, faisant crisser les éclats de verre. Il y avait peu de chances pour que ce soit quelqu'un qui se porte à leur secours. Il s'agissait plutôt d'un criminel venu s'assurer qu'ils étaient bien morts.

Il tenta de dégainer, mais la ceinture de sécurité bloquée l'empêchait d'atteindre son holster. Il ne pouvait se défendre, ni défendre, Sharon.

Il n'avait jamais voulu se marier mais, maintenant que c'était fait, il aurait bien voulu que cette union dure plus de quelques heures. Le but était de protéger sa femme, pas de la faire tuer. Mais il était sans doute trop tard pour la sauver.

Ou se sauver lui-même.

12

Le bruit des détonations la tira de son évanouissement. Le pare-brise gisait en morceaux sur la chaussée, sous la voiture retournée. Sharon retint un cri de panique en se souvenant des tonneaux de la voiture, du fracas du métal froissé, du bris de verre et de l'explosion des airbags.

Ethan !

Son siège enfant l'avait-il protégé ?

Non, non...

Ethan n'était pas avec eux, il était resté avec Mme Payne pour leur nuit de noces. Comment avait-elle pu l'oublier ?

Elle devait s'être cogné la tête. Elle se tâta le crâne et vit que ses doigts étaient poisseux de sang. Mais cette estafilade était le dernier de ses soucis, alors que les tirs continuaient...

Elle avait hésité à regarder Parker, terrifiée à l'idée qu'il n'ait pas survécu à l'accident. En se tournant vers lui, elle découvrit que c'était lui qui tirait. La veste déchirée, couvert de sang, gêné par sa ceinture, il s'acharnait à les défendre.

— Tu es réveillée ! s'exclama-t-il avec un soupir de soulagement, avant de demander : Comment te sens-tu ?

— Je ne sais pas trop, répondit-elle avec honnêteté.

— Si tu peux bouger, défais ta ceinture, lui dit-il. Il faut que nous sortions d'ici.

— Combien sont-ils ? questionna-t-elle.

Elle n'était pas assez naïve pour croire qu'il s'agissait d'un accident. C'était bien une nouvelle tentative de meurtre.

Les balles volaient, ricochant sur le châssis de la voiture. C'était une chance qu'ils aient atterri à l'envers, car il était plus difficile de les atteindre à l'intérieur de l'habitacle.

Sans avoir eu le temps de lui répondre, Parker tira un nouveau coup de feu. Un homme vêtu de noir s'écroula sur la chaussée, devant la voiture, rejoignant un individu qui gisait déjà dans une mare de sang.

Sharon contint le hurlement qui montait à sa gorge et repoussa la vague de peur qui menaçait de la submerger. Il fallait qu'elle soit forte.

Avec des doigts tremblants, elle s'attaqua à sa ceinture de sécurité. La portière froissée bloquait la lanière malgré l'airbag qui s'était ouvert de son côté. Si cela n'avait pas été le cas, Sharon aurait sans aucun doute été broyée. Elle dut passer la main entre l'airbag dégonflé et le métal déchiqueté, qui lui érafla les doigts au passage, pour atteindre la boucle de la ceinture.

Cela fait, elle se laissa tomber sur l'ex-plafond de la voiture, jonché d'éclats de verre et de gouttes de sang. Le sang de Parker ou le sien ?

Comme elle, remarqua-t-elle, il était blessé à la tête. Mais il n'avait pas dû perdre connaissance, sinon ils seraient déjà morts.

— Ma ceinture est bloquée, lui dit Parker. Il faut que tu la coupes.

Sharon conçut à nouveau un sentiment d'impuissance, et la peur l'envahit.

— Comment ?

— J'ai un couteau dans la poche de ma veste. Tu peux l'atteindre ?

Elle glissa la main dans sa veste déchirée. Pendant qu'elle cherchait, il tira de nouveau. Le bruit assourdissant de la détonation la fit sursauter. C'était pour cela qu'il n'avait pu défaire lui-même sa ceinture : il était trop occupé à les défendre. Elle trouva enfin le couteau. En prenant soin de ne pas blesser son mari, elle scia la lanière jusqu'à ce qu'elle s'effiloche et le libère enfin.

Avec un grognement, Parker atterrit sur le « plancher » à côté d'elle. Dans l'espace restreint, leurs corps se touchaient en plusieurs endroits. Sharon s'attendait à ce que ses plaies et bosses la fassent encore plus souffrir, mais elle ne sentit que la chaleur du corps de Parker et la protection rassurante de sa présence. Avec lui — avec son mari —, elle avait l'impression d'être en sécurité, quels que soient les dangers affrontés.

— On doit absolument sortir d'ici, dit de nouveau Parker. Mais il faut faire attention. Je ne sais pas combien il en reste…

Il en reste ? Deux d'entre eux gisaient sur le sol, devant la voiture. Etaient-ils morts ou simplement blessés ?

Sharon résolut de ne pas s'inquiéter de leur état. Ce n'étaient que des hommes qui tuaient pour de l'argent et qui n'avaient aucun scrupule à laisser un enfant seul au monde.

— Reste près de moi, lui ordonna Parker en rampant à travers le pare-brise pulvérisé.

Elle s'efforça de le suivre, mais les échardes de verre accrochèrent la dentelle de sa robe, l'empêchant de sortir de l'épave. Elle ne pouvait le suivre. Et il ne partirait pas sans elle.

D'autres coups de feu se firent entendre. Parker allait-il mourir en la défendant ?

— Déchire-la, lui hurla Parker, tout en éloignant d'un coup de pied les armes des hommes à terre.

Les chargeurs étaient vides, sinon il les aurait ramassées pour remplacer son revolver. Il était sur le point de manquer de munitions. Quand il n'en aurait plus, il ne leur resterait rien pour se défendre.

— Je ne peux pas, protesta Sharon, horrifiée. C'est la robe de ta mère.

La robe que sa mère avait portée quand elle avait épousé son père. Cela aurait dû signifier quelque chose pour lui, mais il s'en fichait. Seule Sharon comptait.

Elle finit pourtant par se libérer et le rejoignit sur la chaussée. Elle avait été assommée, elle saignait, mais elle avait rassemblé ses forces.

Comment avait-il pu croire qu'elle était fragile ? Elle était sans conteste la femme la plus forte qu'il ait jamais rencontrée — et il avait connu des femmes sacrément coriaces. Il l'attira à ses côtés et s'accroupit derrière l'épave du 4x4 qui les avait emboutis. Deux hommes armés en étaient sortis, et il avait dû s'occuper d'eux.

Le remords de les avoir tués le traversa brièvement. Mais ils ne lui avaient pas laissé le choix. Ils l'auraient abattu et auraient abattu Sharon s'il n'avait pas tiré le premier. Certes, il aurait préféré les prendre vivants, mais il s'était retrouvé piégé dans la voiture renversée. Il n'aurait pas pu les maîtriser, vu leur supériorité numérique. Et maintenant encore, il ignorait s'il y en avait d'autres...

Puis il remarqua quelque chose. A travers le pare-brise du 4x4, la tête du conducteur le fixait avec des yeux aveugles. Contrairement à eux, l'homme n'avait pas survécu à l'accident.

— Je n'ai pas déchiré la robe, murmura Sharon, comme s'il s'en souciait, mais je crois qu'elle est tachée de sang...

Sa voix était fêlée par la peur et le regret... et sans doute par l'affreux souvenir de la mort de sa mère.

— Tu es blessée ? demanda-t-il.

Quand il lui avait posé la question, un peu plus tôt, elle n'avait pas pu lui répondre. C'était compréhensible. Lui-même ignorait s'il était blessé ou si l'un des coups de feu l'avait touché. L'adrénaline courait si vite dans ses veines qu'il ne sentait rien en dehors de son inquiétude pour Sharon.

— Je crois que je n'ai rien de cassé, répondit-elle. Et toi ? Tu es blessé ?

Il haussa les épaules et sentit une douleur dans son cou. Il avait sans doute quelques vertèbres déplacées, à cause des tonneaux de la voiture, mais c'était le dernier de ses soucis pour l'instant.

Il entendit des pas courir sur l'asphalte. Il y avait plus d'une personne. Une autre voiture remplie de meurtriers suivait-elle la première ?

Il était presque à court de munitions. Il avait perdu au moins un chargeur quand il avait déchiré sa veste pour libérer son holster. Les cartouches étaient tombées et avaient roulé hors de sa portée.

— Sharon, tu dis que tu n'as rien de cassé ?

— Apparemment non.

Cela ne le rassura guère. Mais c'était une battante. Elle n'aurait pas survécu au meurtre de sa mère et à ces récentes tentatives d'assassinat si elle n'avait pas été débrouillarde.

— Je veux que tu coures, lui dit-il.

— Dans quelle direction ?

— Vers les maisons, les jardins… Trouve un hangar ou un garage, un endroit où te cacher.

Comme sa mère l'avait cachée tant d'années auparavant. Il haïssait l'idée de la ramener sans cesse à ces souvenirs tragiques.

Mais ce n'était pas à propos d'elle-même qu'elle s'inquiétait, car son unique question fut :

— Et toi ?

— Je vais te couvrir, dit Parker. Et ensuite je viendrai te chercher.

A moins qu'il ne tombe à cours de munitions avant d'avoir eu raison de ses agresseurs.

Mais sa famille retrouverait Sharon. Ils la protégeraient comme il souhaitait qu'elle le soit.

Il la regarda courir dans la nuit qui tombait. L'obscurité ne la protégerait pas car sa robe blanche brillait comme un phare, attirant l'attention sur elle.

Il était plus que probable qu'un des meurtriers la rattrape avant qu'elle n'ait eu le temps de se cacher.

Bon sang...

Le bruit des pas augmenta, ramenant son attention sur la rue. Il empoigna son arme, mit en joue et souhaita de toutes ses forces avoir suffisamment de balles.

Les poumons brûlants, Sharon trébuchait sur la robe qui s'enroulait autour de ses jambes. Le gravier s'incrustait dans la plante de ses pieds nus. Elle avait perdu ses chaussures dans la voiture, sans doute au moment des tonneaux. Mais elle n'osait pas arrêter de courir, car des coups de feu retentissaient derrière elle. Devait-elle retourner sur ses pas pour s'assurer que Parker allait bien ? Ou sa présence ne servirait-elle qu'à le distraire ?

Il les avait défendus, il devait sans doute pouvoir continuer. Quand tout serait fini, il viendrait la chercher.

Elle devait donc se cacher dans un endroit où elle serait en sécurité jusqu'à son arrivée. Il serait furieux si elle ne lui obéissait pas, comme sa mère l'aurait été si elle était sortie de l'endroit où elle se cachait.

Parker était un protecteur, comme sa mère. Elle avait fait passer la sécurité de sa fille avant la sienne. Parker lui ressemblait : c'est pour cela qu'il était resté, même s'il avait affaire à plus fort que lui. Et c'est pour cela qu'il lui avait dit de se cacher.

Elle s'arrêta de courir et sentit de l'herbe sous ses pieds. Une pelouse, un jardin. Du moins le supposa-t-elle. Il faisait si noir qu'elle ne voyait pas grand-chose. La maison était tout aussi obscure. Et vide, à moins que ses occupants ne se soient déjà couchés.

Quelle heure était-il ?

Elle aurait pu essayer d'ouvrir une porte, mais elle préféra ne pas risquer de réveiller quelqu'un. Quelqu'un qui aurait pu être armé, comme les hommes qui essayaient de les tuer.

Elle continua donc à avancer dans le jardin, trébuchant sur des dalles et des statues. Bientôt, elle distingua l'ombre d'un appentis.

Elle tâtonna dans le noir, cherchant la porte. Mais elle ne sentit que des parois de bois. Des échardes lui entrèrent dans les paumes. Elle tressaillit, même si la douleur n'était rien comparée à sa peur.

Elle n'avait pas peur pour elle-même, elle avait peur pour Parker. Les coups de feu avaient cessé. Pourtant elle ne s'était pas éloignée assez pour ne plus les entendre s'ils avaient continué.

Qu'est-ce que cela voulait dire ?

Etait-il déjà mort ?

Le chagrin l'envahit, comprimant sa poitrine au point qu'elle pouvait à peine respirer. Les battements de son cœur ralentirent.

Puis sa main effleura un montant de bois. La porte ! Elle dut tâtonner encore pour trouver la poignée. Enfin ses doigts heurtèrent du métal. Elle tourna le bouton ; la porte grinça mais ne bougea pas.

Un déclic métallique résonna dans le silence inquiétant. Un cadenas fermait la porte. Il refusa de s'ouvrir, mais le petit crochet dans lequel s'insérait la lame du verrou bougeait. Elle planta un ongle dans la fente d'une vis et tourna. Celle-ci était si lâche qu'elle tomba à terre. Sharon arracha le crochet et ouvrit la porte.

Elle se précipita à l'intérieur, mais pas pour se cacher. Elle ne voulait plus se recroqueviller dans un coin, elle avait déjà fait cela trop souvent dans sa vie. Cette fois, elle allait se battre.

Elle fouilla dans l'appentis à la recherche d'un outil qui lui permettrait de se défendre. Et quand elle entendit des pas, elle n'attendit pas qu'on lui tire ou qu'on lui saute dessus. Elle prit une pelle et la balança devant elle comme une batte de base-ball. Elle ne pourrait sans doute pas maîtriser son agresseur avec ça, mais peut-être pourrait-elle l'assommer.

Malheureusement, elle manqua son coup.

Une main solide lui arracha le manche de la pelle, la laissant sans défense.

L'individu était probablement armé, comme les autres. Alors à quoi lui aurait servi une pelle de toute façon ?

13

Empoignant le manche de la pelle, Parker poussa un soupir de soulagement. Heureusement, Sharon avait raté son coup. A présent, elle lui lançait tout ce qu'elle pouvait trouver sur les étagères. Mais il faisait noir et la plupart des projectiles le manquaient.

— Sharon, dit-il.

Elle continuait à lui jeter des objets à la tête. Laissant tomber la pelle, il agrippa son corps gesticulant et l'attira dans ses bras. Elle le martela de coups de poing et de coups de pied pour se débarrasser de lui.

— Sharon ! C'est moi, Parker ! Ton mari.

Elle cessa enfin de lutter et, s'accrochant à lui, se mit à pleurer.

— Tu es vivant !

— Oui, dit-il. Et toi aussi…

Et il la serra contre lui, pour sentir son cœur battre.

— Tu es vivante…

Il n'aurait pas dû la laisser partir seule. Il l'avait regretté au moment même où il l'avait fait. Et quand il avait failli tirer sur son frère, il avait compris qu'au lieu de mettre Sharon en sécurité il avait l'envoyée affronter seule d'autres dangers.

Après avoir reconnu ses frères, il avait couru vers sa femme. Il croyait la trouver recroquevillée dans un coin, terrifiée. Mais, une fois encore, il l'avait sous-estimée. Elle était beaucoup plus forte qu'il ne l'avait cru.

Elle se dégagea pour le dévisager, les yeux brillants.

— Qui est-ce qui arrivait quand je suis partie ?

— Mes frères. Ils ont entendu la collision et ils sont venus en courant depuis la chapelle, expliqua-t-il.

Il aurait dû se douter qu'ils entendraient l'accident, de même que les coups de feu.

Sharon ne détourna pas le regard.

— Et les coups de feu ?

Il tressaillit en se rappelant qu'il avait failli abattre Cooper.

— Ce n'était rien.

Il n'aurait pas tiré s'il n'avait aperçu l'arme avant de voir qui la tenait. S'il n'avait craint que leurs coups de feu ne touchent Sharon.

Des sirènes se firent entendre : une ambulance approchait. Parker n'avait pas envie de lâcher Sharon. Mais elle avait été blessée ; elle avait besoin de points de suture à la tête. Et peut-être d'un scanner pour s'assurer qu'elle ne souffrait pas d'une commotion.

— Il faut y aller, dit-il.

Elle recula et acquiesça.

— Bien sûr…

Il sortit le premier de l'appentis en veillant à s'interposer entre elle et tout ce qui pouvait les menacer. Mais en la voyant trébucher et s'appuyer sur lui, il la prit dans ses bras et la porta jusqu'à l'endroit où se tenaient les ambulances et les voitures de police arrivées sur les lieux.

Pourquoi avaient-ils mis si longtemps à intervenir ? Personne n'avait signalé l'accident ou les coups de feu ? Les policiers étaient là, à présent, ceinturant la zone de rubans jaunes. A l'heure qu'il était, il aurait dû être en train de faire franchir à sa femme le seuil d'une suite nuptiale ; au lieu de cela, il enjamba le ruban jaune avec elle pour la porter jusqu'à l'ambulance.

Les ambulanciers étaient déjà à l'œuvre auprès des hommes à terre. Parker les interrompit.

— Il faut examiner ma femme, leur dit-il. Elle était sur le siège passager quand nous avons été heurtés par l'autre voiture.

L'ambulancier leva les yeux et secoua la tête.

— Je ne peux pas laisser ce patient, dit-il.

— Vous ne le sauverez pas, affirma Parker. Ma femme a été blessée à la tête. Elle a perdu connaissance pendant un moment.

— Jusqu'à ce que les coups de feu commencent, ajouta Sharon. Mais je vais bien, maintenant…

— Je veux quand même que vous l'examiniez, dit Parker à l'ambulancier. Elle a aussi des plaies et des bosses.

Mais pas de fracture, apparemment.

— Vous feriez bien de faire ce qu'il demande, appuya Logan. C'est sa femme et lui qui ont été victimes de cet accident. Les hommes dont vous êtes en train de vous occuper essayaient de les supprimer.

Parker croyait les avoir tués tous les deux. Mais si les ambulanciers parvenaient à les ressusciter, tant mieux. Il serait ravi d'avoir l'occasion d'interroger ces mercenaires et de leur demander qui avait commandité cette exécution.

Mais le plus important, c'était Sharon.

Le regard de l'ambulancier passa de lui à Logan, puis revint sur lui.

— Vous êtes les Payne, c'est ça ?

Son frère jumeau hocha la tête.

— Je suis Logan Payne, et voici Parker. Vous devez savoir que quelqu'un a commandité son meurtre ainsi que celui de sa femme, Sharon Wells.

Le jeune homme ouvrit de grands yeux.

— Sharon Wells ?

Tandis que son collègue continuait à s'occuper de

l'homme allongé par terre, il se releva et désigna la civière installée à l'arrière de l'ambulance.

— Mettez-la là, je vais l'examiner.

Parker hésita avant de déposer Sharon. Il aimait la douceur et la chaleur de son corps dans ses bras, comme il aimait les battements de son cœur contre le sien et le murmure de son souffle contre sa poitrine…

— Monsieur Payne ? dit l'ambulancier en voyant son air réticent. Je vais veiller à ce qu'elle soit en sécurité.

C'était ce qu'il voulait, qu'elle soit en sécurité. Outre son désir de soustraire Ethan aux services de protection de l'enfance, c'était la raison pour laquelle il l'avait épousée. Il se força donc à la laisser sur la civière et s'éloigna. Mais il n'alla pas très loin. Il ne faisait confiance ni aux ambulanciers ni à personne d'autre. Il garda un œil sur le jeune homme tout en rejoignant son frère.

— Qui est avec maman et Ethan ? lui demanda-t-il.

Il voulait s'assurer que sa mère et son fils allaient bien, eux aussi. C'étaient apparemment les seuls membres de la famille à ne pas être accourus sur la scène de l'accident. Sauf qu'il ne s'agissait pas d'un accident, bien sûr…

Quelqu'un avait tenté de les tuer, Sharon et lui. En un éclair, derrière ses paupières closes, il revit le 4x4 emboutir leur voiture. Il avait cru perdre Sharon.

— Candace est de service, répondit Logan. Elle les a ramenés à la maison du lac.

Nikki enjamba les rubans jaunes et se joignit à eux.

— J'ai fait savoir à maman que Sharon et toi étiez sains et saufs.

— Je ne sais pas si nous le resterons longtemps, dit Parker en jetant un coup d'œil à l'épave de la voiture.

Le chauffeur du 4x4 avait perdu la vie dans la collision. Et ses complices s'étaient jetés sous ses balles pour essayer de les abattre. Ces gens avaient trop envie de les supprimer pour renoncer aussi facilement, d'autant plus que la récompense ne cessait d'augmenter.

Et la somme était suffisante pour tenter n'importe qui…

Parker désigna l'ambulance à sa sœur.

— Reste près d'elle. Veille à ce qu'on ne lui fasse pas de mal.

Nikki acquiesça et s'en fut, visiblement contente de se rendre utile, car Logan l'obligeait la plupart du temps à rester au bureau. Si elle n'avait pas protesté, il l'aurait sans doute ligotée à sa chaise.

Logan fit également un signe à Cooper en lui montrant l'ambulance. Parker lui fut reconnaissant de cette protection supplémentaire.

— Tu devrais être là-dedans, toi aussi, remarqua son jumeau.

Parker hocha la tête. C'est vrai, il aurait dû veiller sur Sharon lui-même.

— Je voulais te parler sans qu'elle m'entende.

Elle avait traversé assez d'épreuves comme ça.

— Je voulais dire que tu devrais aussi te faire examiner, dit Logan. Tu étais dans la voiture.

Il jeta un coup d'œil au véhicule et frémit.

— Et on t'a tiré dessus. Tu es sûr que tu n'as rien ?

Il passa sa main sur la veste déchirée de Parker, en quête de traces de balles.

Parker écarta ses inquiétudes d'un haussement d'épaules.

— Je vais bien.

— Tu es un champion de tir, commenta Garek Kozminski en s'approchant d'eux.

Il était accouru avec les autres, mais avait dû s'esquiver en voyant arriver la police.

Peut-être Parker était-il en effet un trop bon tireur, car les ambulanciers avaient cessé d'essayer de ranimer les mercenaires. Mais s'il ne les avait pas tués, Sharon et lui n'auraient pas survécu. Cependant, si l'un des assassins n'avait été que blessé, il aurait pu apprendre qui voulait leur mort.

— On dirait le panneau des avis de recherche exposé au commissariat, remarqua Garek en examinant les hommes éparpillés sur la chaussée.

— Tu les reconnais ? interrogea Logan.

— Quoi, tu penses que les criminels se connaissent tous ?

— Non, il y en a trop, rétorqua Logan. Mais comment sais-tu qu'ils sont recherchés ?

— J'en reconnais un ou deux, admit Garek.

— D'après les avis de recherche ? insista Logan.

Garek haussa de nouveau les épaules, l'air évasif.

— Je ne suis pas sûr qu'ils soient toujours recherchés. Mais s'ils étaient déjà dehors, c'est qu'ils avaient dû avoir des petites peines.

De fait, certains pensaient que les sentences prononcées contre les frères Kozminski étaient trop légères au regard de leurs méfaits.

Des yeux, Parker chercha Milek, le frère de Garek. Ils étaient généralement ensemble, mais Parker ne l'avait pas vu. Peut-être avait-il eu tort de faire confiance au mauvais Kozminski. Se retournant, il vit que l'ambulancier braquait une petite lampe dans les yeux de Sharon. Nikki et Cooper se tenaient devant les portes de l'ambulance, observant la scène.

Parker poussa un soupir de soulagement.

— En tout cas, si leurs peines étaient légères, ça veut dire que ce n'est pas la juge Foster qui les avait condamnés, dit Logan d'un air songeur.

Parker réfléchit à ce que son frère venait de dire. Les juges étaient souvent en proie au ressentiment des criminels, et il pouvait comprendre que l'un de ces derniers s'en soit pris à Brenda. Mais pourquoi vouloir également tuer sa nounou et son garde du corps ?

— On a un contact au bureau du procureur, dit Garek. Milek pourrait interroger son ex : Amber. Elle est assistante du procureur.

Logan secoua la tête.

— Non, tu ne devrais pas faire ça, dit-il comme s'il voulait épargner Milek.

Cela devait avoir été une sacrée rupture, se dit Parker.

— Tu les connais…

— Tu as raison, reconnut Garek. Je demanderai moi-même à Amber de regarder leurs dossiers et de nous dire comment ça se fait qu'ils aient déjà été libérés.

Logan approuva d'un signe de tête la suggestion de son beau-frère. Puis il reporta son attention sur son jumeau.

— Maintenant, à ton tour d'être examiné.

— Je vais bien, répéta Parker.

— Tu as failli me tirer dessus, lança Cooper en se joignant à eux. Tu l'as fait exprès ?

— Il m'a manqué de peu aussi, intervint Logan. Ce n'est pas sa faute. Il est nerveux.

— Il m'a sauté dessus, ajouta Garek. Il m'a renversé dans l'escalier et il m'a cassé deux côtes.

Il grogna comme s'il avait toujours mal.

Parker, lui, n'avait pas mal. Il était seulement inquiet.

— Retourne près de Sharon, dit-il à Cooper. S'il lui arrive quelque chose, je ferai exprès de te tirer dessus la prochaine fois.

— C'est elle qui m'a demandé de venir te chercher, dit son frère. Elle veut que tu te fasses examiner. Elle s'inquiète pour toi.

— Tu vois, dit Logan. Elle pense aussi que tu as besoin de soins.

Parker secoua la tête.

— C'est pour elle que je m'inquiète. Et c'est de ça que je voulais te parler, Logan.

Les autres restèrent pour écouter ce qu'il avait à dire à son jumeau.

— Je veux que tu emmènes Sharon et Ethan quelque part, loin d'ici.

— Tu veux qu'ils quittent la ville, c'est ça ? demanda Logan.

Etant donné le montant de la récompense, quitter la ville ne suffirait sans doute pas.

— L'Etat. Peut-être même le pays.

Garek approuva d'un geste et remarqua :

— Mais attention au pays que vous choisirez. Ça pourrait être plus dangereux que de rester ici.

Existait-il un lieu où ils seraient en sécurité ? Un endroit où personne ne voudrait les tuer pour de l'argent ?

Parker devait trouver et arrêter celui qui avait commandité ces meurtres, afin que la pègre sache qu'il n'y avait plus rien à gagner. Brenda était la clé de cette énigme ; elle avait fait ou dit quelque chose qui les avait mis en danger, Sharon et lui. Mais quoi ?

C'était Sharon qui la connaissait le mieux. Sans doute pouvait-elle l'aider à comprendre plus vite que s'il enquêtait tout seul. Mais il préférait y arriver par lui-même plutôt que de la mettre continuellement en danger comme il l'avait fait ce jour-là. L'épouser n'avait pas suffi. Cela n'avait servi qu'à indiquer aux assassins où les trouver.

Mais comment avaient-ils entendu parler du mariage ? Seuls la famille et les amis de confiance avaient été invités. Qui avait répandu la nouvelle ?

— On décidera plus tard de l'endroit où tu les emmèneras…

Et quant à leur sécurité, seul Logan pourrait y pourvoir…

— Et maman ? intervint Cooper. Elle ne sera pas d'accord pour laisser partir son premier petit-fils.

Parker se félicita intérieurement que l'enfant soit avec sa grand-mère en cet instant. S'il avait été dans la voiture…

Il frémit à l'idée de ce qui aurait pu lui arriver pendant et après l'accident. C'était un miracle que Sharon et lui n'aient pas été blessés.

Sharon...

Il se tourna vers l'ambulance et vit le véhicule s'éloigner, gyrophare en marche. Que se passait-il ?

Etait-elle plus gravement blessée qu'il ne l'avait pensé ?

Ou était-ce plus inquiétant encore ?

L'ambulancier avait eu une drôle de réaction quand Logan lui avait annoncé qui était Sharon. Il connaissait visiblement son nom. Avait-il entendu parler de la mise à prix ? Allait-il essayer d'obtenir la récompense pour lui-même ?

Il se mit à courir derrière l'ambulance. Les muscles de ses jambes protestaient, mais grâce à la circulation dense et à la présence d'autres véhicules officiels, il vit le véhicule ralentir.

Juste au moment où il allait le rattraper, le chauffeur accéléra. Peut-être ne l'avait-il pas vu.

Ou peut-être que si...

Il s'arrêta, cherchant son souffle. Cooper et Logan le rejoignirent.

— Bon sang ! cria-t-il à Cooper. Je t'avais dit de rester avec elle.

— Nikki est avec elle, protesta ce dernier.

Parker n'en fut pas rassuré pour autant.

— On ne peut se fier à personne, cria-t-il.

— Pas même à sa propre sœur ? lança Cooper.

— Il ne fait pas confiance à l'ambulancier, intervint Logan. C'est pour cela qu'il voulait que tu surveilles Sharon, en plus de Nikki.

Fâché contre lui-même, Cooper se mit à jurer à son tour.

Garek Kozminski secoua la tête. A cet instant, son frère Milek s'arrêta en voiture devant eux. Pendant qu'ils couraient tous vers le lieu de l'accident, il était allé chercher un véhicule.

— Et dire que les gens pensent que c'est *notre* famille qui n'est pas normale, dit Garek à son frère.

— Milek ! Emmène-moi à l'hôpital tout de suite, lui cria Parker, avant de faire en courant le tour du véhicule pour monter du côté passager.

— Tu es blessé ? demanda Milek avec une expression inquiète dans ses yeux gris.

Parker haussa les épaules. Il n'en savait rien et s'en fichait.

— Non. Il faut que je sois sûr que cette ambulance emmène bien ma… ma femme à l'hôpital.

— Et si ce n'est pas le cas ? demanda Milek.

Parker tendit une main à travers la vitre ouverte.

— Donnez-moi une arme, ordonna-t-il à ses frères.

Logan secoua la tête.

— Tu ne peux pas partir. La police veut prendre ta déposition.

— Prends ma place, lui dit Parker.

Cela n'aurait pas été la première fois qu'ils se faisaient passer l'un pour l'autre. Cela n'aurait pas non plus été la première fois qu'on les confondait tous les deux. Cette erreur avait failli coûter la vie à son jumeau, toutefois. Parker ne voulait pas le mettre de nouveau en danger.

— Oublie ça… Dis-leur seulement que j'ai dû aller à l'hôpital. Ils pourront prendre ma déposition là-bas.

A moins que l'ambulance ne soit en train d'emmener Sharon et Nikki ailleurs. Auquel cas, il serait bien trop occupé à traquer l'ambulancier pour faire sa déposition. Il ne pouvait pas perdre sa femme maintenant…

14

Sharon sentait son cœur battre à grands coups. Elle ne pouvait bouger ni les bras ni les jambes. Elle était piégée, sans la possibilité de se retourner ni de s'échapper. Les parois étaient si proches, l'espace si confiné, qu'elle pouvait à peine respirer.

La panique monta en elle, l'étouffant encore plus. Elle avait envie de pleurer, mais elle n'aurait pas pu lever la main pour essuyer ses larmes. Et elle ne voulait pas montrer sa faiblesse. Elle devait être forte.

— Il n'y en a plus pour longtemps, madame Payne, murmura une voix près d'elle.

Elle se tendit en entendant ce nom. Mais c'était le sien, à présent : c'était ainsi qu'elle avait signé le registre de mariage à côté de Parker. « Sharon Wells-Payne. »

Elle était à présent mariée à un homme dont tout le monde, y compris lui-même, avait toujours dit qu'il ne se marierait jamais. Elle était mariée à un play-boy notoire. Qu'est-ce qui lui avait pris de donner son accord à ce mariage ?

Et s'il voulait le consommer ?

— Madame Payne, dit la voix, détendez-vous, s'il vous plaît. Il faut que vous restiez immobile pour que les images soient nettes.

Malgré l'oxygène présent dans le tunnel de l'IRM, Sharon n'arrivait pas à remplir ses poumons. Mais elle retint sa respiration jusqu'à ce que l'appareil la libère enfin, la ramenant dans la lumière et la chaleur de la salle de radio.

— Ça va ? demanda une femme.

Ce n'était pas la voix de la manipulattrice radio ; c'était celle de sa nouvelle belle-sœur, qui ne l'avait pas quittée depuis qu'elle était montée dans l'ambulance. A présent, Nikki suivait le brancardier qui la ramenait aux urgences. L'employé gara la civière dans un coin protégé par des rideaux.

— Ça a dû être difficile d'être coincée dans ce petit espace, dit Nikki.

Sharon déglutit pour s'éclaircir la gorge ; la sympathie sincère de sa belle-sœur l'émouvait davantage que sa propre peur.

— Je vais bien, dit-elle.

— C'est l'IRM qui le dira, rétorqua Nikki. C'est pour ça que le médecin a insisté pour en faire une.

— L'ambulancier s'est affolé pour rien, protesta Sharon.

Il n'avait pas besoin de l'emmener à toute allure à l'hôpital, sirène et gyrophare en marche !

— Il n'est pas le seul, remarqua un homme en franchissant le rideau avec Parker.

C'était un des deux hommes blonds. Ils se ressemblaient autant que Parker et son frère, mais Sharon soupçonnait que ce n'était pas celui qui avait fait irruption dans la maison du lac. Celui-ci semblait plus effacé.

— Votre mari a mis l'hôpital à feu et à sang pour vous retrouver, ajouta-t-il. Après avoir agressé l'ambulancier, bien sûr.

— Qu'est-ce que tu as fait ? questionna Sharon.

Mais Parker la regardait comme s'il avait cru ne jamais la revoir.

Nikki frappa le bras de son frère.

— Tu ne l'as pas fait, n'est-ce pas ?

— Je... je...

Parker s'éclaircit la gorge comme si l'émotion l'étouffait.

— J'ai cru qu'il allait essayer de toucher la récompense.

— Tu as cru qu'il allait me tuer ?

A présent, Sharon comprenait son air abasourdi.

Parker opina du chef.

— Il s'est débarrassé de Cooper et vous a emmenées, Nikki et toi. Il ne s'est même pas arrêté quand je courais derrière l'ambulance.

Sa sœur se mit à rire.

— Tu t'en es réellement pris aux ambulanciers ?

— Il a essayé, répondit le frère Kozminski à la place de Parker. Mais la police le cherchait. Ils nous ont cueillis avant que nous puissions partir.

Sharon était depuis un bon moment à l'hôpital. Assez longtemps pour avoir vu le médecin et passé une IRM.

— Ils t'ont arrêté ? demanda-t-elle.

Parker secoua la tête.

— Ils veulent aussi votre déposition, intervint l'homme blond.

Il lui tendit la main.

— Je ne pense pas que nous nous soyons déjà rencontrés. Je m'appelle Milek. Je suis le plus gentil des Kozminski, pas comme mon frère Garek.

— Ravie de vous rencontrer, dit-elle en lui serrant la main. Et j'ai été enchantée de rencontrer votre frère aussi.

Elle avait apprécié ses avertissements, même si rien n'aurait pu la préparer au guet-apens qui avait suivi son mariage.

Le mariage…

Elle chercha ses affaires du regard.

— Nikki, la robe de ta mère… Où est-elle ?

— Elle est ici, répondit celle-ci en soulevant un sac en plastique posé au bout de la civière. Tout va bien. Arrête de t'en faire pour cette robe.

— Mais j'ai mis du sang dessus, et je l'ai sans doute déchirée. J'ai essayé de ne pas l'abîmer…

— Elle a bien failli se faire tirer dessus pour sauver cette fichue robe, remarqua Parker.

Elle eut un hoquet en l'entendant faire preuve d'autant de désinvolture.

— Mais c'est la robe de mariée de ta mère ! C'est un souvenir de son histoire avec ton père.

Une histoire qui avait fini tragiquement. Ils n'avaient pas pu atteindre leur vingt-cinquième anniversaire de mariage. Ils auraient dû pouvoir célébrer leurs noces d'or, de même que leurs soixante-dix ans.

— Techniquement, c'est plutôt la mienne maintenant, dit Nikki. Puisque tous mes frères sont mariés, il ne reste plus que moi pour porter ce truc. Et vu que je ne vais jamais me marier, maman aura tout le temps de la repriser.

— Ne dis jamais « jamais », lui conseilla Milek tout en tapant sur l'épaule de Parker.

Ce dernier avait dit « jamais » et il avait pourtant signé d'une main sûre le registre de mariage.

— Merci de m'avoir amené ici, lui dit Parker.

— Tu me donnes congé ? demanda Milek.

— Je vous suis vraiment reconnaissant à Garek et toi de ce que vous faites pour nous, répondit Parker. Tu pourras lui demander ce qu'il a appris de ton amie Amber ?…

— Amber n'est pas mon amie, coupa Milek d'une voix glaciale qui contrastait avec son attitude avenante.

Parker soupira.

— Désolé. Je voulais dire ton « ex », l'assistante du procureur. Garek voulait l'interroger à propos de ces mercenaires.

— Ont-ils survécu ? questionna Sharon.

Maintenant qu'ils ne leur tiraient plus dessus, elle ne souhaitait pas leur mort.

Mais Parker secoua la tête.

Etait-il affecté de les avoir tués ? Avait-il déjà fait cela ? Il avait été policier et garde du corps, alors c'était sans doute le cas.

— Les morts ne parlent pas, remarqua Nikki avec un soupir de regret.

— Les vivants non plus, quand ce sont des hommes comme eux, souligna Milek en donnant une nouvelle tape sur l'épaule de Parker.

C'était vraiment le « gentil » Kozminski.

— Je vais demander à Garek s'il a appris quelque chose d'…

Milek déglutit visiblement, comme s'il avait du mal à dire son nom.

— … Amber, et je te tiendrai au courant.

— Il a le numéro de mon nouveau portable, l'informa Parker.

Milek s'en alla sur un signe de tête.

— Et moi, tu me renvoies aussi ? demanda Nikki.

— Sharon a besoin de vêtements, dit Parker. Elle ne va pas remettre cette robe pour sortir de l'hôpital.

Elle avait failli se faire tuer quand elle la portait, mais cette tenue l'avait fait paraître magnifique, sans doute pour la première fois de sa vie, songea Sharon. Les bons souvenirs l'emporteraient sur les mauvais.

— Ils vont sans doute la garder jusqu'à demain, dit Nikki. Le médecin se faisait du souci pour les résultats de son IRM.

Sharon, quant à elle, n'était pas inquiète. Et, de fait, quelques minutes plus tard, le médecin tira le rideau pour lui confirmer que tout allait bien. Elle pouvait partir. Mais pour aller où ?

Sa lune de miel était déjà finie…

*
* *

Parker franchit le seuil de la maison, portant Sharon dans ses bras.

Enfin.

Il n'avait pas eu à soulever de ruban jaune. Cet endroit avait d'ailleurs intérêt à ne pas devenir une autre scène de crime. Il avait pris toutes les précautions imaginables pour retourner au lac. Il avait changé deux fois de véhicule et emprunté un itinéraire compliqué. Et le seuil qu'il avait fait franchir à Sharon n'était pas celui de la maison du lac, mais celui d'un petit bungalow.

Un bungalow pour leur lune de miel.

Il ne s'attendait pas cependant à passer une vraie nuit de noces. Sa femme était tellement épuisée qu'il avait dû défaire sa ceinture de sécurité et l'avait emportée à l'intérieur sans même qu'elle se réveille.

Le bungalow ne comportait qu'une pièce, ce qui le rendait facile à sécuriser. Il y avait aussi une minuscule salle de bains, dont la porte était ouverte. Parker vérifia qu'aucun assassin ne se dissimulait dans la cabine de douche.

Il pivota sur lui-même pour appréhender l'espace. Un grand lit à baldaquin occupait le centre de la pièce. Il alla déposer Sharon sur l'édredon en patchwork.

— Ne me laisse pas seule, murmura-t-elle d'une voix ensommeillée.

— Je suis là, la rassura-t-il.

Elle resserra pourtant les bras autour de son cou et l'attira à elle sur le lit.

— Je ne me sens en sécurité que quand je suis près de toi.

Il comprenait pourquoi elle disait cela, mais elle avait tort. Elle n'était pas en sécurité avec lui, parce qu'il la désirait si fort que son sang bouillait dans ses veines. Il sentait son cœur battre à grands coups et son corps se réchauffer. Il avait besoin d'elle.

Mais il ne voulait pas qu'elle s'attache à lui. Il détacha

donc gentiment ses bras et s'obligea à mettre de la distance entre eux.

Sharon se redressa, ses cheveux retombant en cascade sur ses épaules. Ses mèches épaisses et soyeuses lui donnèrent envie d'y plonger les mains — et de relever son menton pour l'embrasser.

Son corps vibrait de désir. Mais il l'ignora et se concentra sur elle.

— Rendors-toi. Tu dois être épuisée.

Elle toucha du doigt le bandage qu'elle portait au front. Nikki lui avait dit qu'il avait fallu dix points de suture pour refermer la blessure qui avait saigné sur la robe de mariée.

Elle secoua la tête.

— Je ne le suis plus. Combien de temps est-ce que j'ai dormi ?

Ce disant, son regard fit le tour du bungalow comme si elle essayait de comprendre où elle était. Etant donné qu'elle avait dormi la plus grande partie du trajet, elle n'en avait pas la moindre idée.

— Pas assez, répondit Parker.

Car elle était bien trop sexy dans le T-shirt et le bas de pyjama que Nikki lui avait achetés à la boutique de l'hôpital. Trop jeune et innocente pour lui.

Il s'éloigna encore du lit. Mais ce fichu bungalow, qu'il avait cru être le refuge parfait, était trop petit pour échapper à la tentation. L'odeur de Sharon remplissait l'espace ; elle sentait à la fois le soleil et la pluie, un paradoxe aussi surprenant que l'innocence sexy.

— Tu es fâché contre moi ? demanda-t-elle d'une voix un peu tremblante, comme si elle avait peur de lui.

— Absolument pas, dit-il en secouant la tête.

Il ne s'imaginait pas être en colère contre elle.

— C'est toi qui devrais être fâchée contre moi.

— Pourquoi ? fit-elle, confuse.

— J'ai promis de te protéger.

Il ferma les yeux. Il revit le 4x4 en train de foncer du côté de Sharon, puis le pare-brise qui explosait tandis que la voiture effectuait des tonneaux.

— Et j'ai manqué à ma parole...

Des mains douces se posèrent sur son visage, le tirant de ce cauchemar. Sharon était debout devant lui, dressée sur la pointe des pieds pour se hisser à sa hauteur.

— Tu n'as pas manqué à ta parole, dit-elle. Tu m'as sauvé la vie...

Il avait essayé de lui résister et de réprimer son désir. Mais c'était elle qui était venue à lui. Alors il l'embrassa avec toute la passion qui brûlait en lui.

Les bras autour de son cou, Sharon se suspendit à lui et il la ramena vers le lit. Puis il la coucha sur le matelas et, quand elle l'attira à elle, il ne résista plus. Il recouvrit son corps du sien sans cesser de l'embrasser.

Elle le taquina de la langue, la faisant glisser sur ses lèvres. Il l'embrassa avec fougue, mêlant la langue à la sienne.

Elle gémit et agrippa sa chemise. Il avait perdu sa veste de smoking. Il se débarrassa de son holster et le posa avec son arme près du lit, à portée de main. Sharon était déjà en train de défaire les boutons de sa chemise fripée, mais, trop impatient, il la fit passer par-dessus la tête et la laissa tomber sur le sol. Puis il souleva le T-shirt de Sharon et le lui ôta.

Ses cheveux balayèrent son visage et ses épaules, et Parker les caressa de la main. Sous son T-shirt, elle portait un soutien-gorge en dentelle blanche sans bretelles, à travers lequel on distinguait les pointes de ses mamelons durcis.

— Tu es si belle, dit-il, émerveillé.

Elle secoua la tête.

— Tu n'as pas besoin de faire ça...

— Faire quoi ?

— Me mentir.

Il se sentit blessé.

— Tu crois que je te mens ?

Elle hocha la tête.

— Je n'ai jamais cessé d'être honnête avec toi, insista-t-il. Alors quand je dis que tu es belle, c'est que tu l'es.

Elle rougit. Il n'aurait pu dire si cela lui faisait plaisir ou l'embarrassait. Jusqu'à ce qu'elle l'embrasse de nouveau pendant qu'il défaisait son soutien-gorge et prenait ses seins dans les mains.

Alors elle se cambra sous lui et gémit. Le désir de sa femme était aussi fort que le sien. La passion qu'elle exprimait l'embrasa. Se détachant d'elle, il acheva de se déshabiller. Puis il fit glisser le pantalon de pyjama de Sharon. Une jarretelle en dentelle encerclait une de ses cuisses élancées. Il était censé l'avoir retirée bien plus tôt, aussi s'empressa-t-il de le faire. Avec ses dents. En veillant à effleurer sa peau soyeuse de sa bouche.

Il entendit Sharon soupirer.

— Parker…

Il posa les lèvres sur sa culotte — en dentelle blanche, elle aussi — et, l'écartant légèrement, il glissa la langue dessous, caressant les replis les plus intimes de sa femme tandis qu'elle se cramponnait à lui.

Elle ne put retenir un cri de jouissance.

— Parker !

Il n'en pouvait plus de désir et, arrachant la culotte, il écarta ses jambes pour la pénétrer enfin. Puis il se crispa, craignant d'avoir été trop brutal. Emotionnellement, elle était plus résistante qu'il ne l'avait cru mais, physiquement, elle avait souffert. Lui avait-il fait mal ?

Elle gémit.

— Ça va ? demanda-t-il.

Pour lui, elle était parfaite. Mais peut-être était-il trop puissant pour elle. Il tenta de se retirer un peu, mais elle arqua le dos et leva les jambes pour les nouer autour de sa taille.

Puis elle se mit à remuer, l'engloutissant plus profondément en elle.

— C'est si bon…, gémit-elle.

Il voulait que ce soit meilleur encore. Il voulait qu'elle ait plus de plaisir qu'elle n'en avait jamais eu. Alors il prit son temps, allant et venant doucement en elle, tout en jouant avec ses seins et en pinçant les mamelons de ses doigts et de sa bouche. Elle enfonça les mains dans ses cheveux et releva la tête pour l'embrasser.

Ce faisant, elle cria de plaisir et eut un autre orgasme tandis qu'il s'abandonnait lui aussi à l'extase. Mais alors que leurs battements de cœur s'apaisaient doucement, il ne la relâcha pas. Il continuait à la serrer étroitement dans ses bras, pour ne laisser aucun espace entre eux. Il voulait la sentir de tout son corps.

— Ça va ? demanda-t-il en effleurant le bandage qu'elle avait sur le front.

Elle rit doucement.

— Mieux que jamais.

— Je suis désolé, dit-il. Je n'aurais pu dû profiter ainsi de toi. Tu as vécu tellement d'épreuves.

Et il aurait dû se concentrer sur sa protection. Au lieu de cela, il avait égoïstement satisfait son plaisir.

— Tu n'as pas profité de moi, l'assura-t-elle. J'en avais envie, moi aussi.

Pourquoi ? Etait-elle amoureuse de lui ? La crainte de lui faire du mal l'envahit. Il ne voulait pas la blesser comme il en avait blessé tant d'autres.

Il l'aimait beaucoup, certes, plus qu'il n'avait jamais aimé. Et peut-être s'était-il entiché d'elle. Mais ils étaient trop en danger pour croire à l'avenir, pour s'imaginer vivre heureux pour toujours. Et même si le danger cessait, il ne pourrait lui offrir le futur qu'elle méritait, sans deuil et sans chagrin.

Il ne voulait pas qu'elle se mette à l'aimer, qu'elle ait un jour la douleur de le perdre comme sa mère avait perdu son père. Pourtant sa mère avait toujours gardé un souvenir heureux de sa vie avec son mari. Elle l'avait aimé durant toutes ces années où ils avaient vécu et élevé leurs enfants ensemble.

Sharon, Ethan et lui formaient une famille. Pourrait-il vraiment jouer le rôle d'un père ? D'un mari ?

Seulement s'il survivait...

15

Sharon leva un doigt tremblant vers le panneau de sécurité. Elle pouvait y arriver…

Le cadavre de la juge n'était plus là. Il avait été depuis longtemps transporté à la morgue dans la camionnette du légiste. Non qu'une autopsie soit nécessaire pour déterminer comment elle était morte. On lui avait brisé le cou. Sharon déglutit. La brutalité de la mort de Brenda la faisait encore frémir.

Un bras solide se posa sur ses épaules et la chaleur d'un corps chassa son agitation. Comme toujours, elle se sentait en sécurité près de Parker. Mais elle n'arrivait pas à croire à ce qu'ils avaient fait. Ils avaient consommé leur mariage. Peut-être n'était-ce qu'un rêve…

Le contact réconfortant de son bras raviva le souvenir de leur union charnelle. Elle en eut la chair de poule et frissonna malgré elle. Mais elle n'avait pas froid, pas avec ce bras autour d'elle.

— Ce n'était pas une bonne idée de te faire revenir ici, dit Parker. Tu en as vu assez pour ce soir.

— Hier soir, corrigea-t-elle.

Il faisait déjà jour lorsqu'ils s'étaient réveillés dans les bras l'un de l'autre et, à présent, le soleil se levait.

Elle préférait être ici que là-bas, où elle s'était ridiculisée. Elle s'était jetée à sa tête. Bien sûr, il avait répondu présent, mais il aurait réagi ainsi avec n'importe quelle femme.

— Et tu ne pouvais pas entrer sans moi, lui rappela-t-elle.

— Maintenant si, répliqua-t-il. Nikki a débranché le système d'alarme.

Puisqu'il n'y avait plus personne à protéger...

Il ouvrit le portail. La propriété était entourée d'un ruban jaune qu'ils l'enjambèrent.

— Même si tu avais pu entrer sans moi, tu ne saurais pas où chercher, souligna-t-elle.

— Chercher quoi ?

Elle haussa les épaules.

— Ce que quelqu'un cherchait la nuit où Brenda a été tuée.

Si seulement elle savait de quoi il s'agissait.

— On a aussi fouillé chez le garde du corps, dit Parker en tressaillant.

La scène de crime devait être tout aussi horrible. Sharon était contente de ne pas avoir été là. Mais elle aurait préféré ne pas se retrouver dans cette salle d'interrogatoire avec l'inspecteur Sharpe.

— On doit découvrir ce que Chuck cherchait chez Brenda, dit-elle. Tu crois que c'est lui qui l'a tuée ?

Parker fit signe que oui.

— Elle lui avait griffé les mains et les bras.

Brenda s'était débattue, bien sûr. C'était une fonceuse, une des choses que Sharon admirait le plus chez elle.

— Tu m'as dit que son ordinateur portable n'était plus là, lui rappela Parker. Il n'était pas non plus chez Horowitz.

— Et les livres étaient déchirés, dit-elle tandis qu'ils pénétraient dans la maison.

Elle frissonna. Sans doute était-ce parce que personne n'avait éteint la climatisation, mais il faisait plus froid dedans que dehors.

— On ne cherchait sûrement pas son ordinateur dans un livre.

Parker acquiesça.

— C'est vrai. L'appartement d'Horowitz aussi était dévasté, jusqu'au canapé. Alors qu'est-ce qu'on cherchait ?

— Une clé USB ! s'exclama soudain Sharon. Brenda ne faisait pas confiance aux ordinateurs.

La juge ne faisait confiance à rien ni à personne, c'est pourquoi elle avait besoin d'un garde du corps. Mais son meurtre prouvait qu'elle n'était pas paranoïaque. Elle ne s'était pas trompée sur les dangers qu'elle courait, d'autant plus que c'était son propre garde du corps qui l'avait tuée.

— Elle faisait constamment des sauvegardes de son travail.

— Son travail ? releva Parker. Tu parles de ses affaires au tribunal ou du livre qu'elle écrivait ?

— Elle ne travaillait pas au tribunal, lui rappela Sharon. Elle avait pris un congé pour travailler à son livre. Quand elle m'a demandé de le réviser, Chuck était là.

— C'est sans doute pour cette raison qu'on pense que tu sais ce qu'il y a dedans. Tu en as une idée ?

— Je n'ai jamais eu l'occasion de le lire, répondit Sharon. Je n'en sais pas plus que toi. J'ignore sur quoi elle écrivait.

Et qui aurait voulu tuer Brenda parce qu'elle racontait sa vie ?

Sharon avait envié la juge, son style de vie et son succès, mais l'envie n'était pas un motif suffisant pour tuer.

Parker haussa ses larges épaules, ces épaules auxquelles elle s'était cramponnée la nuit précédente. Elle n'avait jamais eu autant de plaisir, mais c'était parce que Parker était un excellent amant. Il était célèbre pour ses dons de séducteur. Avec lui elle s'était sentie unique, mais elle doutait que la chose ait été exceptionnelle pour lui.

Parker ne l'aimait pas. Et se croyant stupidement immunisée contre son charme dévastateur, Sharon était tombée amoureuse de lui. Elle aimait son mari. Et c'était pourquoi elle avait insisté pour retourner avec lui chez la juge. Parker jouait son rôle en la protégeant, et elle voulait jouer le sien.

— Elle n'a peut-être pas seulement raconté sa vie, remarqua Parker. Elle a pu parler d'autres gens, dont les vies ont croisé ou influencé la sienne.

Sharon prit un air dubitatif. Elle n'arrivait pas à imaginer Brenda parlant d'autre chose que d'elle-même.

— Je sais qu'elle était égocentrique, reprit-il comme s'il avait lu dans ses pensées. Je suis bien placé pour le savoir ! Je n'arrive toujours pas à croire qu'elle m'ait utilisé pour concevoir Ethan.

— Elle t'avait choisi, lui dit Sharon. Elle te respectait. Elle pensait que tu étais un homme bien.

Et un bel homme, aussi.

— Que tu avais de l'intégrité, de l'intelligence et du charisme.

Brenda n'avait pas été la seule à avoir remarqué ces qualités chez Parker Payne.

Il écarta ses paroles d'un geste, comme s'il n'y accordait aucun crédit. Cependant, comme il l'avait forcée la veille à accepter ses compliments, elle insista :

— C'est vrai. Tu es tout cela.

Et beaucoup plus.

— Je doute que Brenda ait parlé de moi dans son livre, dit-il. Et, de toute façon, cela n'aurait pas incité quelqu'un à la tuer. Non, elle a dû vouloir se faire mousser.

Cela ressemblerait en effet à Brenda. Suivant sa logique, Sharon ajouta :

— Elle a peut-être dévoilé les secrets de quelqu'un d'autre.

— Des secrets… compromettants.

Sharon se mit à fouiller les endroits où Brenda aurait pu ranger une clé USB : le tiroir de son bureau, la sacoche de son portable. Mais tout cela avait déjà été visité par le tueur. Et la juge était trop intelligente pour dissimuler la sauvegarde de son travail dans un endroit habituel, là où n'importe qui aurait pu la trouver.

Elle poursuivit donc sa quête dans des endroits inhabituels : la terre des plantes, les moulures des portes. Parker l'imita, en vain. Ils restèrent bredouilles.

— Qu'est-ce que nous savons ? dit tout haut Sharon. Si la clé avait déjà été découverte, il n'y aurait plus de raison de nous tuer, si ?

Parker écarta les bras.

— Sauf si on pense que nous savons ce qu'il y a dedans. Chuck l'a entendue te demander de réviser le livre.

— Il l'a aussi entendue me demander de me cacher pendant deux semaines et, si je n'avais pas de nouvelles d'elle, de t'amener…

Elle se sentit gênée pour Brenda. Mais elle devait tout dire à Parker.

— De m'amener Ethan, acheva-t-il pour elle.

— Elle ne l'a pas appelé par son nom, avoua-t-elle. Elle m'a dit de ne me fier à personne, sauf à toi, et de t'amener le *paquet*.

Il jura.

— Elle a traité mon fils de « paquet » ?

Sharon soupira. Elle ne voulait pas dire du mal d'une morte.

— Brenda n'était pas particulièrement maternelle. J'ai compris ce qu'elle voulait dire, mais Chuck a pu se méprendre.

— Il aura pensé que tu devais m'apporter quelque chose d'autre, réfléchit Parker tout haut. Quelque chose comme une clé USB. Et c'est probablement ce qu'il a dit à ceux qui l'ont torturé.

— Il a été torturé ? s'exclama Sharon d'un ton horrifié.

— Il voulait probablement te protéger.

Il lui caressa le visage.

— Je ne peux pas lui reprocher d'avoir voulu écarter le danger de toi.

C'était très exactement pour cette raison qu'il l'avait lui-même épousée.

— Mais je n'ai pas cette clé, repartit Sharon. Elle ne m'a rien donné d'autre…

Parker leva soudain la main pour lui intimer de faire silence et porta la main à son arme. La porte grinçait. Sharon l'entendit aussi. Quelqu'un venait d'entrer, soit pour fouiller de nouveau la demeure, soit pour les tuer.

— Alors, on est de retour sur les lieux du crime ? dit une voix moqueuse derrière eux.

L'inspecteur Sharpe pénétra dans le bureau. Le petit flic l'accompagnait, tel un chien tenu en laisse. Tous deux braquaient leur arme sur eux.

Parker ne rengaina pas la sienne. Le cœur battant à tout rompre, il s'avança légèrement, pour s'interposer entre Sharon et l'inspecteur.

— Et vous ? demanda-t-il. Pourquoi êtes-vous ici, Sharpe ?

— J'ai demandé à quelqu'un de surveiller la maison.

Il était manifeste qu'il parlait de son adjoint.

— Pourquoi ?

Sharpe les désigna de sa main libre.

— Vous nous cherchiez ? dit Parker

Et son cœur battit encore plus fort. Sharon, quant à elle, reprit bruyamment son souffle. Elle ne faisait pas plus confiance que lui à l'inspecteur.

— Pourquoi nous cherchiez-vous ? demanda-t-elle.

— Vous n'avez pas fait de déposition concernant l'accident d'hier soir, mademoiselle Wells, répondit Sharpe.

Parker ricana.

— Ce n'était pas un accident. C'était une tentative de meurtre.

— Pourtant, vous êtes vivants, tandis que trois hommes sont à la morgue, riposta Sharpe. On dirait que les gens meurent partout où vous allez.

— Ils essayaient de nous tuer, dit Sharon. Et Parker m'a sauvé la vie.

Prenant une profonde inspiration, elle ajouta :

— Et je ne suis plus « Mlle Wells ». Je suis « Mme Payne ».

L'inspecteur ricana sans manifester de surprise.

— J'imagine que je dois vous féliciter.

Il se tourna vers Parker.

— Surtout vous, dit-il, étant donné qu'elle ne pourra plus témoigner contre vous maintenant que vous êtes mariés. Le privilège du conjoint…

— Vous ne pouvez le tenir responsable de ce qui s'est passé hier soir, protesta Sharon. Ces hommes allaient nous tuer.

— Que vous dites ! répliqua l'inspecteur.

Parker aurait bien voulu effacer ce sourire narquois sur son visage émacié.

— C'est aussi ce que j'ai dit dans la déposition que j'ai faite auprès des policiers présents, dit Parker. Ils m'ont cru, car ils avaient déjà recueilli le témoignage de gens qui étaient sur la route ou dans les maisons avoisinantes.

Sharpe haussa les épaules.

— Ils vous connaissent, dit-il. Ils ont travaillé avec vous, votre frère ou votre père, alors ils ont envie de vous croire.

— Ce sont de bons flics, des flics honnêtes, protesta Parker.

Impossible d'en dire autant de Sharpe et de son acolyte.

— Le FBI a envoyé un agent inspecter le commissariat de River City, annonça Sharpe. Il est chargé de s'assurer que la corruption se limitait au coéquipier de votre père.

Parker plissa les yeux et observa les deux hommes. L'arrivée du FBI les rendait visiblement nerveux.

— Le coéquipier de mon père a pris sa retraite depuis des années. Sa trahison, qui date d'il y a longtemps, n'a pas pu susciter une enquête des affaires internes, encore moins une enquête fédérale. Qu'est-ce qui se passe dans ce commissariat ?

Et qui avait déclenché cette inspection ? Brenda Foster ? Peut-être avait-elle envoyé sa fameuse clé à quelqu'un du FBI ou du département de la Justice. Etait-ce là-dessus qu'elle écrivait ? Sur la corruption de la police ?

Sans baisser son arme, Sharpe haussa les épaules.

— C'est peut-être sur vous qu'ils enquêtent.

Parker eut un reniflement de mépris.

— Je ne fais plus partie de la police.

— Mais votre frère et vous y avez toujours des copains, des bons amis qui savent détourner les yeux quand il faut, dit Sharpe. C'est pour cette raison que je voulais vous parler moi-même.

— Pourquoi ne m'avez-vous pas convoqué au commissariat ? demanda Parker. Vous auriez pu aussi m'appeler chez Payne Protection. Pourquoi me faire filer jusqu'ici ?

— Je me suis dit que vous alliez revenir sur le lieu de votre crime, répliqua Sharpe.

— Les criminels ne retournent pas sur les lieux de leur crime, intervint Sharon. J'ai étudié suffisamment d'affaires pour savoir que c'est une légende.

Plissant les yeux, elle jeta un regard noir à l'inspecteur.

— Vous savez que nous ne sommes pas des criminels.

— Alors pourquoi êtes-vous revenus ici ? demanda Sharpe d'un ton presque désinvolte.

Ce type était si bête qu'il croyait tout le monde aussi stupide que lui. Mais Parker en avait assez de jouer. Il répondit honnêtement :

— Pour la même raison que vous, j'imagine.

— De quoi parlez-vous ? demanda Sharpe, dont le sourire narquois se fêla.

Nervosité encore soulignée par la sueur qui perlait sur sa lèvre supérieure.

— Nous cherchons la clé USB de la juge, précisa Parker.

Le jeune policier jeta un coup d'œil à l'inspecteur qui feignit la surprise en écarquillant les yeux.

Ni Sharon ni Parker ne furent dupes de sa réaction. Ils avaient eu raison de supposer que la juge avait sauvegardé son livre sur une clé USB. C'était exactement cela qu'on cherchait.

Parker ne s'attendait cependant pas à ce que ce « on » soit l'inspecteur Sharpe. Quels secrets avait-il à dissimuler ? Son incompétence ? Son ignorance ? Tout le monde pouvait s'en rendre compte à la minute où il ouvrait la bouche. Peut-être y avait-il autre chose, quelque chose qu'il craignait que le FBI ne découvre durant l'enquête ?

Mais même si la juge avait sali Sharpe dans son livre, celui-ci n'avait pas assez d'argent pour offrir le genre de récompense promise pour leurs têtes, à Sharon et à lui, se dit Parker. L'inspecteur était encore jeune, et fils d'une mère célibataire qui était la sœur du chef de la police. Ce n'était pas un riche héritier comme Sharon.

— Quelle clé USB ? dit Sharpe. Je ne sais pas de quoi vous parlez…

Parker ricana.

— Vous savez exactement de quoi je parle, je le vois à votre visage. Dommage que nous n'ayons jamais joué au poker, j'aurais pu vous plumer.

Il se tourna vers son adjoint, dont la nervosité avait augmenté au point que son revolver tremblait.

— C'est ça que vous vouliez ? Gagner du fric ? Vous étiez censé me tuer, l'autre jour, chez Horowitz ?

Le jeune policier secoua la tête, mais son visage avait pris la teinte d'une pivoine, révélant sa culpabilité.

— Vous l'auriez fait ? insista Parker. Vous auriez pressé la détente si mon frère n'était pas arrivé ?

Soit pour prouver sa détermination, soit parce que Parker l'effrayait, le petit flic pressa effectivement la détente. Et le coup de feu partit...

Sharon hurla. Elle se tourna vers Parker... qui était toujours debout. Aucune tache de sang ne se voyait sur sa chemise blanche.

— Il t'a touché ?

Parker secoua la tête.

— Je vois qu'il était inutile de m'inquiéter, l'autre soir.

Sharpe grimaça de dégoût.

— Pas de quoi s'inquiéter de lui en effet, mais je suis bien meilleur tireur, dit-il en agitant son arme.

Se pouvait-il qu'il ait eu l'intention de les faire supprimer ? Et que son adjoint n'ait pas pu se résoudre à les abattre, non par incompétence, mais par simple décence ?

Craignant que Sharpe ne presse la détente, Sharon cria :

— Attendez !

L'inspecteur s'immobilisa et se tourna vers elle. A la faculté de droit, Sharon avait détesté les simulacres de procès. Mise en situation, elle perdait toujours ses moyens. Peut-être était-ce pour cette raison qu'elle n'avait pas réussi l'examen du barreau ; chaque fois que la pression était trop forte, elle échouait. Sauf la veille au soir...

Elle avait coupé la ceinture de sécurité de Parker pour qu'il puisse s'extraire de la voiture accidentée. Mais la chose la plus courageuse qu'elle ait jamais faite, avait été sans doute de faire l'amour avec lui et de tomber amoureuse de lui. Et parce qu'elle l'aimait, elle était prête à faire n'importe quoi pour le protéger.

— Vous ne saviez pas que Brenda faisait toujours

plusieurs copies de son travail ? Je suis sûre que son avocat en a reçu une.

— J'ai déjà parlé à son avocat, riposta Sharpe. Comment croyez-vous que j'ai appris qu'elle vous avait désignée comme tutrice du gamin ?

— Vous avez donc cherché la clé, remarqua Parker.

Sharon comprit son raisonnement. Si Sharpe avait fait des recherches approfondies, il aurait déjà dû trouver l'objet — si celui-ci existait.

— Vous avez perdu votre temps, déclara-t-elle à l'inspecteur.

— Vous venez de dire qu'elle sauvegardait tout en plusieurs exemplaires, lui rappela-t-il.

— Oui, mais à supposer qu'elle n'ait fait qu'une copie, c'est moi qui l'ai.

C'était manifestement ce que tout le monde pensait, sinon sa tête n'aurait pas été mise à prix.

— Alors donnez-la-moi, ordonna Sharpe en braquant son revolver dans sa direction.

Le regard fixé sur le canon de l'arme, Sharon déglutit nerveusement et poursuivit son bluff.

— Je l'ai remise à quelqu'un.

— A qui ?

— A Logan, répondit Parker à sa place. Et s'il nous arrive quoi que ce soit, il l'ouvrira.

Sharpe se mit à rire.

— Jolie tentative. Mais vous ne seriez pas revenus ici si vous aviez déjà cette clé.

— Si nous ne l'avons pas, riposta Parker, pourquoi nos têtes ont-elles été mises à prix ?

Ce dernier argument parut troubler le jeune policier, car son regard passa de Parker à l'inspecteur comme s'il se demandait qui croire. Sharon tenta d'attirer son attention pour l'implorer silencieusement de les aider. Mais il ne lui accorda pas un regard.

— Sans doute parce qu'on croit que vous connaissez le contenu du livre que la juge écrivait.

Sharon échangea un bref regard avec Parker. Elle ne s'était pas trompée : il s'agissait bien du livre. Elle hocha la tête.

— Je suis au courant, bien sûr. Brenda m'avait demandé de le corriger.

— Alors vous l'avez lu ?

Elle hésita, parce qu'elle n'avait jamais eu l'occasion d'y jeter un coup d'œil. Mais elle pouvait temporiser.

— Elle ne l'avait pas terminé.

Et si c'était vrai, il ne le serait jamais.

— Elle l'avait commencé pendant son congé de maternité et elle avait pris des vacances pour l'achever.

— Vous l'avez lu ? répéta Sharpe.

— Pas en entier, prétendit Sharon. Mais j'ai la clé et je l'ai ouverte.

— De quoi parle ce livre ? questionna Sharpe.

— Ce sont les mémoires de Brenda, répondit-elle. Sa vie, les gens qu'elle a croisés au fil des années.

— Quels gens ?

Elle hésita de nouveau. Devait-elle parler de policiers ou de criminels ?

L'inspecteur lâcha un juron.

— Vous ne savez rien du tout. Vous n'avez pas lu le livre. Vous n'avez pas non plus la clé. C'est pour ça que vous êtes là : vous la cherchez aussi.

— Qu… qu'est-ce qu'on fait maintenant ? balbutia son adjoint.

— Je la tue et tu le tues, répliqua Sharpe juste avant de presser la détente.

Sharon tressaillit — et attendit l'éclair de douleur qui provoquerait sa mort…

Il était trop tard, trop tard pour dire à Parker qu'elle l'aimait.

16

Mais Parker avait tiré plus vite que Sharpe. L'inspecteur s'effondra. Son adjoint poussa un cri et tenta de viser pour tirer aussi.

Au lieu de l'abattre, Parker bondit en avant et le fit tomber à côté du corps de Sharpe. Le jeune homme cria encore et desserra la main sur son arme. Parker la lui arracha et la tendit à Sharon, qui avait toute sa confiance.

Se baissant, elle ramassa aussi l'arme de l'inspecteur. Il n'y avait pourtant plus lieu de s'inquiéter, car il était mort. Néanmoins, s'il n'avait pas fait feu, l'inspecteur aurait pu toucher Sharon, songea Parker. Au lieu de cela, sa balle s'était fichée dans le plancher.

— J... J'ai cru qu'il allait me tuer, murmura-t-elle.

Elle tremblait. Mais elle était résistante. Et intelligente. Son bluff leur avait permis de gagner du temps.

— Ça va ? demanda-t-il.

— Oui, je vais bien, répondit-elle. Il m'a manquée.

C'était une évidence, mais Parker était conscient que le fait d'avoir failli être abattue avait dû la secouer.

— Et toi ? questionna Sharon.

— Je suis furieux, répondit-il. J'en ai marre qu'on me tire dessus.

Sentant le jeune adjoint gigoter sous lui, Parker resserra sa prise. Le petit flic se mit à sangloter. Et Parker, qui le maintenait d'une clé au cou, sentit ses larmes mouiller sa manche de chemise.

— Dis-moi qui a ordonné notre exécution, à Sharon et à moi !

Le jeune flic essaya de secouer la tête, mais Parker ne relâcha pas la tension de son bras.

— Sharpe m'a dit que je devais l'aider, que je devais…

— Me tuer ? finit Parker.

Le flic esquissa un hochement de tête.

Mais Sharpe n'avait aucune raison de le tuer. A moins qu'il n'ait eu besoin d'argent.

— Qui est-ce qui le payait ?

Les joues toujours ruisselantes de larmes, le jeune homme secoua la tête.

— Je ne sais pas. Je ne sais pas…

Parker le croyait. Ce n'était pas ce bleu qui pourrait les aider à découvrir qui avait commandité leurs meurtres. Il relâcha donc un peu la pression, sans pour autant laisser le jeune homme se relever. Puis, prenant son portable, il hésita une seconde avant de composer le 911. Pouvait-il leur faire confiance ?

Il n'avait pas le choix cependant. Il voulait qu'on arrête le jeune flic. Peut-être en dirait-il davantage à la police qu'à lui. Il doutait toutefois qu'il en sache beaucoup plus.

Il composa donc le numéro et commença :

— Je veux vous signaler…

Mais il n'eut pas le temps de finir sa phrase. La porte s'ouvrit à toute volée et des policiers armés se ruèrent dans la pièce.

Sharon brandit les armes qu'elle tenait.

— Baisse-les ! lui ordonna Parker, juste au moment où un policier chauve la mettait en joue.

Ils auraient pu arguer qu'elle était armée pour l'abattre. Sharon se baissa et déposa les revolvers à côté du corps de l'inspecteur.

— A terre ! A terre ! cria un autre policier.

Parker s'allongea par terre et Sharon l'imita.

— Les mains derrière la tête !

Parker noua les doigts derrière la nuque et Sharon suivit son exemple. Mais peut-être n'aurait-il pas dû obéir à ces ordres. Peut-être aurait-il dû essayer d'affronter les policiers, quel que soit leur nombre. Car, à présent, il était sans défense, incapable de protéger Sharon ou de se protéger lui-même…

Et si ces flics étaient aussi corrompus que Sharpe et son acolyte, il ne donnait pas cher de leur peau…

De l'autre côté des barreaux, Logan afficha un air sentencieux.

— Je savais que ça arriverait, dit-il. Je savais que je finirais par payer une caution pour toi, un jour.

Parker lui lança un regard noir.

— Si tu l'as payée, pourquoi ne me laissent-ils pas sortir ? dit-il en secouant les barreaux.

— Je l'ai fait, confirma Logan. Alors, il vaudrait mieux que tu fasses ton apparition au procès.

— Pour quelles charges ? railla Parker. Parce que je me suis défendu ? Sharpe allait tuer Sharon.

— Il ne s'agissait donc pas d'autodéfense, dit près d'eux une voix grave.

Parker et Logan se tournèrent vers la personne qui parcourait le couloir entre les cellules de détention. Dans la maigre lumière, on aurait dit Cooper, sauf que ses cheveux semblaient plus longs. Etait-il venu lui aussi pour payer la caution ?

— Ce n'était pas de l'autodéfense, approuva Logan. C'était pour protéger sa femme.

— C'est le tribunal qui en décidera, dit le nouveau venu.

Ce n'était pas Cooper. Ses cheveux n'auraient pas pu pousser si vite. Mais il avait exactement les mêmes yeux, les mêmes traits, et sans doute le même âge que Cooper.

Peut-être un peu moins, car il avait moins de rides. Seul un pli lui creusait le front entre les sourcils.

— Vous n'êtes pas Cooper, s'exclama Logan, stupéfait.

Lui aussi s'était interrogé. Si cet homme était plus jeune que Cooper, et que c'était un Payne...

— Qui diable êtes-vous ? demanda Parker.

Il espérait que son imagination était en train de lui jouer des tours. Ce type ne pouvait pas exister. Ce n'était pas possible...

Il tendit la main entre les barreaux et pinça Logan pour s'assurer qu'il ne rêvait pas.

Son jumeau glapit et lui lança un regard furibond.

— Ça va pas, non ?

Mais, à en juger par son expression, il était aussi atterré que lui.

Cependant, la ressemblance de cet homme avec Cooper ne signifiait pas automatiquement qu'il leur soit apparenté. Tout le monde avait un sosie, disait-on.

Ignorant leur trouble, l'homme se présenta :

— Agent fédéral Rus.

— Rus ? dit Parker. Pas de nom de famille ?

— « Rus » est mon nom de famille, déclara l'agent. Mon prénom est Nicholas.

Le prénom de leur père...

Ce gars-là ne pouvait pas ressembler autant à Cooper et ne pas être un Payne. Leur père était fils unique, alors il ne pouvait s'agir d'un cousin. L'homme était par conséquent la preuve vivante d'une chose à laquelle Parker n'aurait jamais cru : la trahison de leur père. Mais il ne pouvait pas y réfléchir dans l'immédiat, pas avec tout ce qui se passait par ailleurs.

— Qui diable êtes-vous ? répéta-t-il.

— Je suis ici pour enquêter sur le commissariat de River City, répondit l'agent. J'ai été mandaté par les AI.

Les « affaires internes ».

— Alors vous devez savoir que Sharpe était corrompu, répondit Parker. Si je ne l'avais pas abattu, il nous aurait tués, ma femme et moi.

— Comme je l'ai dit, c'est le tribunal qui en décidera, monsieur Payne.

— Quoi, vous ne levez pas les charges contre moi ? lança Parker, incrédule.

Pourtant le jeune flic avait tout avoué avant même qu'on l'interroge. C'est pourquoi Parker avait été surpris qu'on les arrête, Sharon et lui. Il n'y avait aucune charge contre eux.

— C'est *vous* qui vouliez nous faire arrêter ! comprit-il soudain.

— Il ne peut y avoir de favoritisme parce que vous êtes un Payne.

— Et *vous*, n'en seriez-vous pas un ? lança Logan d'une voix chargée d'indignation.

Son jumeau était visiblement parvenu à la même conclusion que lui : leur père avait trompé leur mère. Leur mère, qui avait aimé et pleuré son mari pendant tant d'années…

— Mon nom est Rus, répéta l'homme.

— Mais vous êtes le fils naturel de notre père, c'est ça ? insista Logan.

L'agent haussa les épaules.

— Je n'en sais rien. Et je m'en fiche. Cela ne fait aucune différence pour moi.

Mais Parker soupçonnait que cela faisait au contraire une grande différence pour l'agent Rus, et que c'était pour cela qu'il s'acharnait contre eux. Il en voulait sans doute à mort aux enfants légitimes de son père. Le chagrin lui serra le cœur.

Comment leur père avait-il pu faire cela à leur mère ? L'annonce de cette trahison allait l'anéantir.

— J'ai payé la caution de mon frère, annonça Logan. Pourquoi ne l'avez-vous pas relâché ?

— Je veux d'abord vous parler.

Logan était en train de perdre son calme.

— Nous parler de quoi ?

Du fait que leur père n'était pas l'homme qu'ils croyaient ? Comment avait-il pu tromper une épouse si aimante et loyale ?

Parker se félicita de ne pas avoir avoué ses sentiments à Sharon. Sachant ce qu'il savait à présent sur un homme qu'il avait passé sa vie à idolâtrer, il avait la preuve qu'il ne pourrait pas être un bon mari et un bon père. Pas quand Nicholas Payne avait lui-même failli sur ce plan.

Sharon méritait quelqu'un de mieux que lui. Elle méritait mieux qu'un Payne.

Sharon pensait avoir rencontré tous les Payne. Et elle les avait tous trouvés gentils. Loin d'être chaleureux et protecteur, cet homme — malgré sa ressemblance évidente avec Parker — était accusateur et glacial.

— Qui êtes-vous ? questionna-t-elle en proie à la confusion.

Les doigts agrippés aux barreaux, elle reprit :

— Je ne vous connais pas…

Les Payne s'étaient montrés si accueillants et cordiaux avec elle. Mais les yeux de cet homme — du même bleu vif que ceux de tous les Payne — étaient d'une froideur absolue. Il avait à peu près le même âge que Cooper, mais ses cheveux étaient plus longs et son visage plus dur.

— Je m'appelle Nicholas Rus, répondit-il. Je suis un agent fédéral détaché au commissariat de River City.

C'était l'homme auquel Sharpe et son acolyte avaient fait allusion : celui qu'on avait chargé de nettoyer le commissariat, d'y débusquer les flics corrompus.

Elle poussa un soupir de soulagement.

— Tant mieux. Donc, vous savez que Sharpe était un meurtrier.

— Qui a-t-il tué ? s'enquit-il.

— Eh bien, je n'en suis pas certaine, mais probablement le garde du corps de Brenda Foster.

Pour dissimuler ses tremblements soudains, elle serra plus fort les barreaux.

— Et il m'aurait tuée, si Parker n'avait pas tiré le premier.

— Parker Payne a tiré sur beaucoup de monde, ces derniers jours, remarqua l'agent d'un ton neutre.

Mais ses yeux bleus avaient un éclat soupçonneux.

— Des hommes qui essayaient de nous tuer, dit-elle pour défendre son mari.

— Les repris de justice peut-être, acquiesça l'agent avec un signe de tête. Mais l'inspecteur et son adjoint ?

— Sharpe était un criminel, insista Sharon. Et le jeune policier aussi.

Le gamin n'était pas mort. En fait, il avait avoué les méfaits de Sharpe et sa propre complicité.

— N'est-ce pas pour cela que vous êtes ici ? demanda Sharon. Pour enquêter sur le commissariat ?

Il haussa des épaules aussi larges que celle de Parker. Il ressemblait comme deux gouttes d'eau aux Payne. Qui était-il en réalité ?

Et à qui pouvait-elle faire confiance ? Certainement pas à la police, l'inspecteur Sharpe en était la preuve. Et cet homme l'amenait à s'interroger sur les Payne. Comment pouvait-il leur ressembler autant et se comporter de manière aussi froide ?

— Je suis ici pour vous poser des questions, dit-il.

— J'ai déjà été interrogée.

Et on l'avait accusée d'à peu près tout : meurtre, homicide involontaire, interférence dans une enquête de police… Sortirait-elle un jour ? Reverrait-elle Ethan ?

Elle souffrait de ne plus pouvoir le tenir dans les bras. Mais le bébé n'était pas le seul à lui faire cet effet.

Elle n'aurait pas dû insister pour que Parker et elle

retournent chez la juge. Elle aurait dû rester au lit avec son mari, dans ses bras…

A ce moment-là, elle avait eu peur de tomber amoureuse de lui et de se ridiculiser. Mais elle savait depuis plus de vingt ans qu'il y avait des choses bien pires que le ridicule. La mort, par exemple. Parker et elle avaient failli ne pas survivre à cette dernière tentative de meurtre.

— Je suis ici pour vous interroger sur la clé USB que Brenda Foster vous a donnée, poursuivit l'agent.

Sharon étouffa un cri de colère. Elle avait eu raison de ne pas lui faire confiance. Il n'y avait que cette fichue clé qui les intéressait.

— Si Brenda me l'a donnée, elle a dû être détruite.

Mais l'avait-elle été ? Si elle la lui avait transmise, la juge avait dû la cacher dans un endroit où Sharon la découvrirait forcément. Soudain, elle sut exactement où cette clé se trouvait. Ce n'était pas seulement Ethan que Brenda avait qualifié de « paquet », c'était aussi ses affaires.

L'homme se tendit.

— Que voulez-vous dire ?

Elle ne pouvait lui dire la vérité, surtout si cela risquait de mettre des innocents en danger. Et personne n'était aussi innocent qu'Ethan et Mme Payne.

— Elle devait se trouver dans mes affaires, dit-elle. Celles qui ont brûlé sur le parking de l'hôpital dans l'explosion de ma voiture.

Mais quelque chose n'avait pas brûlé, quelque chose qu'elle avait pris avec elle à l'hôpital. L'objet devait se trouver dedans…

L'agent Rus hocha la tête comme s'il en avait entendu parler. A moins qu'il ne se souvienne d'avoir posé lui-même cette fichue bombe.

— Donc, il n'y a aucun moyen de savoir ce qui se trouvait dans l'ordinateur de la juge et dans cette mystérieuse clé USB ?

Sharon secoua la tête.

— Elle m'avait demandé de réviser son texte quand elle l'aurait fini mais, à ce moment-là, elle m'a aussi ordonné de me cacher avec son fils. Et je n'ai jamais vu le texte en question.

Elle lança un regard noir à l'agent.

— Je ne comprends pas pourquoi on essaye de nous tuer, Parker et moi.

Il esquissa un très léger sourire, qui serait passé inaperçu sans la petite étincelle dans son regard.

— Je ne suis pas ici pour vous tuer, mademoiselle Wells. Je suis ici pour vous libérer. Quelqu'un a payé votre caution.

Parker. Ou sa famille. Ils ne l'avaient pas oubliée. Mais quand la porte de la cellule s'ouvrit, elle ne vit qu'un vieil homme qui attendait dans le couloir. L'agent s'éloigna sans un regard pour elle ni pour l'inconnu.

— Sharon, lui dit le vieil homme. C'est merveilleux de vous revoir.

Revoir ? Quand l'avait-elle vu ? Elle pencha la tête, essayant de se remémorer ses cheveux gris et ses yeux noirs.

— La dernière fois, c'était à l'enterrement de votre grand-père. Je suis — j'étais — un de ses amis et collègues.

Il tendit la main.

— Juge Albert Munson.

Sharon fit un signe de tête.

— Bien sûr. Ravie de vous revoir.

Elle était honteuse que cet homme ait été témoin de son arrestation. Son grand-père en aurait été mortifié.

— Enfin... Peut-être pas dans ces circonstances.

— Et nous devrions bientôt nous croiser à un autre enterrement, dit le juge. Brenda Foster était aussi une de mes collègues, expliqua-t-il. Votre grand-père aurait dû me demander de vous embaucher comme assistante. Vous auriez été en sécurité en travaillant pour moi.

Mais elle n'aurait jamais rencontré Ethan et ne serait pas tombée amoureuse de ce petit bonhomme ni de son père.

— J'ai beaucoup appris en travaillant pour Brenda, dit-elle.

Elle avait en effet beaucoup appris sur l'amour… et sur la famille. Même si cette famille n'était pas la sienne.

— En tout cas, je vous remercie d'avoir payé ma caution. Je vous rembourserai dès que je pourrai aller à la banque. J'ai perdu ma carte bancaire et mon chéquier dans l'explosion de ma voiture.

Mais peut-être n'avait-elle pas perdu ce que tout le monde cherchait — enfin presque tout le monde…

Le juge hocha la tête.

— J'ai entendu parler de vos ennuis.

Cela semblait évident. Comment, sinon, aurait-il su qu'elle était au commissariat ? Il semblait presque aussi âgé que son grand-père. Siégeait-il toujours au tribunal ?

Sharon n'avait jamais prêté beaucoup attention aux juges en dehors de Brenda.

— Ce sera bientôt fini, lui assura-t-elle. Je dois juste parler à mon mari.

Elle prit la direction de ce qu'elle imaginait être le hall, mais le juge la rattrapa et la prit par le bras. Malgré son âge, sa poigne était étonnamment forte, presque douloureuse.

— Il n'a pas encore été relâché, dit-il.

— Eh bien, je vais l'attendre. Je suis sûre que quelqu'un de sa famille a payé sa caution.

Parker avait dû appeler Logan, ou bien un policier l'avait fait pour lui. S'il y avait des flics auxquels on ne pouvait pas faire confiance — comme l'agent Rus —, d'autres connaissaient et respectaient la famille Payne.

— Qu'est-ce qui vous fait dire que tout sera bientôt fini ? demanda le juge.

Elle se retourna à temps pour saisir une lueur de désarroi dans les yeux noirs du vieillard. Tout à coup, elle comprit à qui se rapportaient les secrets divulgués par Brenda dans son livre...

Elle secoua la tête.

— Je n'en sais rien...

— Vous mentez, dit-il d'un ton accusateur. Méfiez-vous, Sharon.

Alors elle la sentit. Il ne se contentait pas de tenir son bras, il avait aussi collé une arme contre son flanc. Elle reconnut la froideur métallique du canon.

Comment avait-il fait pour l'introduire dans le commissariat ?

Elle regarda autour d'elle, en quête de secours. Mais l'agent fédéral qui ressemblait tant à Parker et à ses frères était parti. La seule autre personne présente était un jeune policier, qui ouvrit une porte débouchant derrière le commissariat. C'était donc ainsi que le juge avait introduit son arme : avec la complicité de ce policier.

— Aidez-moi, l'implora Sharon tandis que le juge la poussait dans la rue.

Mais le jeune homme baissa la tête et fixa ses chaussures, indifférent au fait qu'il l'envoyait sans doute à la mort. Elle aurait dû être remise en liberté, pas exécutée. Pourquoi ne l'aidait-il pas ?

— C'est vous qui étiez derrière tout ça, dit-elle au juge. C'est vous qui avez mis à prix la tête de Parker et la mienne.

— Je devrais peut-être vous laisser attendre votre mari, répondit le vieil homme. J'aurais ainsi l'occasion de vous tuer tous les deux...

— Parker ne sait rien, lança Sharon.

— Mais vous, vous savez...

— Brenda ne m'a jamais montré son livre. Comment saviez-vous qu'elle en écrivait un ?

Son ancienne employeuse était bien trop intelligente pour annoncer ses intentions à un juge corrompu.

Munson se mit à rire.

— Comme vous le savez, elle traitait ses employés comme des chiens. Son garde du corps n'avait aucune raison de lui rester fidèle.

Parker, lui, aurait fait preuve de loyauté. Brenda n'aurait jamais dû se séparer de lui. Mais, si elle ne l'avait pas fait, Ethan ne serait pas né, et Sharon ne pouvait imaginer le monde sans lui. Ni sans Parker…

— C'est Chuck qui vous l'a dit ?

Le juge acquiesça.

— Il est tombé sur ses recherches et m'a offert de me vendre l'information.

— Et vous lui avez demandé de la tuer et de voler son portable. Mais ensuite, vous l'avez fait tuer, lui aussi.

— Avant de mourir, il m'a avoué que vous alliez corriger le livre de Brenda, dit Munson. Et il a aussi révélé, sous la contrainte, que vous étiez censée apporter un « paquet » à Parker Payne si vous n'aviez pas de nouvelles de la juge. Horowitz avait un faible pour vous, mademoiselle Wells. Il ne voulait pas vous mettre en danger.

Chuck l'avait regardée comme tous ceux qui savaient que sa mère était morte, avec pitié.

— Je vous aimais bien, moi aussi, avoua le juge. Vous avez beaucoup souffert, étant enfant. Et il vous a fallu aussi supporter l'honorable juge Wells.

La froideur de son ton la fit frissonner, comme la faisait frissonner le souvenir de la froideur de son grand-père.

— Mais mon faible pour vous s'est évanoui quand j'ai appris que vous en saviez trop, poursuivit le juge.

— Je n'ai pas lu le livre, répéta Sharon. Je n'ai même pas vu la clé USB.

— Mais vous savez où elle est.

Elle soupira et fit signe que oui.

Le juge ouvrit la portière côté passager et poussa Sharon dans la voiture. Pendant qu'il contournait le véhicule pour se mettre au volant, elle tenta de ressortir, mais la poignée était bloquée.

Le juge jeta un dernier regard au commissariat, comme s'il réfléchissait. Puis il ouvrit sa portière et monta en voiture.

— Parker Payne ne sait vraiment rien au sujet du livre ou de la clé USB ?

— Il pense que c'est Sharpe qui a tout manigancé, prétendit Sharon.

Elle ne savait pas très bien mentir mais, pour protéger les gens qu'elle aimait, elle était prête à tout.

Parker savait, bien sûr, que Sharpe était loin d'avoir assez d'argent pour offrir de telles récompenses sur leurs têtes. Mais comment se faisait-il que le juge Munson soit lui-même aussi riche ? se demanda-t-elle. La fortune de son grand-père venait de sa propre famille et de la famille de sa femme, non de ses revenus de juge et de professeur de droit.

— Dans ce cas, Payne n'est pas aussi malin que le pensait Brenda, remarqua le vieil homme. Votre grand-père aurait été déçu que vous vous mariiez en dessous de votre rang.

— Je décevais toujours mon grand-père, dit-elle.

Mais ce qu'il aurait pensé ne comptait plus pour elle. Ce qui était étrange car, même après sa mort, elle avait continué à essayer de lui faire plaisir. C'était pour lui qu'elle s'était efforcée de devenir avocate. Mais le passé n'avait plus d'importance.

Ce qui comptait, c'était le futur. Le futur d'Ethan et de Parker. Elle devait les protéger… Même si cela lui coûtait la vie.

17

Parker bouillait de colère. Ce n'était pourtant pas l'agent fédéral qui l'avait mis dans cet état, ni son arrestation. Il s'occuperait de tout cela plus tard. Non, il s'inquiétait pour sa femme.

— Où peut-elle bien être ?

Il ne pouvait pas la protéger si elle n'était pas avec lui. Et Dieu sait s'ils avaient besoin de protection, même dans l'enceinte du commissariat. Il avait finalement été relâché, mais il faisait les cent pas dans le hall, refusant de partir avant qu'on libère également Sharon.

— J'ai déjà posé la question…, dit Logan.

Mais personne n'avait donné de réponse satisfaisante à son jumeau, pas plus qu'à lui-même. Du moins ni le sergent de faction ni les policiers qui gravitaient autour. Il s'approcha encore une fois du comptoir.

— Je voudrais parler à l'agent Rus.

Derrière lui, Logan poussa un juron. Manifestement, il ne tenait pas à revoir Nicholas Rus. Sans doute voulait-il oublier jusqu'à son existence. C'était apparemment ce que leur père avait fait, car il était mort quinze ans auparavant sans jamais avoir mentionné l'existence d'un autre fils après Cooper.

— Je n'arrive pas à croire que j'entre de mon plein gré dans un commissariat, lança une voix masculine.

Un rire féminin récompensa cette remarque spirituelle.

Parker comprit soudain pourquoi Logan avait juré. Leur mère pénétrait dans le hall, escortée par Garek Kozminski.

— Mais vous savez que je ferais n'importe quoi pour vous, madame Payne, ajouta Garek avec son bagout habituel.

Dire que c'était lui qu'on traitait de play-boy ! songea Parker.

Mais il était un jeune marié comblé, à présent. Ou du moins, l'aurait-il été s'il avait su où se trouvait sa femme.

Etait-il heureux ? Des images de Sharon et lui faisant l'amour lui traversèrent l'esprit, et il s'avisa qu'il n'avait jamais été plus heureux et plus attaché à quiconque. Pas même à son fils.

— Où est Ethan ? fut cependant la première question qu'il posa à sa mère.

— Cooper et Tanya s'occupent de lui, répondit-elle.

Puis ses yeux s'agrandirent de surprise quand elle jeta un regard par-dessus l'épaule de Parker.

— Du moins, c'était ce que je pensais…

— Vous avez demandé à me voir, fit une voix grave derrière Parker.

Il tressaillit. Même sa mère avait confondu l'agent fédéral avec un de ses fils. Impossible d'espérer qu'elle ne saisisse pas qui il était.

— Vous n'êtes pas Cooper, murmura-t-elle.

— Combien y a-t-il de Payne, bon sang ? lança Garek.

Pour toute réponse, Logan lui donna un coup de poing sur l'épaule.

Parker tenta de prendre sa mère dans ses bras pour la protéger. Mais elle le repoussa et se planta devant l'agent fédéral. La seconde suivante, elle prit son visage entre les mains, comme elle le faisait avec eux quand ils étaient enfants.

Sauf que cet homme n'était pas son enfant. Le comprenait-elle ?

— Vous êtes le fils de Carla, n'est-ce pas ? dit-elle.

Sans essayer de fuir son regard, il opina.

— Vous saviez ?

— Je connaissais l'existence de votre mère, répondit Mme Payne, mais je ne connaissais pas la vôtre jusqu'à maintenant.

Ses yeux bruns se remplirent de larmes, qui roulèrent sur ses joues.

Parker aurait voulu les essuyer. Mais avant que lui, Logan ou Garek puisse s'approcher, Nicholas Rus prit leur mère dans ses bras. Et d'une voix chargée d'émotion, il dit :

— Je suis désolé…

— Vous n'avez aucune raison d'être désolé, fit-elle en répondant à son étreinte.

— J'aurais dû vous éviter un tel choc…

Il recula un peu, manifestement embarrassé par cet étalage de sentiments, dont Parker soupçonnait qu'il ne lui était pas habituel.

— J'aurais pu vous prévenir…

A son crédit, Rus ne s'attendait sans doute pas à la voir débarquer au commissariat. Parker non plus, d'ailleurs.

— Tu n'avais pas besoin de venir, dit-il à sa mère. On a déjà payé ma caution. J'attends seulement de savoir pourquoi Sharon n'a pas encore été libérée.

— Elle l'a été, dit Rus.

— Mais je n'ai pas pu payer sa caution, s'exclama Parker. Vous avez abandonné les charges contre elle ?

C'était uniquement pour Sharon qu'il se faisait du souci. Ce n'était pas elle qui avait pressé la détente, mais lui.

Rus fit un geste de dénégation.

— Pas encore, mais j'y travaille.

Cela voulait-il dire qu'il les croyait ? Qu'il reconnaissait qu'ils avaient agi en état de légitime défense ?

— Alors comment a-t-elle été relâchée ?

— Quelqu'un d'autre a payé sa caution, répondit Rus d'un ton légèrement condescendant.

Ce dernier ne savait sans doute pas que Sharon n'avait aucune famille, aucun proche. Ses grands-parents étaient morts et la seule personne qui aurait pu être son amie avait été brutalement assassinée.

— Qui ? demanda Parker.

— Le juge Albert Munson, répondit l'agent Rus. Il a déclaré être un ami de son grand-père.

— Al est aussi un de mes amis, dit Mme Payne. C'est lui qui m'a aidée à obtenir vos licences de mariage.

Parker sentit la panique l'envahir.

— Il s'est aussi occupé de la nôtre ?

Sa mère sourit et acquiesça.

— Bien sûr. Il était ravi de nous rendre ce service.

Cela ne faisait aucun doute car, ayant ainsi appris où et quand ils allaient se marier, il avait pu préparer l'embuscade qui avait failli les tuer.

— Ce bon vieil Albert est l'ami de tout le monde, lança Garek, surtout des criminels. L'assistante du procureur m'a dit que c'était Munson qui avait réduit ou effacé les condamnations des types dont Parker s'était « occupé », et d'un bon paquet d'autres…

Il y avait donc des criminels en liberté qui avaient une dette envers le juge. A moins qu'ils ne s'en soient déjà acquittés ? Etait-ce ce que Brenda lui reprochait ? Ce qu'elle avait écrit dans le manuscrit disparu ?

— Où est-elle ? demanda Parker. Où est-elle allée après que vous l'avez relâchée ?

Rus haussa les épaules.

— Quand je suis parti, elle parlait avec le juge. Elle le remerciait d'avoir payé sa caution.

Comme c'était un ancien ami de son grand-père, elle était sans doute partie avec lui sans se rendre compte de la menace qu'il représentait. Mais pourquoi ne l'avait-elle pas attendu, lui, son mari ?

La nuit précédente n'avait-elle rien signifié pour elle ?

Peut-être n'aurait-il pas dû s'inquiéter qu'elle tombe amoureuse de lui. Apparemment, elle ne l'aimait pas assez pour attendre qu'il soit également libéré.

Mais peu importait qu'elle l'aime ou non. Lui l'aimait. Et il allait faire en sorte qu'il ne lui arrive rien.

— Donne-moi les clés de ta voiture, ordonna-t-il à Logan.

— Tu ne sais pas où elle est, souligna son frère.

— Je vais la trouver, riposta-t-il.

— C'est dangereux de te balader tout seul, insista Logan. C'est moi qui conduirai.

Mais son jumeau ne le ferait pas avec la rapidité nécessaire pour retrouver Sharon avant que le juge ne lui fasse du mal.

— Tu peux m'accompagner, dit-il à son frère, mais c'est moi qui prends le volant.

Il sortit à la seconde même où Logan lui remit les clés. Il n'y avait pas une minute à perdre : il devait retrouver sa femme…

Parker ne saurait pas où la trouver. Elle n'avait plus d'appartement, ni même de voiture. Et comme il ne savait rien du juge Munson, il n'aurait pas l'idée de la chercher chez lui. Sharon persuada donc le juge de la conduire chez Brenda.

Même si Parker ne se mettait pas à sa recherche, il y aurait peut-être quelqu'un là-bas, un policier honnête, qui lui viendrait en aide.

— La clé n'est pas ici, dit le juge. Trop de gens ont fouillé la maison pour qu'elle y soit encore.

Sharon n'avait pas l'intention de lui dire où se trouvait la clé et garda le silence quand il leva son arme pour en presser le canon sur sa tempe.

— Ne jouez pas avec moi, ma petite, la menaça-t-il.

Vous m'avez fait venir ici parce que vous pensiez qu'il y aurait encore des membres de la police scientifique ou des agents sur place.

Mais elle s'était trompée. Le juge savait très bien que tout le monde était parti, sinon il ne l'aurait pas amenée là. Ils se retrouvaient seuls dans cette demeure où deux personnes avaient déjà péri. Allait-elle être la troisième ?

Si seulement elle avait pu prévenir Parker…

— La présence de policiers ne vous aurait servi à rien, de toute façon, poursuivit le juge. Vous n'avez pas vu celui qui était au commissariat ? Il est à mon service, comme bien d'autres.

Elle aurait bien secoué la tête, mais l'arme pressée sur sa tempe l'en empêchait.

— Il y a aussi des policiers honnêtes, dit-elle. Des hommes que vous n'avez pas réussi à acheter. Et Parker saura les distinguer. Il leur donnera la clé.

Le juge ricana.

— Si c'est lui qui l'a. Mais nous savons tous les deux qu'il n'en est rien…

— Mais si, insista Sharon. Je vous ai menti. C'est même pour cela que j'étais impatiente de le voir, pour savoir qui était à l'origine de ces tentatives de meurtres. Maintenant que je sais que c'est vous…

Le vieil homme écarta ses paroles d'un geste.

— De toute façon, vous ne vivrez pas assez longtemps pour le raconter à quiconque. Et même si vous le faisiez, on ne vous croirait pas, pas sans la clé. Je jouis du même respect que votre grand-père.

Elle en doutait. Si le juge Munson avait été connu pour son intégrité, son grand-père lui aurait conseillé de postuler chez lui comme assistante juridique. Mais il ne l'avait jamais mentionné.

— Je fais même partie des amis de votre belle-mère, repartit le juge d'un grand rire. Elle est venue me voir pour votre licence de mariage. Sans moi, vous ne seriez pas la nouvelle « Mme Payne ».

C'était donc ainsi que les tueurs à gages avaient appris où Parker et elle se trouveraient le soir de leur mariage…

Munson rit de nouveau.

— Mais vous n'allez pas le rester longtemps…

Du coin de l'œil, Sharon vit que le doigt du juge bougeait sur la détente.

Allait-il la tuer sur-le-champ ?

Parker allait-il trouver un cadavre de plus dans cette maison ?

A cet instant, une sorte de carillon s'éleva, qui détourna leur attention à tous deux. Un téléphone… Le sien avait brûlé dans sa voiture et elle n'avait pas eu le temps de le remplacer. Si elle l'avait fait, Parker aurait pu trouver la trace de l'appareil et la localiser.

Elle n'avait aucun moyen de l'attirer là où elle se trouvait, ni de lui laisser un message pour qu'il aille chercher la clé USB. Si elle tentait quoi que ce soit, le juge s'en apercevrait, et cela mettrait en danger Ethan et Mme Payne.

Le vieil homme fouilla dans la poche de sa veste de costume.

— Pas un geste ou je vous fais immédiatement sauter la cervelle, dit-il en inclinant son arme.

Sharon déglutit pour ravaler sa peur. Elle n'avait pas envie de mourir, mais elle ne voyait aucune issue à sa situation. Aucun moyen de survivre…

— Allô ? fit le juge d'un ton soupçonneux.

Il ne devait pas avoir reconnu le numéro de son correspondant, car il se mit à rire.

— Parker Payne ! Nous étions justement en train de parler de vous avec votre femme.

Soudain, le haut-parleur se mit en marche et Sharon entendit la voix de Parker, chargée de colère et d'inquiétude. Pour elle ?

Se faisait-il du souci pour elle ? L'aimait-il ? Ou ne jouait-il que son rôle de garde du corps ?

— Munson, si vous lui faites du mal, je donne la clé USB aux fédéraux. Et aux médias.

Le sourire disparut sur le visage du vieil homme et ses yeux noircirent de colère.

— Vous feriez mieux de ne pas me menacer, Payne.

— J'ai ce que vous voulez, répliqua Parker.

— Ainsi donc, elle ne mentait pas en disant que vous l'aviez, fit le juge comme s'il se parlait à lui-même.

Parker l'avait-il trouvée ? Ou bluffait-il comme elle l'avait fait ?

— Sharon ne ment jamais, affirma Parker. Elle ne sait pas mentir. C'est une bonne personne qui a déjà beaucoup trop souffert. C'est la petite-fille de votre ami. Ne lui faites pas de mal.

— On dirait que vous tenez à elle, Payne, riposta le juge en lui jetant un regard rusé.

— En effet, dit Parker.

Mais ce dernier devait être encore en train de bluffer. Il ne pouvait pas la vouloir, se dit Sharon. Pas pour plus d'une nuit, pas pour toujours.

— Alors nous pouvons peut-être arriver à un accord, reprit le vieil homme d'un ton magnanime. Retrouvez-moi chez moi dans une heure, Payne. Et venez seul.

— Je ne vous donnerai rien si elle est morte, le prévint Parker. Alors tenez-le-vous pour dit…

— Entendu, dit le juge d'un ton lapidaire.

Et il raccrocha.

— Je ne vous tuerai pas avant que votre mari n'apporte la clé USB, assura-t-il. Ensuite, je me débarrasserai de vous deux.

Il se comportait comme s'il s'agissait d'une faveur qu'il leur faisait. Peut-être était-ce le cas. Sharon avait passé presque toute sa vie seule, mais elle préférait mourir seule plutôt que de voir Parker mourir avec elle. Cependant, il était trop tard : elle n'avait aucun moyen de l'avertir qu'il allait tomber dans un piège.

18

Si seulement il savait où se trouvait cette fameuse clé USB… si elle existait bien. Il y avait eu tant d'explosions de bombes. L'objet avait pu être détruit dans l'une d'elles.

N'ayant pas pu la trouver, Parker arriva chez le juge avec une clé vierge et l'espoir qu'il pourrait bluffer Munson aussi bien que l'avait fait Sharon.

Contrairement à son arme, à son couteau et à son téléphone, qu'il dut remettre aux cerbères qui se tenaient à la porte, il refusa de se dessaisir de la clé. Il reconnut certains des gardes comme étant des policiers, mais la plupart des hommes figuraient sur des avis de recherche, comme Garek l'avait dit. Ou y avaient figuré…

Comment se faisait-il que personne n'ait compris ce que Brenda avait découvert ? Le juge Munson avait dû passer son temps à accepter des pots-de-vin. Combien de criminels avaient bénéficié de son indulgence durant leurs procès, ou avaient été libérés avant d'avoir accompli leur peine ?

Plusieurs d'entre eux, en tout cas, surveillaient la propriété. Trop pour qu'il puisse les maîtriser tous.

La demeure du juge Munson était quatre fois plus grande que celle de Brenda, et plusieurs berlines de luxe et voitures de collection stationnaient dans l'allée. Vivant visiblement au-dessus de ses moyens, le juge avait trouvé une excellente manière d'augmenter ses revenus.

Deux hommes armés l'escortèrent le long d'un vaste

corridor recouvert d'un tapis oriental et le firent entrer dans une pièce située à l'arrière de la demeure. C'était une sorte de jardin d'hiver, rempli de plantes et de meubles en osier. Ligotée à un fauteuil, Sharon avait l'air terrorisée.

Parker se précipita et, s'agenouillant près d'elle, lui prit la main.

— Tu vas bien ?

— Elle va très bien, répondit le juge à sa place.

Il se tenait dans un coin du solarium, une arme à la main. Avec ses cheveux et son teint gris, on aurait pu le prendre pour une statue ; sa rigidité et l'absence d'expression de son visage ne faisaient que renforcer cette impression.

— Où est la clé USB ?

— Ne la lui donne pas, s'écria Sharon. Il nous tuera de toute façon.

Le juge rit, mais ne la contredit pas. Il croyait visiblement l'avoir piégé, se dit Parker.

— Donnez-moi l'objet et finissons-en.

Sharon secoua la tête.

— Pas encore. Vous étiez l'ami de mon grand-père. Alors, ayez pitié de nous. Laissez-moi parler à mon mari.

— Je n'étais *pas* son ami, corrigea Munson. En fait, je le détestais tant que je ne suis venu à son enterrement que pour me réjouir d'être enfin débarrassé de lui.

— Ce n'était pas un homme bon, reconnut Sharon. Il était psychorigide et il n'était pas facile d'être sa petite-fille.

— Vous essayez d'attirer ma sympathie ? lança Munson avec un rire sans joie.

Parker la soupçonnait au contraire de dire la vérité ; que son grand-père n'avait pas été un homme facile à vivre. Elle était encore traumatisée et vulnérable quand elle était venue vivre chez le juge et sa femme. Son cœur se serra à l'idée des souffrances qu'elle avait endurées à un si jeune âge. Il eut envie de la prendre dans ses bras.

— Laissez-nous une minute, implora-t-il.

Il voulait aussi lui parler, et lui assurer qu'il avait trouvé un moyen de les sortir de cette impasse, qu'il avait un plan.

— Par contre, votre mère, je l'ai toujours bien aimée, concéda le juge. Penny Payne est une femme bien, ce qui est plutôt rare.

Elle était même meilleure que Parker ne le pensait, car elle avait passé les quinze dernières années à pleurer un mari dont elle savait qu'il l'avait trompée. Avec Carla…

— Alors faites-le pour ma mère, dit Parker, puisque vous allez de toute façon lui briser le cœur.

Encore que son cœur avait été brisé plus d'une fois, plus souvent qu'il ne pouvait s'en souvenir.

— Donnez-moi la clé, exigea Munson. Et je vous laisserai vous parler…

Parker hésita une seconde, puis il lui tendit la clé vierge. Le juge s'en empara et resserra sa prise sur son arme. Mais il finit par s'approcher d'un ordinateur portable ouvert sur une petite table, dans un coin de la pièce inondée de lumière.

Parker s'accroupit à côté de Sharon et tâta la corde qui reliait ses poignets au fauteuil en osier. Si seulement on ne lui avait pas pris son couteau…

— Je veux que tu saches quelque chose, commença Sharon.

Allait-elle lui dire ce qu'elle ressentait pour lui ? Parker sentit son cœur battre plus vite. Il maintenait pourtant son attention sur ce qui se passait de l'autre côté de la pièce. Quand le juge aurait compris que la clé était vide, il se mettrait à tirer. Il devait protéger Sharon ; il batailla de plus belle avec ses liens, essayant de défaire les nœuds. Mais il ne réussissait qu'à entailler la peau délicate de Sharon.

Elle tressaillit.

— Je veux que tu saches combien je…

Parker scruta son beau visage. Ses yeux étaient remplis de peur, de détresse, et de quelque chose d'autre.

Elle acheva :

— … j'aime Ethan.

Bien sûr qu'elle aimait le petit garçon, elle s'en était occupée depuis sa naissance. Mais pourquoi le lui rappeler maintenant ? se dit Parker.

— Je l'aime tellement, continua-t-elle, que ça ne m'a jamais ennuyée de trimballer ce sac à langer partout avec moi.

Elle accompagna ses derniers mots d'un regard appuyé.

Parker eut alors un déclic : la clé USB, la vraie, était dans le sac à langer. Le sac à langer que sa mère avait emporté avec le bébé.

Le juge leva les yeux.

— Quels adieux touchants !

Mais il jura subitement.

— Il n'y a rien sur cette foutue clé ! Vous ne m'avez pas apporté la bonne !

— Vous croyiez vraiment que j'aurais été assez stupide pour vous la donner ? dit Parker. Je sais que vous voulez nous tuer. Vous n'auriez pas mis nos têtes à prix — ni augmenté la récompense — si cela n'avait pas été votre intention depuis le début.

— Vous essayez de me soutirer des aveux ? railla le juge. Mes hommes ont vérifié que vous n'aviez pas de mouchard. Vous pensez que l'un de vous survivra assez longtemps pour témoigner contre moi ?

— Si nous ne sortons pas de chez vous d'ici une heure, la clé USB sera remise à un policier de confiance au commissariat, quelqu'un que vous ne pourrez pas acheter.

Mais Parker ignorait s'il y avait encore quelqu'un à qui on pouvait faire confiance, après la trahison du coéquipier de son père. Et maintenant qu'il savait que son père avait aussi trahi sa mère…

Le juge poussa un grognement d'incrédulité et plissa les yeux en regardant Sharon.

— Pourquoi lui avez-vous parlé du sac à langer ? Est-ce là qu'est la clé ?

Cet homme était intelligent. Trop intelligent.

— Bon sang, ce sac s'est trouvé ici ! reprit-il, furieux. Penny l'avait avec elle quand elle est venue me demander de raccourcir le délai pour votre licence de mariage.

Il se leva et alla à la porte, sans doute pour convoquer un de ses sbires et lui ordonner d'aller chercher Ethan.

Sharon se mit à hoqueter de peur et se débattit dans ses liens.

— Elle n'est plus dans le sac à langer, déclara Parker. Je l'ai trouvée et je l'ai prise.

— Bien essayé, dit le juge. Mais je n'ai même pas besoin d'envoyer quelqu'un. Il me suffit de téléphoner à votre mère et de lui demander de revenir avec son petit-fils. Elle sera trop heureuse de s'exécuter et d'apporter le sac à langer.

Parker secoua la tête.

— Vous perdriez votre temps. Je l'ai déjà prise et je l'ai lue.

— Prouvez-le, le défia le vieil homme. Dites-moi ce qu'il y a dessus.

— Brenda y raconte comment vous preniez des pots-de-vin pour classer des affaires ou réduire des condamnations, répondit-il.

Le juge se crispa et son visage devint aussi gris que ses cheveux. Parker avait bluffé sur les pots-de-vin, car il avait compris que le juge ne s'intéressait qu'à l'argent. Et il avait mis dans le mille apparemment...

— Vous l'avez ouverte, fulmina Munson. Vous l'avez.

— Pas sur moi, répliqua Parker. Je l'ai donnée à mon frère, qui la remettra à un policier intègre.

— C'est bien le problème, rétorqua le juge. Vous ne pouvez vous fier à personne.

Et il leva de nouveau son arme.

— Je ne vous crois pas, Payne. Je ne suis pas certain

que vous ayez lu ce que Brenda a écrit. Vous ne faites sans doute que des suppositions. De toute façon, vous et votre femme allez mourir.

Le juge allait les tuer. Sharon le savait. Elle avait espéré que, d'une manière ou d'une autre, Parker les sauverait comme il l'avait fait tant de fois, mais elle n'aurait pas dû se reposer sur lui. C'est elle qui aurait dû le protéger et protéger Ethan. Parker avait déjà manqué tant de choses dans la vie du petit garçon : son premier sourire, sa première dent, la première fois où il s'était mis à quatre pattes, la première fois où il avait rampé. Il ne méritait pas de manquer les étapes suivantes.

Elle lui murmura :

— Je suis désolée.

— Tu n'as aucune raison de l'être, lui affirma-t-il.

Elle avait pourtant des regrets. Elle regrettait qu'il soit venu la secourir. Mais c'était la seule chose qu'elle regrettait du temps qu'elle avait passé avec Parker Payne.

— Je sais qu'il est trop tard, dit-elle.

Il y avait tant de choses qu'elle aurait voulu lui dire et lui faire partager. Mais les chances de réussir leur mariage avaient disparu, tout comme ils disparaîtraient bientôt eux aussi.

Parker secoua la tête et lui pressa la main, lui offrant du réconfort jusqu'à la fin. Ses efforts pour desserrer les cordes qui la ligotaient n'avaient pas suffi pour qu'elle puisse remuer les poignets.

— Chut, tout ira bien !

Mais ce n'était pas vrai. Ils allaient mourir. Mais au moins Ethan aurait une famille, une famille qui l'aimerait comme elle les avait aimés, lui et son père.

Les larmes lui montèrent aux yeux, si douloureusement

qu'elle ne put les retenir. Elle les laissa couler avec le même naturel que lui était venu son amour pour Parker.

— Mais je veux que tu saches que je t'aime.

— Alors ça, c'est émouvant, jeta le juge d'un ton aigre. Vous allez lui retourner sa déclaration, Payne ?

Celui-ci, ignorant le vieil homme, la dévisagea. Ses yeux bleus, ses magnifiques yeux bleus, étaient pleins de regret.

Elle savait que les sentiments de Parker à son égard n'étaient pas à la hauteur des siens. Mais de le constater sur son visage…

La déception, la honte et la peur l'envahirent au point qu'elle ne put plus supporter de le regarder. Elle ferma les yeux.

— Sharon…

Mais ce qu'il était sur le point de lui dire se perdit dans le vacarme soudain…

Des coups de feu en provenance de l'extérieur détournèrent l'attention du juge assez longtemps pour que Parker ait le temps de s'interposer entre elle et l'arme braquée sur elle.

Il se crispa, attendant la détonation. Mais le vieil homme se contentait de tenir son arme. Il était sans doute habitué à ce qu'on fasse le sale boulot à sa place.

— Qu'est-ce que c'est que ça ? lança-t-il sans les regarder.

Visiblement, il n'attendait pas de réponse.

Mais Parker savait qu'il s'agissait, des membres de Payne Protection : ils arrivaient à la rescousse, exactement comme Logan et lui l'avaient prévu. Ils avaient dû réussir à maîtriser la bande de flics corrompus et de repris de justice qui gardaient la propriété.

Se tournant vers la porte, le juge poussa une exclamation de surprise. Parker, qui avait suivi son regard, resta lui aussi bouche bée. L'homme armé qui venait d'entrer n'était pas un Payne — en tout cas, pas un Payne légitime — même s'il leur ressemblait comme deux gouttes d'eau.

— Agent Rus, murmura Parker. Qu'est-ce que vous faites là ?

Le juge resserra la pression sur son arme, visiblement incertain du camp dans lequel se trouvait l'agent fédéral. Il n'était pas le seul.

Rus sourit largement, une expression dont Parker ne l'aurait pas cru capable.

— Je suis venu toucher la récompense, dit-il.

Parker sentit ses entrailles se nouer de terreur.

— Quoi ?

— Ils sont toujours en vie, remarqua le juge.

L'agent exhiba un petit morceau de plastique.

— C'est la clé USB. Je parie qu'elle a plus de valeur à vos yeux que leurs deux vies.

— Que savez-vous de tout cela ? lança le juge.

— Quelques jours avant de mourir, l'inspecteur Sharpe m'a tout raconté, répondit Rus.

Il eut un rire moqueur.

— Sais pas comment un crétin pareil a pu devenir inspecteur !

De surprise, le juge ouvrit de grands yeux.

— Sharpe vous a parlé ?

— Vous croyiez qu'il ne le ferait pas ?

— Etant donné ce que je le payais, je pensais qu'il la bouclerait.

Le juge soupira.

— J'aurais mieux fait de ne pas lui faire confiance. De ne faire confiance à personne, d'ailleurs.

Et il était évident qu'il ne faisait pas confiance non plus à l'agent Rus.

— Où avez-vous trouvé ceci ? demanda-t-il d'un ton soupçonneux.

Il se disait sans doute que la clé était vide, comme celle que lui-même lui avait donnée, pensa Parker.

Mais lui craignait le contraire. Et il sentit son estomac se nouer en se demandant comment l'agent était entré en possession de l'objet.

— Mme Payne est venue au commissariat pour me la remettre, répondit Rus. Elle l'a trouvée dans le sac à langer de son petit-fils.

Ainsi, c'était pour cette raison que sa mère s'était déplacée au commissariat : non pour payer sa caution, mais parce qu'elle avait découvert ce que tout le monde cherchait. Bien sûr, elle ne savait pas que tout le monde voulait cet objet. Elle avait seulement trouvé étrange qu'il soit dans un sac à langer. Ou bien, vu sa curiosité, elle avait lu les fichiers que contenait la clé.

— J'espère que vous ne lui avez fait aucun mal, grogna Parker.

Peu lui importait que ce salaud soit armé. S'il avait fait souffrir sa mère autrement que par sa simple existence, Parker était prêt à l'étrangler à mains nues.

Rus secoua la tête.

— A-t-elle vu ce qu'il y avait dessus ? questionna le juge.

L'agent fit de nouveau non de la tête.

— Elle ignore tout à fait de quoi il s'agit.

Son sourire reparut, le faisant ressembler encore plus à Cooper. Mais il n'avait rien de commun avec son frère cadet, un marine qui risquait sa vie depuis des années pour son pays.

— Par contre, moi, j'ai regardé, ajouta-t-il. Je sais ce qu'il y a dessus.

Parker s'était toujours dit que les pires flics étaient ceux qui enquêtaient sur leurs collègues, comme Rus le faisait pour le compte du FBI. Apparemment, il ne s'était pas trompé.

Les yeux étrécis par le soupçon, le juge demanda :

— Qu'est-ce que c'était que ces coups de feu ? Que s'est-il passé dehors ?

L'agent fédéral lâcha un rire condescendant.

— Vous ne croyiez tout de même pas que Parker Payne allait venir ici tout seul, si ?

Il ricana.

— Cette famille se déplace en meute, comme les chiens sauvages.

Parker maudit silencieusement la perte de son arme, car il avait envie de s'en servir sur Rus. Terriblement envie.

— Ses frères sont là ? demanda Munson.

L'agent fédéral hocha la tête.

— Ils étaient là. Y compris la petite sœur… Elle avait dû les suivre.

Nikki leur avait collé aux basques, alors que ni Logan ni Parker ne voulaient d'elle. Mais elle avait insisté pour les seconder, et Parker n'avait pas voulu perdre de temps à la convaincre. A présent, il regrettait de ne pas l'avoir fait…

Le cœur serré, il entendit Sharon étouffer un sanglot. Elle ne connaissait pas sa famille depuis très longtemps, mais elle l'aimait manifestement. Cette famille avait été la sienne, pour un bref moment.

En ce qui le concernait, lui, Parker, sa famille était toute sa vie. Sa mère avait déjà perdu son père ; elle ne pouvait pas perdre tous ses enfants. Mais peut-être Rus se trompait-il et avaient-ils survécu ?

Le juge aussi se faisait du souci, mais pour lui-même.

— Comment allons-nous nous débarrasser d'eux ? demanda-t-il à Rus.

— Et le type que vous avez engagé pour poser ces bombes ? répliqua Rus. Il ne peut pas programmer une petite explosion ?

— Ils étaient plus d'un, à vrai dire, répliqua le juge. Mais il — Parker le vit le désigner du doigt — les a tués l'autre jour.

L'agent haussa les épaules.

— J'ai fait mon temps dans l'armée. J'ai servi en Afghanistan.

Tout comme Cooper, mais son frère était un héros, tandis que Rus était un meurtrier.

— Je m'occuperai de la bombe.

— Pas ici, dit le juge avec véhémence.

— Il le faudra bien, insista Rus. Difficile de faire le ménage autrement. Les techniciens de la police scientifique pourraient toujours retrouver une trace de sang ou d'ADN.

Sharon s'étrangla de nouveau, comme si elle avait du mal à respirer. Elle pleurait sur sa famille.

Parker en avait la nausée. Il n'aurait jamais impliqué ses frères et sa sœur s'il n'avait pas été certain qu'ils s'en sortiraient. C'était sa faute, entièrement sa faute.

La voix du juge se fêla, comme s'il était lui aussi au bord des larmes.

— J'ai travaillé dur pour acheter cette propriété… Et tout ce que j'ai fait pour la garder…

— Ce n'est qu'une maison, fit Rus d'un ton évasif.

S'il n'accordait aucune importance aux biens, pourquoi avait-il tué pour de l'argent ?

— Il ne s'agit pas seulement de la maison, rétorqua le juge. Il s'agit aussi de l'argent et du prestige dont j'avais besoin pour garder ma femme.

Rus regarda autour de lui comme s'il s'attendait à voir Mme Munson.

— Elle est ici ?

Oubliant son chagrin un instant, Parker s'efforça de se concentrer sur la conversation. Il fallait qu'il trouve une issue pour Sharon et lui.

Le juge secoua la tête.

— En fin de compte, mon argent ne lui suffisait pas.

Parker ouvrit la bouche pour détromper Rus quant à

Mme Munson. Il venait de se souvenir de ce qu'il était advenu d'elle. Mais un geste de l'agent l'arrêta.

— Alors vous avez accepté tous ces pots-de-vin et elle est quand même partie ? dit Rus d'un ton de commisération, comme s'il sympathisait avec le juge.

Son interlocuteur acquiesça.

— C'est vrai, j'ai accepté de l'argent sale pour classer des affaires ou réduire des condamnations.

— Mais votre femme n'est pas partie, s'exclama Parker, incapable de tenir sa langue plus longtemps. Elle a été tuée !

Le juge se mit à rire.

— Vous croyez que je l'aurais laissée divorcer après tout ce que j'avais fait pour elle ? Il n'était pas question qu'elle me prenne encore quoi que ce soit.

— C'est pourquoi vous avez demandé à l'un de vos sbires de la supprimer ? poursuivit Parker.

C'était lui qui posait les questions, à présent. Il voulait savoir depuis combien de temps l'homme avait du sang sur les mains.

— Je l'ai fait moi-même, se vanta le juge. Ici même, dans le jardin d'hiver, et Sharpe m'a aidé à me débarrasser du corps. Dommage qu'il soit mort, lui aussi.

— Je le remplacerai, déclara Rus. Mais je veux plus que la récompense que vous offrez.

Parker n'avait plus le choix. Il devait agir immédiatement, ou il laisserait passer sa chance. Peu importait qu'il soit abattu s'il pouvait donner à Sharon l'occasion de s'échapper. Il renversa le fauteuil sur laquelle elle était attachée, espérant que l'osier se romprait et desserrerait la corde qu'il n'avait pu défaire.

Puis il plongea sur Rus. Il devait le maîtriser, ou au moins mourir en essayant. Mais quelque chose le frappa à la mâchoire et sa vision s'obscurcit. Il lutta pour rester conscient. Il voulait protéger Sharon et lui dire qu'il l'aimait aussi …

19

En voyant Parker partir en arrière, Sharon poussa un hurlement. Etait-il mort ? Elle se débattit dans ses liens et parvint finalement à dégager ses poignets. Elle se jeta aux côtés de Parker et prit sa tête sur les genoux. Au moins lui avait-elle dit qu'elle l'aimait…

Son pouls battait à sa gorge. Il n'était pas mort. Pas encore. Mais il ne faudrait pas longtemps à cet homme — qui ressemblait tellement à Parker — pour les tuer.

Le juge Munson contempla Parker allongé sur le sol.

— Alors que voulez-vous pour tuer ces deux-là et vous débarrasser de leurs corps ? dit-il à Rus. Combien cela va-t-il me coûter ?

Sharon frémit en voyant l'agent fédéral sourire. Comment avait-il pu tuer toute une famille et avoir l'air aussi content de lui ? S'il manquait de cœur à ce point, il ne pouvait pas être un Payne.

Mais l'homme répondit soudain :

— Vous pouvez garder votre argent, monsieur le juge. Ma récompense sera de vous voir derrière des barreaux… pour le restant de votre vie.

Sharon avait oublié que le juge tenait toujours son arme. C'est alors qu'il fit feu, visant directement la poitrine de l'agent fédéral. Celui-ci s'écroula sur le sol, près de Parker et d'elle-même.

Le juge secoua la tête d'un air dégoûté.

— J'aurais dû savoir qu'on ne pouvait pas faire confiance

à un Payne. Même les bâtards ont plus d'intégrité que d'intelligence, dans cette famille !

Il tourna ensuite son arme vers elle. Mais Parker avait repris conscience. Il bondit pour se jeter sur le juge. Le revolver partit et le coup de feu résonna dans la pièce, fêlant l'une des parois de verre.

Parker tressaillit, mais ne sentit pas la brûlure, reconnaissable entre mille, d'une blessure par balle. A moins qu'il ne soit trop engourdi par le chagrin pour la ressentir. Ses frères et sa sœur avaient-ils vraiment disparu ?

Des pas martelèrent les dalles vernissées du jardin d'hiver. Se retournant, il vit Logan et Cooper se ruer dans la pièce. S'ils avaient été blessés, ils n'auraient pas pu se déplacer à une allure pareille.

— Vous n'êtes pas morts, prononça Parker avec un soupir de soulagement.

Logan secoua la tête.

— Non…

Se remémorant la fusillade, Parker en conclut que c'étaient d'autres vies qui s'étaient achevées.

— Où étiez-vous alors ?

— Nous avons dû réviser le plan, expliqua Logan.

Le juge s'agita sous lui, cherchant visiblement à reprendre possession de son arme. Parker lui écrasa le poignet du pied, jusqu'à ce que le Glock lui tombe de la main. Cooper le ramassa.

Sans son arme et sans son autorité, le juge n'était plus qu'un vieillard pathétique. Quand il prit conscience de sa défaite, des sanglots lui secouèrent les épaules. Parker le fit rouler sur lui-même pour le tourner vers Sharon.

Elle était toujours assise à même le sol, apparemment saine et sauve. Mais elle ne le regardait pas : son attention était tout entière fixée sur la seule personne qui avait été blessée.

Parker s'agenouilla près du corps de l'homme qui ressemblait si fort à ses frères. Il avait les yeux fermés.

Rus lui avait sauvé la vie. Mais cela lui avait-il coûté la sienne ?

— Vous m'entendez ? demanda Parker.

— Oui.

Rus toussa, grogna… et se redressa.

— Eh oui, je suis toujours vivant, mais seulement grâce à ce gilet pare-balles gracieusement fourni par le commissariat de River City. Je savais bien que je n'aurais jamais dû venir ici.

Peu de temps auparavant, Parker aurait été d'accord, mais l'homme lui avait sauvé la vie, ainsi que celle de ses frères. Il n'était peut-être pas le renégat qu'il avait cru ; peut-être Parker pourrait-il le considérer un jour comme un frère.

Rus défit les boutons de sa chemise. On entendit le bruit de déchirure caractéristique du velcro quand il ouvrit son gilet et passa la main dessous. Avait-il été touché ? Il se contorsionna, grogna encore et remarqua :

— J'espère que la balle n'a pas coupé les fils.

— Vous aviez un mouchard ? s'exclama le juge tandis que Logan et Cooper le relevaient.

C'était un vieil homme mais, conscients qu'il était dangereux, ils le serraient de près.

— C'était ça la révision du plan ! s'exclama Parker.

Mais il était surpris que Logan ait accepté les ordres de quelqu'un d'autre, a fortiori de Rus.

Son frère haussa les épaules.

— Sans le mouchard, c'était sa parole contre la tienne et celle de Sharon.

Et Munson était un juge respecté. Ou l'avait été…

Parker se tourna vers Rus.

— Et il fallait vraiment que vous me fassiez croire que mes frères étaient morts ?

Il ne s'était jamais senti aussi dévasté.

— Il fallait que je lui inspire suffisamment confiance pour qu'il me parle, avança Rus. Et que j'explique la fusillade…

Parker hocha la tête, convaincu.

— Et maintenant, j'ai tout ce qu'il nous faut, reprit Rus en tapotant son gilet.

Parker se tourna vers le juge.

— Il n'y aura pas d'affaire classée ou de condamnation au rabais pour vous.

C'était terminé. C'était enfin terminé.

Parker poussa un soupir de soulagement et se retourna vers Sharon. Mais seul le fauteuil en osier brisé gisait sur le sol. Elle était partie.

— Où est passée ma femme ? lança-t-il.

Elle avait dû s'esquiver pendant qu'il s'assurait que Rus vivait encore.

— Nikki l'attendait à la porte, répondit Cooper. Elles sont parties ensemble.

Ses frères avaient-ils ordonné à Nikki de rester hors de la pièce tant que le juge ne serait pas désarmé ? Ou n'avait-elle pas voulu s'approcher de Nicholas Rus ?

Elle aussi devait avoir été anéantie de rencontrer leur demi-frère. Personne n'avait idéalisé leur père autant qu'elle. Cela expliquait sans doute pourquoi elle était partie aussi brusquement.

Mais pourquoi Sharon ? Etait-elle blessée ? Ou en état de choc, après ce qu'elle avait enduré ?

Où était donc passée son épouse ?

Sharon serra le bébé dans ses bras tremblants. Elle lui avait donné son cœur et ignorait qu'elle avait encore de l'amour à offrir avant de tomber également amoureuse de Parker. Pendant de longues années, elle n'avait eu personne qui puisse accepter son amour ou lui en donner.

Et ce ne serait pas le cas de Parker non plus, apparemment.

Il avait été horrifié quand elle lui avait avoué ses sentiments. Elle rougit en se rappelant son expression de regret. Pour leur épargner encore plus de honte, elle devait partir avant qu'il ne vienne rejoindre son fils.

Mais ses bras refusaient de lâcher le bébé. Il lui avait tant manqué qu'elle ne pouvait le laisser. Son petit corps gigotant la réconfortait. Il était sain et sauf…

Le petit garçon eut un hoquet suivi d'un long frémissement de soulagement.

— Tu lui as beaucoup manqué, dit Mme Payne en tendant la main.

Sharon crut qu'elle voulait reprendre le bébé mais, au lieu de cela, sa belle-mère lui caressa la joue.

— Ça va, ma chérie ?

— Tout est terminé.

Grâce à Parker. Et à l'homme qui lui ressemblait tant. Qui était-il ?

— J'ai heurté le sac à langer ce matin, et la clé USB en est tombée, expliqua Mme Payne. Je ne voulais pas être indiscrète alors je ne l'ai pas ouverte. Mais je voulais te la remettre au cas où cela aurait été important.

C'était encore bien plus important qu'elle ne l'imaginait.

— Alors tu la lui as donnée, à *lui* ? voulut savoir Nikki. Tu lui as fait confiance pour quelque chose d'aussi important ?

Nikki l'avait emmenée en voiture chez sa mère, mais n'avait pas dit grand-chose sur le trajet. Et elle n'était pas plus loquace depuis qu'elles étaient arrivées. Pâle et le regard vide, elle semblait aussi défaite qu'elle-même, constata Sharon.

— J'allais la donner à Sharon, lui rappela sa mère, mais elle avait déjà quitté le commissariat.

Parce que le juge avait payé sa caution. Sharon frémit de nouveau, en repensant à la facilité avec laquelle il l'avait fait sortir du commissariat en la menaçant de son arme.

Sans Parker et ses frères, elle serait morte à présent. Elle n'aurait jamais revu Ethan. Mais elle n'était pas certaine qu'elle le pourrait à l'avenir…

— Quand Parker a compris que Sharon était en danger, continua Mme Payne, il a été tellement bouleversé qu'il n'a pas voulu m'écouter.

— Mais peut-être était-ce toi qui étais bouleversée ? dit Nikki. Ce n'était pas un choc de *le* voir ?

Elle avait visiblement été stupéfaite d'apprendre qu'elle avait un autre frère, et était encore sous le choc.

Mme Payne soupira.

— Ce n'est ni le moment ni le lieu de discuter de cela…

Parce qu'elle, Sharon, ne faisait pas partie de la famille.

Quand Parker lui avait passé l'anneau au doigt, elle s'était persuadée à tort que leur mariage était réel et que sa merveilleuse famille pourrait devenir la sienne. Mais elle était plus seule, à présent, qu'elle ne l'avait jamais été. Elle n'avait plus personne.

— Sharon est aussi une Payne, déclara Nikki. Elle mérite de savoir ce qui se passe.

— Non, ça va, vraiment, lui assura Sharon. Je… je voulais seulement voir Ethan.

Elle n'avait pas le droit de connaître leurs secrets si Parker ne l'aimait pas. Et il ne l'aimait pas. S'il avait eu un quelconque sentiment pour elle, il lui aurait déclaré son amour, surtout alors qu'ils croyaient être sur le point de mourir.

— Merci de m'avoir amenée ici, dit-elle à Nikki.

La maison de Mme Payne, avec ses murs jaunes et sa galerie circulaire était aussi chaleureuse et accueillante que la chapelle nuptiale. Sharon se représenta l'enfance de Parker, de ses frères et de sa sœur. Elle le vit volant des baisers, sur la galerie, à la fille qu'il devait fréquenter à l'époque…

Nul doute qu'il avait dû avoir de nombreuses aventures éphémères, songea Sharon. Leur propre mariage n'avait duré qu'une journée. Mais la nuit…

Une vague de chaleur la balaya au souvenir des baisers et de la passion de Parker…

Elle avait été folle de croire qu'elle — la naïve et maladroite Sharon — pourrait avoir sa chance avec un play-boy comme Parker Payne.

— Je n'avais pas envie de rester là-bas pour le voir jouer les héros, reprit Nikki. On n'avait pas besoin qu'il s'en mêle. On maîtrisait la situation…

Mme Payne se tourna vers sa fille.

— Chérie, ne lui en veux pas. Ce n'est pas sa faute…

Des larmes brillaient dans les yeux de Nikki.

— Non, c'est celle de papa…

Sa mère tendit la main vers elle, mais Nikki pivota sur ses talons et s'enfuit de la pièce. Sans s'arrêter sur la galerie, elle continua à courir vers sa voiture garée dans l'allée.

— Ça va aller pour elle ? s'enquit Sharon.

Mme Payne hocha la tête.

— Bien sûr. Elle est plus solide qu'elle ne le croit, et que ses frères ne le croient.

— Nicholas Rus est son demi-frère ? demanda alors Sharon, avant de rougir d'embarras devant son indiscrétion. Non, oubliez cela…

— C'est un Payne, avoua sa belle-mère avec un gros soupir.

Son beau visage se rida et elle parut soudain plus âgée.

— Mon mari travaillait comme agent infiltré, tout comme Parker quand il était au commissariat de River City. Lors d'une mission, Nick — c'était mon mari — s'est laissé entraîner dans une relation étroite avec un témoin, une femme, qui était en danger…

Etait-ce ce qui s'était passé entre Parker et elle-même durant leur nuit de noces ? S'était-il laissé entraîner par l'intensité née du danger ? Etait-ce pour cela qu'il lui avait fait l'amour ?

Des larmes brillèrent dans les yeux bruns de Mme Payne.

— Il n'a jamais su qu'elle était enceinte…

— Je suis désolée, dit Sharon, compatissant au chagrin de sa belle-mère autant qu'elle était remplie de tristesse pour elle-même.

Visiblement gênée, Mme Payne pressa ses paupières pour retenir ses larmes.

— Ça ne fait rien…

— Je n'aurais pas dû poser la question, dit Sharon. Ce ne sont pas mes affaires.

Sa belle-mère lui entoura les épaules de son bras.

— Bien sûr que si. Tu fais partie de la famille maintenant.

— Non, la contredit Sharon. Mon mariage avec Parker n'a jamais été réel.

— Votre certificat de mariage est là pour le prouver, insista Mme Payne.

— Vu qui l'a établi, je ne suis pas sûre qu'il soit authentique, lui rappela Sharon. Mais ça ne fait rien. Nous ne l'avons pas fait pour cela, seulement pour protéger Ethan.

Elle s'obligea à remettre le petit garçon dans les bras de sa grand-mère. Mais le bébé s'accrochait à ses cheveux. Elle sentit des larmes lui piquer les yeux, non à cause de la douleur, mais parce qu'elle devait s'en aller.

— Maintenant, il est en sécurité.

— Tout est fini, alors ?

Sharon approuva. Tout était fini. Son mariage. Son intrusion dans la vie des Payne. Peu importait que Brenda l'ait désignée comme tutrice de son fils ; elle n'était pas liée à lui par le sang. L'enfant avait une famille formidable, qui prendrait soin de lui. Les événements de la journée le lui avaient démontré : les Payne étaient là les uns pour les autres, y compris celui dont ils ignoraient qu'il était des leurs.

Rassemblant son courage, elle inspira profondément et dit :

— Oui, tout est fini. Et il est temps que je parte.

20

Parker avait la peur au ventre sans qu'il sache pourquoi. Tout était fini. Même le juge l'avait compris et avait tout avoué, comme si cela pouvait réparer le mal qu'il avait fait.

Il poussa la porte de la maison où il avait grandi, et se détendit légèrement en voyant le petit garçon sourire dans les bras de sa mère. On aurait dit qu'il le reconnaissait et l'aimait déjà, autant que, lui, son père, l'aimait.

Il s'approcha d'eux et le bébé lui tendit les bras. Quelques longs cheveux couleur caramel étaient accrochés à ses doigts potelés. Parker se détendit encore plus.

— Sharon est là ?

Mais sa mère secoua la tête.

— Elle est partie.

Son ton définitif lui serra les entrailles.

— Où ? Comment ?

Elle n'avait plus de voiture ni d'appartement.

— C'est Nikki qui l'a emmenée ? demanda-t-il, n'ayant pas vu la voiture de sa sœur dans l'allée.

Sa mère soupira.

— Non, Nikki est partie la première…

La détresse dans la voix de sa mère le toucha et, tenant son fils d'un bras, il lui entoura les épaules de l'autre.

— Ce n'est pas contre toi qu'elle est en colère.

— Je n'en suis pas si sûre, dit-elle d'un ton voilé par l'émotion.

— Ce n'est pas ta faute… C'est celle de papa.

— Et toi, est-ce ta faute si Sharon est partie ? demanda-t-elle. Parce que je ne comprends pas pourquoi…

— Elle est vraiment partie ? interrogea-t-il.

Ses muscles étaient si crispés qu'il pouvait à peine respirer.

— Elle ne serait pas partie sans Ethan, dit-il avec incrédulité.

Elle aimait tellement le petit garçon. Elle lui avait dit aussi qu'elle l'aimait, lui, Parker. Mais il n'avait pas répondu à sa déclaration. C'était sa faute.

— Elle pense qu'il n'a plus besoin d'elle parce qu'il nous a, nous, déclara sa mère, avec l'air de trouver cette idée ridicule.

— C'est stupide ! s'exclama Parker. Elle est comme une mère pour lui.

Comme pour approuver, le bébé agita sa petite main pleine de cheveux. Parker comprenait tout à fait qu'il ait eu envie de s'accrocher à elle. Sharon Wells Payne était une femme étonnante, une femme aimante et solide.

— Tu l'aimes ? demanda sa mère.

Parker secoua la tête.

— Non ? dit-elle d'un ton choqué, les yeux agrandis par la stupéfaction.

— Peu importe ce que je ressens pour elle, dit-il. Elle s'en sortira mieux sans moi.

— Pourquoi dis-tu cela ? insista sa mère. Le danger est passé, non ? Le juge a été arrêté ?

— Oui.

Grâce à Nicholas Rus.

— Il est hors d'état de nuire pour le restant de ses jours.

Il serait en prison avec des criminels. Mais ces derniers étant ceux qui n'avaient pas pu lui payer un pot-de-vin pour être libérés, Parker se doutait bien qu'ils ne seraient pas très heureux de le voir, ni prêts à oublier.

Le front de sa mère se plissa de confusion.

— Alors pourquoi crois-tu qu'elle s'en sortira mieux sans toi ?

— Tu sais pourquoi je n'ai jamais voulu me marier et avoir des enfants ? dit-il au lieu de répondre à sa question.

— A cause de la manière dont nous avons perdu ton père…

Elle lui toucha gentiment la joue.

— De tous mes enfants, c'est toi qui as fait le plus de bêtises, mais je crois que c'est parce que tu as été le plus affecté par sa mort.

— Non, c'est toi, protesta-t-il. Et je ne voulais pas faire vivre ça à ma femme. Je ne voulais pas laisser quelqu'un me pleurer comme tu as pleuré papa.

Et à présent, sachant ce dont son père s'était rendu coupable, il était surpris que sa mère ait eu autant de chagrin. Il était surpris qu'elle ait pu lui pardonner.

— C'est idiot, dit sa mère, écartant ses craintes un peu de la même manière qu'elle le faisait quand il avait peur dans son enfance. Tu ne sais pas ce qui va t'arriver. Tu peux très bien avoir une longue vie.

Comme son père l'aurait dû…

— Dans ce métier, ce sont les autres qu'on protège, pas soi-même.

— Ces deux dernières semaines, tu as été plus en danger que tu ne l'as jamais été dans la police ou comme garde du corps, dit-elle avec un frisson de peur rétrospective. On avait mis ta tête à prix.

— Un prix élevé, enchérit-il avec un frisson lui aussi.

Garek et Milek s'étaient engagés à répandre qu'il n'y avait plus rien à gagner maintenant que le juge était en prison.

— Et tu as survécu, souligna sa mère. Tu es un battant. Nous le sommes tous…

Il hocha la tête. Elle avait raison. Cooper avait survécu à plusieurs campagnes dans des pays déchirés par la guerre. Logan et lui-même avaient survécu à plusieurs tentatives de meurtre.

— Mais je pourrais faire du mal à ma femme autrement qu'en mourant, reprit-il.

La main de sa mère s'immobilisa sur sa joue.

— Que veux-tu dire ?

— De tous ses enfants, je suis celui qui ressemble le plus à papa.

Il se contentait de lui rappeler ce qu'elle lui avait toujours dit et qu'il mesurait seulement maintenant.

— Je suis un séducteur. Je ne suis pas du bois dont on fait les maris et les pères.

Mais, ce disant, il resserra son bras autour de son fils.

— Sharon sera plus heureuse sans moi.

Parce qu'elle était tombée amoureuse de lui, exactement comme il l'avait craint, il pouvait lui faire beaucoup de mal... Comme son père avait fait du mal à sa mère.

Sa mère se remit à lui caresser la joue et lui donna une petite tape au passage.

— Tu es idiot.

— Encore une chose que j'ai en commun avec papa, remarqua-t-il amèrement. Je n'arrive pas à croire qu'il t'ait trompée.

Et qu'elle lui ait pardonné au point de reprendre la vie conjugale, car Nikki était plus jeune que Nicholas.

Sa mère poussa un long soupir un peu tremblant.

— Il avait tellement de remords. C'est arrivé pendant qu'il était en mission. Il était terriblement en danger. Ils l'étaient tous les deux, Carla et lui. S'il n'avait pas joué son rôle à la perfection...

Parker acquiesça, comprenant soudain.

— Il aurait pu se trahir...

— Il me l'a dit tout de suite, continua sa mère. J'étais déjà enceinte de Cooper. Et je l'aimais tellement...

— Alors tu lui as pardonné ?

— A une condition, dit-elle d'une voix fêlée, comme si cette condition lui avait coûté cher.

Parker haussa un sourcil et attendit.

— Qu'il ne prenne plus jamais de mission d'infiltration, acheva-t-elle. Il a repris l'uniforme. Et c'est ce qui l'a tué. Mon unique condition…

— Maman…

— S'il n'avait pas été en uniforme, il n'aurait pas eu de coéquipier, ce coéquipier qui l'a trahi.

Les larmes roulaient sur ses joues.

— C'est ma faute s'il est mort.

Parker la serra contre lui. Elle devait avoir passé les quinze dernières années à se reprocher la mort de son mari. Il ne fallait pas s'étonner qu'elle l'ait pleuré si longtemps.

— Maman, tu n'y es pour rien.

Elle s'appuya contre lui, et il sentit ses larmes mouiller sa chemise.

— Quand je te disais que c'était toi qui ressemblais le plus à ton père, dit-elle, je voulais dire que tu es affectueux et protecteur. Je lui ai pardonné ce qui s'était passé, mais il ne se l'est jamais pardonné à lui-même. Il a passé le reste de sa vie à tenter de réparer les dégâts et à m'aimer. C'était le meilleur mari et le meilleur père du monde, et tu le seras aussi, Parker.

— Mais si je…

Il n'arrivait même pas à le dire ; il ne pouvait s'imaginer tromper Sharon. Il l'aimait trop pour désirer une autre femme.

Sa mère dut suivre son raisonnement, car elle sourit.

— Va retrouver ta femme, le pressa-t-elle.

Mais il ne savait où la chercher. Elle n'avait ni travail, ni maison, ni voiture. Rien ne la retenait à River City… sauf son fils et lui.

Il redonna Ethan à sa grand-mère et embrassa le bébé sur le front.

— Je vais chercher ta maman, lui dit-il. Et la ramener à la maison. A sa place.

Chez eux…

Ayant passé la plus grande partie de sa vie dans la solitude, Sharon se demandait pourquoi cela lui semblait si étrange à présent. Pourquoi son nouvel appartement lui paraissait-il aussi vide et silencieux ?

Elle appréciait autrefois le silence qui lui permettait d'étudier. Mais les études ne l'intéressaient plus. Elle n'avait pas l'intention de repasser l'examen du barreau. C'était uniquement pour faire plaisir à son grand-père qu'elle s'était lancée dans des études de droit, et elle aurait dû se douter qu'il était impossible de le satisfaire, même quand il était encore en vie. A présent qu'il était mort, c'était encore moins possible.

Le plus grave était qu'elle n'arrivait pas non plus à se satisfaire elle-même… La seule chose qu'elle voulait, c'était revoir Ethan. Elle l'aurait serré dans ses bras. Mais elle aurait voulu aussi supplier Parker de l'aimer. Et elle avait trop mendié dans sa vie pour avoir un peu d'amour. A présent, elle voulait qu'on lui donne cet amour sans qu'elle ait à le demander.

Elle laissa tomber l'un des coussins qu'elle venait d'acheter sur le canapé et recula. Sa couleur orange tranchait agréablement sur la suédine chocolat. Peut-être pourrait-elle devenir décoratrice d'intérieur…

Mais peu importait comment elle décorerait son intérieur, ce ne serait jamais un foyer comme celui que Mme Payne avait créé pour les siens. Car, elle, elle n'avait pas de famille…

Elle jeta un coup d'œil à son alliance, l'anneau que Parker lui avait passé au doigt au moment de l'échange de leurs vœux. Il fallait qu'elle l'enlève. Ce mariage n'avait rien de réel...

C'est pourquoi elle n'avait pas encore pris contact avec un avocat pour entamer la procédure de divorce. Elle doutait que les papiers signés par le juge Munson soient légaux. Bien sûr, cela ne faisait que quelques jours qu'elle avait dit adieu à Ethan. Quelques jours passés à louer un appartement, à racheter une voiture et des vêtements. Elle s'efforçait de s'occuper pour ne pas trop se languir du bébé ou de son père.

Cela ne marchait pourtant pas. Tous deux ne quittaient pas son esprit. Elle prit le coussin et referma les bras dessus, consciente que ce n'était pas un petit corps gigotant comme celui d'Ethan, ni un grand corps solide comme celui de Parker...

Ils n'étaient pas à elle. Ils n'avaient jamais été à elle.

Des larmes lui piquèrent les yeux et elle cilla pour les retenir. Quand la sonnette retentit, elle poussa un soupir de soulagement. Cette livraison allait la distraire de son chagrin.

Mais quand elle ouvrit la porte, elle vit sur le seuil une des raisons mêmes de son chagrin.

Il était si beau, malgré les cernes sous ses yeux et ses cheveux en bataille. Il avait aussi l'air en colère. Et ses premières paroles confirmèrent cette impression.

— Comment as-tu pu faire une chose pareille !

— De quoi parles-tu ? demanda-t-elle en reculant pour le laisser entrer dans l'appartement.

Parker claqua la porte derrière lui et la suivit jusque dans le salon, où elle finit acculée contre le nouveau sofa.

— Je croyais que tu aimais Ethan...

Sharon sentit les larmes lui monter aux yeux.

— Bien sûr que je l'aime. Est-ce qu'il va bien ?

— Non, répondit-il sèchement.

La panique l'envahit. Elle avait cru que le petit garçon serait heureux et en sécurité dans sa famille.

— Que se passe-t-il ? Que lui est-il arrivé ?

— Tu lui manques, déclara Parker.

Elle ferma les yeux pour retenir ses larmes. Le bébé lui manquait tellement, à elle aussi.

— Il est si jeune, dit-elle. Il m'oubliera vite.

— Et moi ? dit Parker d'un ton si triste qu'elle ouvrit les yeux et le dévisagea.

Il était si beau… Comment aurait-elle pu éviter de tomber amoureuse de lui ? Elle n'était pas aussi faible que tout le monde le pensait, mais elle n'était pas assez solide pour résister à un homme comme lui.

— Et toi ? répéta-t-elle sans comprendre sa question.

— Tu me manques également, affirma-t-il.

— Tu m'oublieras aussi, dit-elle.

En fait, elle était surprise que ce ne soit pas déjà le cas. Qu'il ne soit pas encore passé à une autre femme, une femme plus belle et plus insouciante qu'elle.

Il secoua la tête.

— J'ai failli devenir dingue en essayant de te retrouver. Je me disais que tu avais quitté la ville, peut-être même l'Etat.

— L'agent Rus m'a dit que je pourrais avoir à témoigner au procès du juge.

Elle était retournée au commissariat pour faire sa déposition. Y voir cet agent qui ressemblait tellement à Parker n'avait pas été facile. Mais elle avait voulu faire les choses dans les règles.

— C'est Rus qui t'a dit où me trouver ? demanda-t-elle à Parker.

Il fit craquer les jointures de ses mains.

— Avec un peu de persuasion…

— Tu ne t'es pas battu avec lui, au moins ?

Il soupira.

— Ce crétin était trop content que je le supplie.

— Tu l'as supplié ? répéta Sharon, en pleine confusion.

D'abord la colère, et maintenant cette lueur dans son regard. Ce regard intense, fixé sur elle.

— Est-ce qu'il va falloir que je te supplie, moi aussi ? demanda-t-il.

— Pour quoi faire ?

S'il voulait qu'elle revienne, elle ne pourrait pas lui résister. Depuis qu'elle lui avait ouvert la porte, elle sentait son cœur battre à toute allure. Et le regard de Parker la faisait frissonner…

Ses yeux étaient si bleus, comme ceux de son fils. Elle avait toujours été folle de ces yeux.

— Pour que tu me donnes une deuxième chance, dit-il.

— Une deuxième chance ?

En avaient-ils déjà eu une ?

Il fit un pas vers elle, et son corps effleura le sien.

— Dis-moi encore que tu m'aimes, murmura-t-il.

Elle rougit et secoua la tête.

— Tu l'as dit parce que tu croyais que tu allais mourir ? demanda-t-il d'une voix chargée d'amertume. Tu n'as pas de vrais sentiments pour moi ?

— Quelle importance, maintenant ? répliqua Sharon.

Il n'avait pas répondu à son amour.

— Tu pensais que tu allais mourir, reprit-il, c'est ça n'est-ce pas ? Et j'étais désolé de ne pas pouvoir te dire que je n'étais pas venu seul, et que Logan et Cooper attendaient de venir à notre rescousse.

Elle ne sut que répondre. Devait-elle avouer que la peur de mourir n'avait rien à voir avec ses paroles ? Qu'elle l'aimait vraiment ? Mais peut-être était-il venu la voir par pitié…

Il poursuivit :

— Mais Logan et Cooper n'arrivaient pas…

Il frémit en se rappelant cet instant horrible où ils avaient cru que tout était fini.

— C'est ton autre frère qui est arrivé, lui rappela-t-elle.

Le voyant tressaillir à ces mots, elle posa la main sur sa poitrine, à l'endroit du cœur. Il battait aussi fort et aussi vite que si Parker avait été en danger.

— Je suis désolée, dit-elle. Désolée que tu n'aies rien su de son existence.

Il haussa les épaules.

— Nicholas Rus est un Payne, qu'il le veuille ou non.

Parker avait de nouveau fixé son regard intense sur elle.

— Et toi ? demanda-t-il. Tu veux être une Payne ?

Se refusant toujours à espérer, Sharon retint son souffle.

— Qu'est-ce que tu me demandes ?

— Tu n'as pas entamé de procédure de divorce, remarqua-t-il.

A son tour, Sharon haussa les épaules.

— Est-ce bien nécessaire ? Ce n'est pas un vrai mariage.

— Si, répliqua-t-il. Munson était encore juge quand il a signé la licence, elle est donc valide.

— Est-ce que nous sommes en sécurité maintenant ? lui demanda-t-elle.

Elle se sentait toujours en danger, même si l'agent fédéral lui avait assuré que tout le monde savait à présent qu'il n'y avait plus de récompense à toucher. Le seul endroit où elle s'était sentie en sécurité, c'était dans les bras de Parker.

— C'est pour protéger Ethan que nous nous sommes mariés.

— Et tu me laisses Ethan comme ça ? questionna-t-il. Tu ne veux pas te battre pour l'avoir ?

— Tu es son père, répondit-elle. Je n'étais rien d'autre que sa nounou.

La colère assombrit de nouveau les yeux de Parker.

— Tu es tout pour ce petit garçon.

Il prit son visage entre ses mains.

— Et tu es tout pour moi aussi, Sharon. Je t'aime et je veux passer le reste de ma vie avec toi.

Elle se figea, incapable de comprendre ce qu'il lui disait. En dehors de sa mère, personne ne lui avait jamais dit ces mots, et c'était il y a si longtemps qu'elle avait oublié l'effet que cela faisait.

— Tu *quoi ?*

— Je t'aime, dit-il.

Et comme s'il savait qu'elle ne pouvait pas comprendre ces mots, il l'embrassa. D'abord gentiment, puis avec toute la passion dont il avait fait preuve durant leur nuit de noces. Ensuite il la coucha sur le canapé pour lui faire l'amour.

Dans la frénésie du moment, Sharon se rendit à peine compte qu'il lui enlevait ses vêtements. Elle s'avisa bientôt qu'elle était nue sous lui. Et qu'il descendait vers le cœur de sa féminité… tandis qu'il taquinait des doigts la pointe de ses seins. Elle remua en sentant la pression monter en elle et sa peau se réchauffer. Elle le désirait tant : elle désirait de toutes ses forces le plaisir qu'elle le savait capable de lui donner. Il agaça de la langue la partie la plus sensible de son intimité, et le plaisir vint, la submergeant au point qu'elle cria son nom.

Puis il la pénétra, joignant leurs corps dans un élan. Il n'était pas aussi doux qu'il l'avait été durant leur nuit de noces, quand il s'inquiétait à cause de ses blessures. A présent, Parker lui faisait l'amour comme un homme submergé de désir.

Sharon passa les bras et les jambes autour de lui et accompagna ses mouvements jusqu'à ce qu'elle ait un nouvel orgasme, en même temps que lui. Et tandis qu'il s'abandonnait en elle, il lui dit encore et encore son amour.

A bout de souffle, elle sombra dans les coussins. Il repoussa ses cheveux sur son front et plongea le regard dans le sien, comme pour la laisser lire au fond de son cœur et de son âme.

— Je continuerai à te déclarer mon amour jusqu'à ce que tu me croies, dit-il.

— Alors ne t'arrête jamais, répondit-elle tandis que les larmes roulaient sur ses joues. Ne t'arrête jamais de me le dire.

Cela faisait si longtemps qu'elle n'avait pas entendu ces mots…

Il dut le comprendre, car il embrassa ses paupières humides et murmura :

— Je suis désolée, chérie. Je suis désolé que tu n'aies pas eu l'amour que tu méritais durant toutes ces années. Mais je vais passer le reste de ma vie à réparer ça. Ethan et moi, nous t'aimons. Et toute la famille t'aime aussi.

Submergée de bonheur, Sharon s'accrocha à lui et laissa couler des larmes de joie. Et quand, enfin, elle put reprendre son souffle, elle lui dit :

— Je t'aime. Je t'aime tant.

— Alors tu veux bien rester mariée avec moi ? dit-il d'un ton plein d'espoir. Tu veux bien être ma femme, la mère d'Ethan, la fille de Penny et la sœur de Logan, de Cooper et de Nikki ?

C'était tout ce qu'elle avait toujours voulu. Une famille.

— Moi, je n'ai rien à t'offrir…

A part de l'argent, mais elle connaissait suffisamment Parker Payne pour savoir que l'argent ne comptait pas pour lui.

Il secoua la tête.

— Chérie, tu m'as déjà *tout* donné. Tu es *tout* pour moi. Tu es toute ma vie. Et cette vie, je veux la passer tout entière avec toi.

Elle passa les bras autour de son cou et l'attira à elle pour l'embrasser.

— Je t'aime.

Elle avait toujours su qu'elle tomberait amoureuse de

ce séducteur au grand cœur, mais elle ne croyait pas qu'il puisse tomber aussi amoureux d'elle.

Pourtant, il le lui redit, comme il l'avait promis :

— Je t'aime, je t'aime, je t'aime.

Elle sourit de bonheur à l'idée d'entendre ces mots toute sa vie.

Si vous avez aimé *Une mystérieuse inconnue*
de Lisa Childs,

découvrez sans attendre les précédents romans
de la série « Les protecteurs » :

Le mariage annoncé
Un engagement à haut risque

disponibles dès à présent sur www.harlequin.fr

ANGI MORGAN

La brûlure du soupçon

BLACK ROSE

HARLEQUIN

Titre original : THE SHERIFF

Traduction française de HERVE PERNETTE

1

— Mince alors, les extraterrestres débarquent et je ne trouve pas ma caméra ! s'exclama Andrea.

Des lumières se déplaçaient dans le ciel, à faible altitude. Bien sûr, ce n'étaient pas des petits hommes verts. Ni un ovni. Mais quoi alors ? Des projecteurs qui éclairaient la nuit depuis le sol ? Non, ces lumières bougeaient trop vite. Ce devait donc être un hélicoptère.

Andrea connaissait parfaitement les engins volants. Et pour cause : elle avait son brevet de pilote et était la fille unique d'un ancien de la NASA.

Ce ne pouvait être un avion. Mais la position des phares n'était pas non plus celle qu'on trouve généralement sur un hélicoptère. Pourtant, ce devait en être un. Quoi d'autre ?

Les lumières se stabilisèrent quelques secondes puis disparurent.

Andrea ôta les écouteurs de son baladeur MP3 pour prêter l'oreille, mais aucun vrombissement ne troublait le silence nocturne.

Elle se frotta les yeux, prit son télescope et repéra de nouveau une lueur. Mais celle-ci se détachait à peine dans les montagnes du désert.

Elle en avait plus qu'assez des lumières de Marfa. Récemment, plusieurs touristes avaient posté des articles sur Internet en affirmant avoir été témoins de phénomènes étranges dans la région sans, évidemment, qu'aucun d'eux ne puisse en apporter la moindre preuve. Ils auraient mieux fait de se renseigner au préalable et comprendre qu'ils avaient sans doute assisté à un phénomène similaire à celui des aurores boréales.

Quoi qu'il en soit, Andrea et les autres étudiants de l'observatoire McDonald avaient décidé de prendre l'affaire en main. Ils s'étaient organisés pour observer le ciel à tour de rôle, plusieurs nuits d'affilée. Au bout du compte, personne n'avait rien vu. Parce que, manifestement, il n'y avait rien à voir !

Andrea en avait vraiment marre.

Le désert dans l'ouest du Texas était avant tout un endroit idéal pour observer les étoiles. Et ça, en revanche, elle adorait. Au point parfois d'en négliger famille et amis. Sa mère en particulier avait du mal à comprendre sa passion pour les étoiles.

Là, elle avait pris le tour de Sharon pour se rendre dans le désert et surveiller le ciel. Sharon le lui avait en effet demandé, car elle avait un rendez-vous avec son petit ami, Logan. Andrea s'était empressée d'accepter, d'autant qu'elle n'avait rien de mieux à faire.

Elle était donc là, assise sur un banc, à observer.

Il y eut un nouvel éclat rouge lumineux. Un peu plus près que le précédent.

De sa main libre, Andrea fouilla dans le sac que Sharon lui avait donné.

— Mais où est cette fichue caméra ?

La lumière sortit du champ de son télescope. Elle le posa et fixa l'horizon. Rien.

Si jamais cette satanée lumière réapparaissait, il fallait qu'elle filme.

Elle vida le sac sur le banc. Il y avait un carnet, une bouteille d'eau, des barres chocolatées, des papiers de chewing-gum mais pas de caméscope.

Elle remit le tout dans le sac.

Où est cette fichue caméra ?

Elle ferma les yeux pour repenser à ses gestes au moment de partir. Juste avant qu'elle démarre, Sharon lui avait fait signe et avait lancé le sac sur le siège passager par la vitre ouverte.

— Je parie qu'elle est sous le siège.

Il y eut de nouveaux éclats lumineux, encore plus près. Un éclat rouge, un éclat bleu. Or, un avion aurait été équipé de lumières rouges ou vertes sur les ailes, et ces lumières auraient clignoté en permanence, pas par intermittence. Pareil pour un hélicoptère.

Stupéfaite, Andrea resta immobile à fixer.

— Il faut que je filme !

Elle retourna à la voiture. Qu'est-ce qui pouvait bien survoler le désert à quelques mètres au-dessus du sol ? Ce n'était pas un ovni, elle n'y croyait pas.

Il lui fallait des images.

Elle passa la main sous le siège, tâta à gestes rapides.

— Je l'ai !

Mais quand elle voulut sortir l'appareil, la lanière s'accrocha quelque part.

Andrea se releva et passa sur la banquette arrière pour pouvoir sortir le caméscope dans l'autre sens.

Si elle produisait des images d'un phénomène inexpliqué, elle pourrait publier un article en parallèle de son mémoire de maîtrise et se faire un nom dans le milieu de l'astronomie. Son cœur se mit à battre très fort et ses gestes se firent précipités. La lanière était toujours coincée et, comme le plafonnier ne fonctionnait plus, elle ne pouvait voir ce qui l'empêchait de sortir la caméra. Elle se contorsionna pour passer au maximum le bras sous le siège et, de haute lutte, parvint enfin à sortir l'appareil. Sans attendre, elle l'ouvrit, se rassit et installa le caméscope en appui sur le dossier du siège avant pour avoir une image stable. Elle enclencha la touche « enregistrement » et braqua la caméra vers le ciel.

— Je ne sais pas si je fais bien de parler pendant que j'enregistre, mais je pense qu'il vaut mieux que j'explique ce que je vois. Précisément parce que je ne sais pas ce que je vois. Il y a cinq minutes, des éclats lumineux sont apparus dans le ciel. Mais rien n'indique qu'il s'agit d'un appareil volant classique.

Une forme se mit alors à courir dans sa direction. Elle braqua sa caméra dessus.

— Je ne l'ai pas mentionné, mais je suis Andrea Allen, je suis toute seule et je n'ai rien pour me défendre contre… Mais qu'est-ce que c'est que ça ?

Sans cesser de filmer, elle plissa les yeux et fixa la forme devant elle.

— Les lumières ont disparu, je ne sais pas ce qui s'approche de moi, mais je crois que je vais m'enfermer dans la voiture.

De sa main libre, elle chercha le bouton pour remonter la vitre. Le vieux coupé de Sharon ne disposait pas de commandes électriques. Elle abandonna donc et descendit du véhicule pour gagner en toute hâte le siège conducteur.

La forme s'était encore rapprochée et, enfin, elle comprit : un homme avançait vers elle, d'un pas chancelant.

— A l'aide.

Elle ne lui accorda aucune attention. Elle ne pensait qu'à s'enfuir. Mais la portière avant refusa de s'ouvrir.

Mon Dieu ! Elle était à moins de dix kilomètres de Marfa. Une fois là-bas, elle se rendrait à la police pour leur dire ce qu'elle avait vu.

— Pitié. A l'aide. La nuit des extraterrestres…

L'homme se tenait tout près d'elle. Il était torse nu, sa peau était sale, ses lèvres desséchées. Il avait les cheveux courts et une blessure sur le côté du crâne. Il présentait également des coupures un peu partout sur les bras.

Où était l'hôpital le plus proche ? A Alpine. Elle ne pouvait pas le laisser là.

Il lui tomba dans les bras, et elle dut s'appuyer sur la voiture pour ne pas partir en arrière sous son poids.

Tant bien que mal, elle le tira jusqu'à la banquette arrière. Elle essaya de plier ses jambes pour pouvoir refermer la portière.

— S'il vous plaît, aidez-moi un peu, vous êtes trop lourd pour moi.

Il n'eut aucune réaction. Apparemment, il était inconscient. Elle fit de son mieux pour soulever ses jambes. Il était dans une position très inconfortable, mais pas en état de se plaindre.

— Allez, à l'hôpital ! s'enjoignit-elle.

Elle se glissa sur le siège avant et démarra. Tant pis pour les mystérieuses lumières, la réalité l'avait rattrapée. Ce type n'était pas tombé d'un ovni et semblait avoir passé plusieurs jours dans le désert.

Il était en danger de mort, c'était plus important que ses recherches. Elle prit la direction d'Alpine, les mains crispées sur le volant. Elle avait du sang dessus, ainsi que sur les avant-bras. Ce n'était pas son sang à elle, mais celui de l'homme sur la banquette arrière.

— Vous saignez beaucoup ? Que vous est-il arrivé, vous avez été attaqué par un coyote ?

Il ne répondit pas.

Elle tourna la tête : une mare de sang commençait à se former sur la banquette. Elle freina pour s'arrêter et ouvrit la boîte à gants. Hélas, il n'y avait là rien pour stopper une hémorragie. N'ayant pas d'autre solution, elle ôta sa veste, se retourna et se mit à palper son passager pour trouver la blessure. Elle ne mit pas longtemps à la découvrir, en dessous des côtes. Elle n'en avait jamais vu, mais il s'agissait certainement d'une blessure par balle.

— Que vous est-il arrivé ?

Elle appliqua sa veste roulée en boule contre son flanc et

lui ramena le bras le long du corps pour que son garrot de fortune reste en place. L'homme poussa un gémissement.

— Dieu merci vous êtes en vie, mais il faut faire vite.

Un éclat réapparut brièvement dans le ciel.

Elle repensa aux conseils de son père pour garder son calme. Elle inspira profondément, boucla sa ceinture de sécurité, s'essuya les mains sur son jean, remit une mèche de cheveux en place derrière son oreille et démarra.

Dans quoi se retrouvait-elle embarquée ? Avait-elle assisté sans le savoir à des tests secrets pour un nouvel hélicoptère ? Un drone indétectable par les radars ?

— Faites-vous partie de l'armée ou des services secrets ? J'espère que vous n'êtes pas un fugitif ou un passeur de drogue…

Elle se reprit :

— Peu importe ! Vous avez besoin qu'on vous soigne.

A plusieurs kilomètres à la ronde, il n'y avait rien. Pas de maison, personne à qui demander de l'aide. Il fallait qu'elle appelle. Où était son téléphone ?

Oh non !

Elle l'avait laissé sur le banc.

Pourtant, il fallait qu'elle appelle. Elle devait prévenir l'hôpital de son arrivée. Peut-être même qu'ils pourraient lui donner des conseils par téléphone.

Ne vaudrait-il pas mieux faire demi-tour alors ?

L'hôpital enverrait une ambulance…

Mais, soudain, de puissants projecteurs se reflétèrent dans ses rétroviseurs et elle fut éblouie.

Tant pis, on oublie le téléphone.

Elle enfonça la pédale d'accélération.

— Ce truc nous suit !

Il frôlait quasiment son pare-chocs.

La route était étroite et, si elle freinait, elle se ferait percuter. Mais la voiture de Sharon n'était pas suffisamment puissante pour qu'elle puisse espérer semer ses poursuivants.

— Et maintenant, je fais quoi ?

Des lumières bleues et rouges se mirent à clignoter derrière elle, envahissant l'habitacle. Elle avait du mal à voir la route et à maintenir la trajectoire. Il y eut une secousse, puis une autre. Elle fut projetée en avant et, sans sa ceinture, elle aurait percuté le volant.

Elle serra les dents pour garder son calme.

Il y eut une nouvelle secousse. Elle devait être poursuivie par un hélicoptère, il n'y avait pas d'autre explication. L'homme sur la banquette arrière et elle avaient de sérieux ennuis.

La voiture fit alors une embardée à gauche, puis à droite. Andrea se crispa sur le volant de toutes ses forces.

Il y eut encore une secousse, puis, soudain, plus de lumières du tout.

Ce brutal contraste la surprit tellement qu'elle remarqua trop tard le virage qui s'annonçait. Elle heurta le rail de sécurité, qui céda.

La voiture dévala une pente.

Andrea hurla de terreur.

2

Pete cligna des yeux. S'il n'y prenait pas garde, à rouler ainsi le long de ces rues désertes, il allait finir par s'endormir. Il s'étira donc la nuque, monta le son de la radio dans sa voiture de patrouille et baissa la vitre pour laisser entrer un peu d'air frais. Il devait aller jeter un œil dans la zone des « lumières de Marfa », comme on l'appelait désormais.

Un camionneur avait en effet contacté le standard. « J'ai vu des trucs bizarres en passant dans le coin », avait-il déclaré. « Je ne crois pas aux ovnis mais si jamais c'en est un, je veux qu'on fasse savoir que c'est moi qui vous ai prévenus. »

« Bien sûr », avait répondu la standardiste, comme c'était le cas chaque fois qu'un automobiliste appelait pour signaler ce genre d'apparitions.

Quelqu'un devait ensuite se rendre sur place pour vérifier.

Pete poussa un soupir.

C'est sans doute un avion qui a survolé le secteur. Je perds mon temps.

Et tout ça, à cause de Griggs. Son collègue lui avait de nouveau demandé de le remplacer à la dernière minute pour la garde de nuit. C'était la troisième fois en quinze jours ! Soi-disant qu'il avait attrapé froid et devait rester au lit. Au poste de police, tout le monde savait très bien que c'était faux : Griggs allait faire la fête à Alpine.

Pete souffla de nouveau. A vrai dire, cela ne le dérangeait pas plus que ça de remplacer Griggs. Depuis un mois et demi, il n'avait pas le cœur à la fête. Donc, autant travailler.

Il allait passer dans la zone des lumières, s'assurer que tout était calme, puis rentrer.

— Standard, tout semble en ordre par ici, je ne vois rien d'inhabituel. Mais je vais quand même rouler jusqu'à la limite du comté.

— Bien reçu, Pete. Ici Peach. A tout à l'heure.

Le ton formel de la standardiste le fit rire. Elle ne changerait jamais. Elle insistait pour que tout le monde l'appelle par son prénom. Honey, sa sœur, assurait le standard de jour. Elles travaillaient déjà au bureau du shérif de Presidio quand son père y était simple agent.

Depuis, son père, ou plus exactement celui qui l'avait élevé, était devenu shérif et il approchait de la retraite. Dernièrement, une crise cardiaque l'avait même contraint à se mettre en congé. Une élection pour son remplacement aurait bientôt lieu.

En attendant, Pete assurait l'intérim. Peut-être présenterait-il sa candidature d'ailleurs.

— Hé, qu'est-ce que c'est que ça !

Il donna un coup de volant pour éviter ce qui traînait au milieu de la route. Dès qu'il le put, il fit demi-tour, alluma son gyrophare, se gara et mit les pleins phares : un pare-chocs gisait en travers de la ligne jaune.

Il prit sa radio pour alerter Peach.

— Standard, je viens d'éviter les débris d'un véhicule sur la route. Je suppose qu'un pare-chocs est tombé d'une voiture et que le conducteur ne s'est pas arrêté pour le ramasser. J'ai failli l'accrocher et quitter la route.

— Eh bien, dis donc, shérif Pete, c'est une bonne chose que tu aies eu à sortir ce soir. Tu imagines si quelqu'un d'autre l'avait percuté, ou pire : qu'un camion qui transportait de l'essence ou des produits chimiques ait eu un accident ? Son chargement se serait déversé dans l'eau du réservoir… Ça aurait provoqué l'apparition d'animaux mutants, ou pire encore.

Pete sourit.

— Tu ne serais pas en train de lire un de ces romans d'anticipation que tu adores, par hasard ?

— Comment as-tu deviné ?

— Une intuition…

— Bien. J'en suis justement à un passage haletant, alors je te laisse tout remettre en ordre. Rappelle-moi si tu as besoin de quoi que ce soit.

— Entendu. Ah, au fait, Peach, tu veux bien arrêter de m'appeler « shérif Pete » ? Tu sais que je ne porte le titre de shérif que jusqu'à la prochaine élection.

— C'est pareil pour moi en tant que standardiste. Après l'élection, je n'en aurai plus forcément le titre.

— Un point pour toi.

Il reposa sa radio puis alla ramasser le pare-chocs. Celui-ci semblait provenir d'une petite voiture. Il y avait également des traces de pneus sur l'asphalte.

Pete braqua le faisceau de sa lampe dessus et les suivit.

Plus loin, le rail de sécurité était couché. La voiture avait certainement quitté la route.

Pete posa le pare-chocs et s'engagea dans la pente.

Plus bas, le grillage de sécurité était complètement arraché.

Pete balaya les environs avec sa lampe et finit par repérer le véhicule. Il retourna à sa voiture au pas de course. Si le conducteur était encore à l'intérieur, il devait prévenir les secours sans tarder.

— Standard. Peach ? ajouta-t-il plus fort pour attirer l'attention de cette dernière.

— Je suis là, je finissais mon chapitre. Tu es sur le chemin du retour ?

— Non, un véhicule a quitté la route à environ cinq cents

mètres de la plate-forme d'observation. Je l'ai repéré. Je me dirige vers lui. Le grillage de sécurité est arraché. Vérifie s'il y a du bétail dans le secteur qui pourrait s'échapper et, le cas échéant, préviens le propriétaire.

— Il va falloir réveiller le shérif, on dirait.

— Non, ne réveille pas mon père. Il est en congé, je te rappelle.

— Tu sais très bien que ça ne l'empêchera pas de se mêler de cette histoire.

— Peach, laisse-moi cinq minutes pour faire le tour du véhicule, d'accord ?

Il avait besoin de prendre une initiative et de ne pas avoir à suivre les directives de son père.

— Je vais voir si le conducteur est encore là et dans quel état il est.

— Ton père ne va pas apprécier, observa Peach. Tu sais qu'il déteste être mis au courant d'un événement après tout le monde.

— J'en prends la responsabilité.

— Mais tu sais comment il est ! insista Peach d'un ton plaintif.

— Souviens-toi que, normalement, il est en congé, c'est tout. Donne-moi cinq minutes, pas plus.

— Bien, monsieur-qui-joue-au-shérif.

Ouais, mais pour combien de temps ? se demanda Pete.

Il avança en prenant garde où il posait les pieds pour ne pas déraper sur un rocher. Etant donné l'endroit où le véhicule avait fini sa course, le conducteur avait dû rouler très vite.

Pete approcha prudemment, sa lampe devant lui, l'autre main sur la crosse de son revolver.

— Ici le shérif du comté. Avez-vous besoin d'aide ?

Pas de réponse.

Arrivé à hauteur de la voiture, il braqua sa lampe sur l'intérieur. Un corps inerte y gisait.

— Monsieur ?

Pete ouvrit la portière et chercha immédiatement un pouls.

Mort.

Il était couvert de plaies.

— Tu aurais dû boucler ta ceinture, bonhomme. Mais comment tu t'es retrouvé sur la banquette arrière ?

C'était étonnant, mais il avait déjà vu plus étrange lors d'accidents de la route.

Pete retourna à sa voiture et saisit sa radio par la vitre ouverte.

— Peach, envoie une ambulance. Nous avons une victime, décédée.

— Quel malheur !

— Ouais.

Il reposa son micro sur le siège.

Quelques instants plus tard, le haut-parleur grésilla.

— Pete, les urgences disent qu'il leur faudra une heure pour être sur place. Il y a eu un autre accident à Alpine et, comme pour celui-ci ils viendront seulement ramasser un cadavre, l'autre a la priorité.

— Entendu, pas de problème.

Finalement, il n'était pas près d'aller se coucher. Il était bon pour rester une heure à attendre là, sauf si Peach l'appelait pour une autre alerte.

Tiens, je vais en profiter pour prendre des photos.

Il alla chercher l'appareil et retourna auprès du véhicule accidenté.

Sans bouger le corps, il prit plusieurs clichés sous tous les angles. Il y avait du sang sur l'extérieur de la portière avant gauche et des traces dans l'herbe, comme si on avait rampé. En outre, le moteur était encore chaud.

— Y a quelqu'un ? appela-t-il en balayant les environs avec sa lampe.

Il repéra des empreintes et les suivit.

— Je suis du bureau du shérif. Je suis là pour vous aider.

Il rangea son appareil photo dans sa poche et accéléra le pas. Les traces devenaient moins visibles, mais il finit par repérer le bout d'une chaussure.

— Ça va ?

Il accomplit les derniers mètres au pas de course. Une femme gisait au sol, face contre terre. Elle respirait, mais était inconsciente. Heureusement, elle ne semblait pas avoir de membres brisés ni de plaies.

Il la fit doucement rouler sur le dos.

Son T-shirt était maculé de sang, mais elle ne paraissait pas saigner elle-même.

Il écarta un peu de terre de son jeune visage. Elle avait le teint clair, des cheveux bruns coupés court, les yeux bleus. Quand il braqua sa lampe dessus, ses pupilles se dilatèrent.

— Vous m'entendez ?

Il la palpa de nouveau. Elle ne réagit pas. Elle avait besoin de soins sans tarder. Mais l'ambulance ne serait pas là avant une heure. Il n'avait pas le choix. Il la prit dans les bras et la porta à sa voiture.

Une fois qu'il l'eut installée sur le siège passager, il reprit son micro.

— Peach !

— Oui ? Tu t'ennuies déjà ?

— J'emmène une survivante de l'accident à l'hôpital d'Alpine. Je l'ai découverte à une cinquantaine de mètres du véhicule.

— Oh mon Dieu ! J'avertis immédiatement l'hôpital de ton arrivée.

Sur le siège passager, la jeune femme bougea légèrement et poussa un gémissement. C'était bon signe.

— Accrochez-vous.

Il démarra et s'efforça de ne pas rouler trop vite pour

éviter les secousses. La jeune femme continua à gémir et marmonna même quelques paroles :

— Non, pas les extraterrestres… Pas les extraterrestres !

Décidément, songea Pete, les lumières de Marfa attiraient beaucoup d'illuminés.

3

— Je vous l'ai déjà dit plusieurs fois : je ne suis pas certaine de ce qui m'a fait quitter la route. Ce devait être un hélicoptère, mais ses lumières m'éblouissaient et j'ignore de quel modèle il s'agissait.

Tout le monde semblait connaître l'homme qui l'avait transportée à l'hôpital, remarqua Andrea. Il était appuyé dos contre le mur à côté de la porte et sa carrure en imposait. Pendant que les médecins l'examinaient, il lui avait posé de nombreuses questions en prenant des notes. Plusieurs fois, des gens l'avaient interrompu pour le féliciter de sa promotion comme shérif.

Et, chaque fois, il avait répondu que c'était provisoire.

Elle souffrait d'une foulure au poignet et d'une petite commotion cérébrale, et ses vêtements étaient fichus. Sans parler de la voiture de Sharon.

L'infirmière lui avait dit qu'elle pouvait se déshabiller et enfiler une blouse d'hôpital, mais le policier très mignon n'avait pas proposé de quitter la pièce pour qu'elle puisse se changer. Tant pis, elle resterait dans ses vêtements maculés de sang et de boue. Elle n'osait pas les ôter devant Pete Morrison, le shérif provisoire.

Se faire interroger par un homme aussi séduisant était injuste. Elle avait du mal à se concentrer et s'en tenait à des réponses laconiques pour ne pas risquer de dire des bêtises.

— Quelle taille faites-vous ? lui demanda-t-il en tournant une page de son carnet.

— Un mètre soixante-dix. Pourquoi cette question ?

Même si elle n'était pas vraiment petite, elle aurait dû se mettre sur la pointe des pieds pour l'embrasser, réalisa-t-elle.

Mais d'où lui venait une telle idée ? S'était-elle cogné la tête trop fort ? Oui, quand même, elle avait eu une commotion cérébrale !

— C'est un détail pour que mon rapport soit le plus précis possible.

Il dissimula, mal, un sourire et fronça les sourcils, comme pour se concentrer. Elle ne put s'empêcher de rougir. Pourquoi une telle réaction ?

Parce qu'il est vraiment très mignon, voilà pourquoi.

— Vous êtes sûre de n'avoir rien entendu ? Et « l'homme qui venait du désert », comme vous l'avez appelé, il n'a rien dit du tout ?

— Non, je ne crois pas. Au fait, comment va-t-il ? Il est toujours en chirurgie ? J'ai déjà posé la question plusieurs fois, mais personne ne semble savoir de qui je parle. Pourtant, il n'y a qu'un seul hôpital dans le secteur, non ? On l'a bien transporté ici ?

Un peu plus tôt, quand elle avait posé la question à l'infirmière, celle-ci avait semblé gênée. Le shérif, lui, se contenta de secouer la tête et de hausser les épaules. Toutes les personnes qui pénétraient dans la pièce lui demandaient sa permission avant de parler et, chaque fois, il leur faisait comprendre de ne rien révéler.

Il braqua ses yeux bleus sur elle.

— Pouvez-vous nous dire comment s'appelle votre ami ?

Elle retint un soupir.

— Vérifiez vos notes, shérif Morrison. Je suis certaine de vous avoir déjà expliqué que je n'avais jamais vu cet homme.

— En effet, c'est ce que vous avez déclaré, mademoiselle, répliqua-t-il tandis qu'il revenait à la page précédente
de son carnet. Et c'est inutile de m'appeler « shérif ».
Contentez-vous de « Pete », ce sera très bien.

— Apparemment, elle n'a pas de problèmes de mémoire,
Pete, intervint l'infirmière qui terminait de lui bander le
poignet.

Une horrible odeur lui avait fait reprendre connaissance
aux urgences. Ce n'était pas la première fois qu'on lui
faisait respirer des sels, ça lui était déjà arrivé une fois
ou deux après avoir subi un choc quand elle jouait au
softball à l'université. Elle imaginait très bien la réaction
de ses parents quand elle leur apprendrait ce qui lui était
arrivé. Sa mère déclarerait que c'était un miracle qu'elle
s'en soit sortie avec une simple foulure. Au contraire, son
père, qui lui avait appris à faire face à toutes les situations,
au volant d'une voiture ou aux commandes d'un avion,
en déduirait que son enseignement avait porté ses fruits.

L'infirmière désigna le bandage.

— Comme ça, ça va, mademoiselle Allen ?

— Oui, c'est parfait, je n'ai même plus mal. Je peux
partir maintenant ?

— Je vais poser la question au médecin et, s'il est
d'accord, il signera les documents de décharge pour que
vous puissiez sortir. A bientôt, Pete, dit l'infirmière avant
de quitter la chambre.

— Pourquoi êtes-vous si pressée ? lança le shérif.

Croyant la question adressée à l'infirmière, Andrea ne
répondit pas.

Mais Pete haussa avec insistance les sourcils.

— Oh ! fit-elle. C'est à moi que vous parliez ? Je ne
suis pas particulièrement fan des hôpitaux, c'est tout.

Il avait vraiment un regard fascinant.

Elle s'empressa de préciser :

— Au cas où vous vous poseriez la question, je ne me

suis pas échappée d'un asile. Je vous le répète, je suis étudiante en master et, à ce titre, je travaille à l'observatoire McDonald.

— Je n'ai rien dit du tout.

— Peut-être, mais je vois bien que vous vous demandez ce que je cache. Et d'ailleurs, qu'attendez-vous ? Je vous ai expliqué qu'il me suffisait de passer un coup de fil pour qu'on vienne me chercher. L'amie que je remplaçais ce soir est à Alpine. Mais je ne sais pas où exactement.

Pete sortit un portable de sa poche.

— Allez-y, passez votre appel.

Elle tendit la main et fit une grimace. Elle avait des courbatures qui commençaient à se réveiller. Surtout, son téléphone était resté à la plate-forme d'observation et elle ne connaissait pas le numéro de Sharon par cœur.

— Inutile, je ne sais pas son numéro.

Si elle devait prendre un taxi pour retourner à Fort Davis, la note allait être salée. Déjà fallait-il qu'à Alpine il y ait un chauffeur de taxi qui accepte de faire une quarantaine de kilomètres ! Pour ce faire, elle devrait certainement promettre de doubler le prix de la course.

— Nous avons essayé de localiser la propriétaire du véhicule, mais elle est domiciliée à Austin.

— Elle est également étudiante, je vous l'ai dit.

Il se redressa et glissa son portable dans sa poche de poitrine.

— Pour répondre à votre question, je suis encore ici parce que j'ai besoin de votre déposition officielle. Et également parce que je me suis dit que vous auriez peut-être besoin qu'on vous raccompagne à Fort Davis.

— Oh ! merci ! C'est très gentil de votre part. En ce moment, j'habite à l'observatoire. Les forces de l'ordre sont vraiment attentionnées par ici.

— Ce n'est pas pareil avec les autorités chez vous ? Vous avez souvent affaire à elles ?

Elle ne répondit pas et se contenta de le fixer. A quoi jouait-il ?

— Laissez tomber, je ne m'entends pas très bien avec les flics.

Mortifiée de s'être ainsi exprimée à voix haute, elle posa une main sur sa bouche.

— Ce n'est pas forcément une fatalité, répliqua Pete. Moi, j'aime les femmes qui disent ce qu'elles pensent. Ça fait du bien.

— On m'a donné un analgésique, je ne sais plus très bien ce que je dis.

Il acquiesça avec un léger sourire.

— J'étais là avant qu'on vous donne ce médicament et je n'ai pas eu l'impression que vous étiez plus réservée.

A ces mots, une irrésistible envie de lui passer les mains dans les cheveux la saisit.

Ouh là !

Mais qu'avaient bien pu lui donner les médecins pour qu'elle ait de telles pensées ? Il fallait qu'elle se ressaisisse.

— Vous croyez que j'ai fait quelque chose de mal, shérif ?

— Mademoiselle Allen…

— S'il vous plaît, appelez-moi « Andrea ».

— Andrea, nous avons procédé à quelques vérifications.

— Attendez, laissez-moi deviner : aucun avion ni hélicoptère n'est censé avoir volé dans le secteur ce soir. Donc, j'ai vu un ovni.

Elle avait tenté de s'exprimer d'un ton léger pour détendre l'atmosphère et y alla même d'un petit rire, mais le shérif garda un air grave.

— Je plaisantais, bien sûr.

— Toutefois, vous avez déclaré que des extraterrestres vous poursuivaient.

— Je divaguais, j'étais encore à moitié inconsciente. Je ne crois ni à l'arrivée des extraterrestres ni aux ovnis.

J'étudie les étoiles, mais ça ne m'empêche pas d'avoir les pieds sur terre.

La fatigue commençait à lui peser et elle avait envie de dormir.

— Je suis là… pour travailler sur mon mémoire, bafouilla-t-elle.

Tout vacillait autour d'elle et soudain elle roula de côté. Elle allait tomber, c'était certain.

Mais alors des bras fermes la retinrent et la réinstallèrent sur les oreillers.

Ce shérif avait des mains puissantes et rassurantes. Et il était rapide. A peine avait-elle défailli qu'il s'était précipité vers elle.

— Peut-être que nous ferions mieux de continuer cette discussion plus tard.

— Je suis désolée, shérif, répondit-elle en se passant la main sur la bosse à l'arrière de son crâne. Je… suis un peu… dans les vapes.

— Ce n'est pas grave. Je reste dans les parages. Et, encore une fois, appelez-moi « Pete ».

— Entendu. Vous… vous ai-je dit que vous aviez un beau sourire ?

Elle porta la main à sa bouche pour dissimuler un bâillement. Elle était tellement fatiguée qu'elle ne maîtrisait plus ses paroles.

— Oui, oui. Mais je crois que vous avez surtout besoin de dormir.

Il avait encore la main sur son épaule. Elle se tourna de côté et y posa la joue. Apaisée, elle ferma les yeux.

— Je ne vais pas mettre longtemps à m'assoupir, murmura-t-elle.

*
* *

Péniblement, Andrea rouvrit les yeux. Combien de temps avait-elle dormi ? Derrière les stores de la fenêtre, il semblait faire encore nuit.

Elle se tourna vers la porte entrouverte. Le shérif se tenait juste derrière. Il parlait avec une personne en blouse blanche. Peut-être était-ce l'infirmière qui s'était occupée d'elle, ou alors le médecin qui était là pour signer sa décharge. Elle posa les mains en appui sur le matelas pour se redresser, mais la douleur la fit s'arrêter net.

— Ouh, ça fait mal !

Elle avait le poignet bandé. Etrangement, elle se souvenait de tout sauf de sa foulure au poignet.

— Je vais retourner sur le lieu de l'accident, annonçait le shérif près de la porte. J'attends seulement qu'un membre de la police d'Alpine vienne me relayer auprès de Mlle Allen. On laissera quelqu'un avec elle jusqu'à ce qu'on en sache plus.

— Et si nous avons besoin de la chambre ? lui demanda la personne en face de lui.

— Madame Yardly, je sais que c'est vendredi soir, mais nous sommes à Alpine, pas à New York. Quand le service des urgences a-t-il été saturé pour la dernière fois ?

L'infirmière n'eut pas le temps de répondre. Un homme au crâne dégarni apparut et présenta un insigne. Il était vêtu d'un costume sombre et s'exprima de manière mécanique et froide :

— Steven Manny, de la Sécurité intérieure. Je suis ici pour Andrea Allen.

— Je croyais qu'un policier devait se présenter pour rester avec elle et, ensuite, la reconduire à l'observatoire, répondit le shérif d'un ton méfiant.

— Je dois lui poser quelques questions. Ensuite, je me chargerai en personne de la reconduire chez elle. Vous pouvez partir.

L'homme en costume entra dans la chambre sans plus s'expliquer.

— Mademoiselle Allen, vous êtes prête ?

Andrea acquiesça, mais chercha Pete du regard pour l'implorer silencieusement de ne pas la laisser seule avec ce type. Sans hésiter, le shérif entra lui aussi dans la chambre et ferma la porte derrière lui.

— Elle s'est évanouie il n'y a pas longtemps et les médecins ne sont pas prêts à la laisser sortir.

— Je comprends votre inquiétude, mais nous devons partir sans tarder. Préparez-vous, mademoiselle Allen, déclara l'homme en costume en lui faisant signe de se lever.

Avant de s'effondrer dans les bras du shérif, elle était pressée de quitter l'hôpital. Désormais, elle ne voulait pas s'en aller sans lui. Ce type en costume ne lui inspirait aucune confiance.

— Où allons-nous ? s'enquit-elle.

— C'est top secret.

— Pourriez-vous me montrer de nouveau votre insigne ? intervint Pete.

Il fit un pas supplémentaire.

Aussitôt, l'homme en costume tenta de lui assener un coup à la gorge du tranchant de la main. Immédiatement, Andrea bondit de son lit pour venir en aide à Pete mais, de l'autre main, l'homme en costume la repoussa et elle bascula en arrière.

Pete, lui, avait évité le coup. Il était plus grand et plus fort que le type en costume. Il le saisit par le col et l'envoya à son tour valser dans la pièce. L'homme tomba juste à côté d'elle. D'instinct, elle lui envoya son pied dans l'estomac. L'individu poussa un gémissement de douleur.

Pete était déjà sur lui, il le releva et lui assena un direct à la mâchoire. L'homme heurta la porte. Son regard était plein de panique. Il se redressa et brandit un objet alors qu'il avait déjà l'autre main sur la poignée.

— Attention ! s'exclama Andrea.

Pete plongea au sol, mais elle, elle s'écarta trop tard. Elle reçut l'objet métallique en plein sur l'oreille et s'écroula de nouveau par terre.

Il y eut des cris, de l'agitation autour d'elle. Elle était trop groggy pour comprendre ce qui se passait. Dans son champ de vision, des chaussures noires quittèrent la chambre. Puis des bras puissants et rassurants la soulevèrent du sol et la reposèrent sur le lit.

— Tout va bien, Pete ? lança l'infirmière.

— Madame Yardly, appelez un médecin et alertez la sécurité.

— Je vais bien, réussit à articuler Andrea. J'ai pris un coup, j'ai les oreilles qui sifflent, mais c'est tout.

Un médecin et une infirmière entrèrent dans la chambre.

Pete sortit dans le couloir, son téléphone à l'oreille. Il revint presque aussitôt.

— Pourquoi vous ne partez pas à la poursuite de ce type ? lui demanda Andrea tandis que le médecin l'examinait.

— Je reste avec vous pour assurer votre sécurité, c'est ce qu'il y a de mieux à faire.

— Il y a plein de monde autour de moi, je ne risque rien. Allez-y, insista-t-elle.

— Vous êtes sérieuse ? On essaie de vous tuer et vous voulez que je vous laisse seule ici ?

— Vous m'avez sauvé deux fois la vie, je vous en suis extrêmement reconnaissante. Mais je ne peux rien vous apprendre de plus, alors n'est-ce pas plus important de coincer ce type pour comprendre pourquoi il en avait après moi ?

— Ma priorité, c'est votre sécurité. Le reste peut attendre.

Elle le fixa. Il semblait en proie à une grande émotion.

Elle-même était effrayée, troublée, et encore un peu sonnée.

Elle devait tenter de recouvrer sa lucidité : des types lui

avaient fait quitter la route pour essayer de la tuer alors qu'elle conduisait la voiture de Sharon. Ces mêmes types avaient très probablement tué l'homme qu'elle avait essayé de secourir. Et voilà qu'un prétendu agent du gouvernement venait d'essayer de l'enlever !

— C'est vrai que vous ne me connaissez pas, reprit-elle à l'intention de Pete, mais je ne suis pas sans défense. Ce type m'a eue par surprise, mais je peux prendre soin de moi toute seule.

— Pas ce soir, répliqua-t-il en se passant nerveusement la main dans les cheveux. Je vais vous reconduire et rester avec vous jusqu'à ce qu'on décide quoi faire. La police locale est sur les traces de l'homme en costume. Ils le retrouveront.

— Vous en êtes sûr ?

Manifestement, elle perdait son temps à discuter. Le shérif avait pris sa décision. D'ailleurs, s'il n'avait pas été là, elle aurait pu y laisser sa peau. Ou suivre ce type en costume. Ensuite, que se serait-il passé ?

Le shérif ouvrit la porte.

— Madame Yardly, nous devons partir sans délai. Faites le nécessaire.

— Entendu. Je me souviendrai de ce vendredi soir, croyez-moi.

4

Une main sur son téléphone, Pete gardait Andrea à l'œil, depuis la porte de la chambre. Il devait la surveiller, qu'elle soit victime ou qu'elle ait commis un délit. Pour le moment, il ignorait quelles étaient les réelles motivations du type qui s'était présenté à l'hôpital.

Quoi qu'il en soit, Andrea était au cœur d'une énigme et il ne devait pas la lâcher. Elle était soit la suspecte numéro un, soit le témoin d'un meurtre.

Il reprit sa conversation téléphonique.

— Je maîtrise la situation, je n'ai pas besoin de renforts, papa. De toute façon, je ne vais pas tarder à partir. Nous attendons seulement que le médecin termine son ordonnance. Tu ne peux rien faire. Je sais que tu es déjà au bureau, alors restes-y et fais ce que tu as à faire. Quand est-ce que Peach t'a appelé ?

— Ecoute, Pete, si elle m'a appelé, ce n'est pas parce qu'elle doute de tes capacités. Nous travaillons ensemble depuis très longtemps et certaines habitudes ont la vie dure.

Pete retint un juron.

— Oh ! Je ne me fais pas d'illusions. Elle a prévenu le *véritable* shérif dès que je lui ai annoncé avoir découvert un cadavre, pas vrai ? Un cadavre qui avait disparu à l'arrivée de l'ambulance moins d'une heure plus tard.

— Pete, le véritable shérif, c'est toi, peu importe depuis combien de temps je suis au bureau, répliqua son père. La photo du cadavre que tu as envoyée a causé des remous.

J'attends un appel de la brigade des stupéfiants et de la Sécurité intérieure.

— Tu penses que c'était un agent infiltré ?

— C'est possible, Pete. Je devrais en savoir plus dans pas longtemps. J'aimerais bien aller voir l'épave du véhicule accidenté avant qu'elle disparaisse également, mais je n'ose pas bouger tant que je n'ai pas reçu cet appel.

— Alors tu crois à l'histoire de lumières de notre Belle au bois dormant ?

Son père allait inspecter la scène de crime tandis que lui jouerait les baby-sitters pour leur témoin. De mieux en mieux, vraiment…

— Eh bien, certains éléments ne sont pas clairs, Pete. Un cadavre ne disparaît pas comme par enchantement. Les légistes sont sûrs qu'un animal sauvage n'aurait pas pu emporter le corps ?

Cette fois, Pete maugréa franchement.

— A leur retour à l'hôpital, ils m'ont accusé de leur avoir fait perdre leur temps.

— Cela signifie que ceux qui ont chassé notre témoin avec cet hélico ne voulaient pas que le corps soit retrouvé, commenta son père.

— Peach a-t-elle envoyé quelqu'un à l'observatoire pour qu'on confirme son identité ?

— Oui, le directeur a tout confirmé. Cette jeune femme a vraiment eu de la chance que tu sois arrivé à temps. Sinon elle y serait restée. Ne la lâche pas d'une semelle tant que nous n'y verrons pas plus clair.

— C'est mon intention. Je connais mon boulot, tu sais.

Il jeta un œil vers Andrea dans la chambre. Tout cela prenait un temps fou. L'homme en costume devait avoir fui bien loin !

— Tu feras un très bon shérif, Pete. Je suis impatient de pouvoir réellement prendre ma retraite et souffler.

— Tu sais très bien que ça n'arrivera pas.

Tôt ou tard, ils devraient avoir une sérieuse conversation à ce sujet, songea Pete. Cela faisait un mois et demi qu'il repoussait ce moment. Mais, là, les circonstances ne s'y prêtaient pas.

— Je te rappelle que tu es censé lever le pied, papa. Alors ne bouge pas, je repasserai sur le lieu de l'accident dès que possible.

— Je ne suis pas invalide.

— Et c'est une chance après un triple pontage coronarien.

Soudain, Andrea apparut à la porte. Plongé dans sa discussion, Pete ne l'avait pas vue se relever.

— Ce type est mort ? demanda-t-elle.

Elle semblait paniquée.

— L'homme que j'ai secouru dans le désert est mort ? L'accident lui a été fatal ? C'est ma faute ?

— Papa, il faut que j'y aille. Si tu vas voir le véhicule, fais-toi conduire, tu ne devrais pas prendre le volant.

Il raccrocha et se tourna vers Andrea.

— Je suis désolé que vous ayez entendu cette conversation. Quand j'ai vu le corps de cet homme, je n'aurais su dire ce qui l'a tué. Je ne peux donc pas répondre à votre question.

— Je voudrais changer de T-shirt. Maintenant.

Elle avait encore le sang de cet homme sur ses vêtements, réalisa-t-il. Sa respiration était saccadée, comme si elle allait se sentir mal.

Il appela une infirmière et lui demanda une blouse propre. Sans attendre, Andrea ôta son T-shirt.

— Qu'est-ce que vous faites ?

Elle jeta son T-shirt par terre.

— C'est évident, non ? Quoi ? Vous n'avez jamais vu une fille en soutien-gorge ?

— Prenez ça, dit-il en lui tendant un oreiller pour qu'elle dissimule ses seins.

— Si c'est ce que vous redoutez, n'ayez crainte, je ne porterai pas plainte pour harcèlement.

— Nous sommes dans une petite ville, alors mieux vaut éviter de donner aux gens de quoi jaser.

— On essaie de me tuer, je ne sais même pas pourquoi, mais vous, votre préoccupation, c'est de ne pas me voir en soutien-gorge !

Elle le fixait droit dans les yeux, l'oreiller entre les mains.

— Ceux qui essaient de vous tuer veulent couvrir leurs arrières, je pense.

— Mais je ne sais rien du tout !

— Eux l'ignorent.

L'infirmière réapparut, une blouse à la main. Sans un mot, elle la tendit à Andrea et tourna les talons.

— Attendez ! la retint Pete. Vous voulez bien aider Mlle Allen à se laver et à se changer ? Et prenez soin d'empaqueter ses vêtements, d'accord ?

— Bien sûr, répliqua l'infirmière en lui adressant un petit sourire.

Il sortit et ferma la porte derrière lui.

Puis il s'appuya dos au mur et prit une longue inspiration. Andrea Allen l'attirait, c'était inutile de se voiler la face. Alors il allait devoir prendre sur lui pour garder son sang-froid.

Quand elle avait enlevé son T-shirt, il avait eu toutes les peines du monde à ne pas la fixer avec des yeux ronds comme un ado qui se retrouve pour la première fois avec un magazine de charme entre les mains.

Son allure sportive l'avait étonné ; ce n'était pas celle d'une étudiante qui passe tout son temps dans ses livres. Mais ils devaient encore s'assurer qu'elle ne leur avait pas menti sur son identité. Ils n'avaient pas retrouvé ses papiers dans la voiture ni d'affaires à elle sur la plate-forme d'observation.

Après tout, son intention était peut-être de le distraire

jusqu'à ce qu'elle puisse quitter discrètement l'hôpital. Peut-être avait-elle usurpé l'identité d'Andrea Allen.

Mais, si c'était le cas, c'était vraiment une grande actrice qui, en outre, savait jouer de ses charmes. Le spectacle de ses cheveux bruns sur sa peau claire et de son collier qui tombait entre ses seins parfaits l'avait fasciné.

L'infirmière ressortit fort opportunément de la chambre.

— La mort de cet homme l'affecte énormément, lui confia-t-elle. Je ne sais pas quels sont les tenants et aboutissants de cette affaire, mais je vous conseille de veiller sur elle.

— Entendu. Vous savez si le médecin a préparé son ordonnance ?

— Je vais aller voir.

Il donna un petit coup à la porte et entra. Andrea était assise sur le lit, tête basse.

— Tout le monde croit que je suis soit une folle soit une menteuse. Et vous, que croyez-vous ?

Quand elle arborait une mine déconfite, elle était ravissante.

Il haussa les épaules.

— N'ayez crainte, nous finirons par découvrir ce qui est arrivé à cet homme.

Il réfléchit. Pour lui, cette affaire était cruciale : elle pourrait lui permettre de démontrer qu'il avait l'étoffe d'un véritable shérif et ne devait pas uniquement sa place au retrait de son père. Le jour de l'élection, cette affaire pèserait lourd dans la balance, si, du moins, il était en mesure de s'y présenter.

Depuis le hall, des voix lui parvinrent : l'infirmière conversait avec d'autres personnes. Peut-être au sujet de l'épisode du T-shirt. Pete espéra que non…

Mais là n'était pas le plus important. Il avait en charge la protection d'une femme qui avait peut-être été témoin d'un crime et se retrouvait au centre d'un mystère. Il se promit de faire toute la lumière sur cette histoire.

Et, tant qu'il n'y serait pas parvenu, Andrea Allen resterait avec lui.

Andrea s'en voulait. Comme si se retrouver en panique devant un homme aussi séduisant n'était pas assez humiliant, il avait fallu qu'elle se déshabille devant lui. Où avait-elle la tête ?

Enfin, ils quittèrent l'hôpital.

Pete mit alors son chapeau et Andrea le trouva encore plus attirant. Il avait une allure de cow-boy. La petite fossette sur son menton lui plaisait plus que tout, et puis il y avait son regard qui changeait constamment : parfois bienveillant et sérieux, d'autre fois gêné et tendre.

— Nous allons emprunter la N 90 en direction de Marfa plutôt que nous rendre directement à Fort Davis, au cas où l'homme au costume nous attendrait avec des complices.

— D'accord, merci.

Elle n'avait pas envie de faire la conversation. Elle avait une fâcheuse tendance à toujours dire ce qu'elle pensait et ne ferait que se livrer davantage.

— Vous avez assez chaud ?

Une question banale, innocente, mais elle se contenta d'acquiescer. Si elle ouvrait la bouche, ils se mettraient immanquablement à discuter. Et que se passerait-il si elle finissait par réellement l'apprécier, alors qu'il devait la considérer comme une illuminée ?

— Pardon, est-ce un oui ou un non ?

— Oui, ça va.

Reste calme. Fais comme si tu t'endormais. Comme ça, il ne te posera plus de questions.

Elle ferma les yeux et s'appuya contre la vitre.

— Vous ne devez pas avoir peur de me parler, vous

savez. Racontez-moi un peu pourquoi vous êtes venue au Texas.

Pourquoi tenait-il tant à la faire parler ? Par politesse ou pour essayer de lui soutirer des informations ? Etait-ce vraiment important, d'ailleurs ?

— Je doute d'avoir intérêt à me confier à vous, car vous me traitez comme un suspect.

— Vous vous sentez suspectée ? Moi, je croyais que je vous traitais comme quelqu'un qui a besoin qu'on la raccompagne chez elle. C'est ce que je fais, d'ailleurs. Ça fait partie de mon boulot.

— Désolée, je ne sais pas pourquoi je suis aussi parano.

— Vous êtes pardonnée. Ce n'est pas tous les jours qu'un homme mourant vous tombe dans les bras et qu'on se fait pourchasser par de mystérieux assaillants. Sans parler de ce type qui a tenté de vous agresser à l'hôpital en se faisant passer pour un membre de la Sécurité intérieure.

— Oui, répondit-elle avec un petit rire nerveux, ça n'arrive pas tous les jours. Heureusement.

— Ce type incarnait bien son personnage. Sa tenue était impeccable et son insigne paraissait authentique.

Elle se mit la main sur la bouche pour s'empêcher de répondre.

Tais-toi, sinon tu vas trop en dire.

Elle n'avait pas envie de révéler qui était son père ni pour qui il travaillait. Quand les gens savaient ce que faisait ce dernier, soit ils étaient intimidés et prenaient peur, soit ils faisaient des pieds et des mains pour gagner ses bonnes grâces. Dans les deux cas, elle en subissait les conséquences car on ne s'intéressait plus à elle.

— Reposez-vous si vous le souhaitez. Il y a une couverture sur la banquette arrière. Je vous jure qu'elle est propre.

Elle prit la couverture et la roula pour poser la joue dessus.

Soudain, elle remarqua où ils étaient. Ils approchaient

de la plate-forme d'observation dans le désert. Au loin, des faisceaux clignotants se profilaient. Un souvenir lui passa par la tête.

— Je devrais sans doute me taire, mais je ne veux pas oublier ce que j'ai vu, dit-elle en pointant du doigt les collines au loin. Les lumières que j'ai repérées hier soir sont apparues dans la même direction. Elles étaient très étranges.

— Vous savez, dans le secteur, il y a constamment des gens qui voient des lumières.

— Ne me prenez pas pour une touriste.

— Pardon, j'oubliais que vous étiez astrologue.

— Astronome ! Mais vous le saviez déjà. Vous vouliez m'insulter ?

Elle n'attendit pas de réponse et ajouta :

— J'aimerais bien m'arrêter à la plate-forme au cas où mes affaires y seraient encore. En plus, j'ai de nouveau l'esprit clair, je suis prête à expliquer à vos collègues ce que j'ai vu.

Il changea de position, visiblement mal à l'aise.

— Je ne pense pas que ce soit une bonne idée.

Il gardait une expression impassible, mais elle n'était pas dupe. Dans sa vie, elle avait fréquenté pas mal de flics et ils avaient tous la même technique : quand ils ne souhaitaient pas révéler quelque chose, ils avaient tendance à se tenir un peu plus droits et à prendre un air sérieux.

— Je ne tiens pas particulièrement à revoir la voiture de Sharon ni à ce que ce souvenir me hante toute ma vie. Mais si je n'arrive pas à comprendre ce que j'ai vu, je ne cesserai jamais de me poser des questions. Alors quel est le pire ?

— Je ne peux pas vous répondre, mademoiselle Allen.

Il se gara au bord de la route.

— Tout ce que je peux vous dire, c'est que quand nous avons inspecté les lieux, il n'y avait rien à part la voiture.

— Vous ne me reconduisez pas à l'observatoire, n'est-ce pas ?

— Non, en effet.

— Alors vous croyez que j'ai tué cet homme, provoqué volontairement un accident avec la voiture de mon amie et inventé une histoire d'hélicoptère et de lumières étranges pour brouiller les pistes ? L'homme que j'ai secouru avait reçu une balle. Avez-vous retrouvé une arme ? Et puis, franchement, je serais venue dans le désert sans rien, même pas une pelle, pour me débarrasser du corps d'un homme ?

Elle était lancée et ne pouvait plus s'arrêter :

— Je vous accorde que le fait que je n'ai pas pu vous montrer mes papiers a de quoi semer le trouble. Mais vous trouvez réaliste que je sois venue seule, sans eau, sans même de quoi grignoter ? Non, ça ne tient pas debout.

— Waouh, quelle démonstration impressionnante ! répliqua-t-il avec un sourire.

— J'ai l'esprit vif et je réfléchis vite. Je tiens ça de mon père. Je ne comprends pas comment vous pouvez me croire coupable sans la moindre preuve. Car il n'y a aucune preuve, n'est-ce pas ? Et de nombreuses personnes savaient où j'étais la nuit dernière.

— Attendez, si vous voulez bien vous calmer, je peux essayer de vous expliquer ce qui se passe. Du moins en partie.

Elle inspira et glissa les mains sous les cuisses pour ne pas faire de gestes nerveux. Elle s'emportait facilement, et en présence de cet homme, ne parvenait plus à raisonner judicieusement. Elle aurait dû appeler ses parents sans attendre. Elle connaissait le numéro du flic qui cherche à gagner votre confiance.

— Bien, je vous écoute.

— Depuis que les médecins légistes m'ont appelé pour m'avertir qu'il n'y avait aucun cadavre dans la voiture, vous êtes sous ma protection. Vous n'êtes pas en état d'arrestation.

— Mais vous, vous l'avez vu, non ? Je ne suis pas…

Elle allait dire « folle », mais s'arrêta avant.

Il acquiesça.

— Je l'ai vu et j'ai pris des photos. Tout concorde avec la description que vous m'avez donnée. Nous n'avons ni l'un ni l'autre été victimes d'hallucinations.

— Dieu merci.

Elle ne put s'empêcher d'être soulagée.

Mais alors, que s'était-il passé, qu'était devenu cet homme ?

— Ecoutez, mademoiselle Allen, tant que nous n'aurons pas tiré les choses au clair, mieux vaut que je reste auprès de vous.

— Mais je ne peux pas travailler n'importe où ! Même si vous restiez en permanence avec moi à l'observatoire, ce serait compliqué. Je n'ai pas mon mot à dire ? Et d'abord, qui a pris cette décision ?

Un instant, il parut ne pas savoir quoi répondre.

— Ecoutez, je ne cherche pas à vous effrayer… Mais, dans la région, ces derniers mois, le trafic d'armes et de drogue à la frontière s'est intensifié. Alors quand on entend parler d'étranges activités nocturnes, de la présence possible d'un hélicoptère et qu'on a un cadavre qui disparaît, évidemment on suspecte un lien possible. C'est pourquoi nous devons assurer votre sécurité.

— Et, dans le même temps, me garder sous la main jusqu'à ce que vous soyez certains que je ne suis pas impliquée dans cette histoire.

— Eh bien, oui, aussi.

Il lui sourit chaleureusement. Cela ne semblait vraiment pas calculé.

Et Dieu qu'il était mignon !

Elle devait impérativement se ressaisir. Elle était sur le

point de terminer ses études et, ensuite, elle chercherait du travail, partirait peut-être à l'autre bout du monde. Songer à une quelconque relation était complètement déplacé.

En plus, c'était avant tout un shérif, qui prenait manifestement son travail très au sérieux. Il était là pour l'aider et mener son enquête. Rien d'autre !

Voilà, comme ça, tout était en ordre. Elle se détendit, prête à coopérer.

— A l'observatoire, j'ai un passeport. Donc, je pourrai vous prouver mon identité. Je vis là-bas pour seulement trois semaines, le temps de boucler mon mémoire.

Il enclencha la première pour redémarrer.

— Alors que faisiez-vous à la plate-forme d'observation hier soir ? Vous y étiez par curiosité ?

— Je remplaçais une amie pour la dépanner dans le cadre d'une étude menée pour le compte de l'observatoire. C'est pour cela que j'utilisais sa voiture. J'espère que son assurance couvre les accidents causés par des hélicoptères bizarres. Elle va me tuer, sinon.

— Je ne commenterai pas. Moi, je refuse de prêter ma voiture. Même à mon père.

Ils passèrent à proximité de la plate-forme. Plusieurs voitures y étaient garées, dont un véhicule de police, nota Andrea.

La radio grésilla.

Pete décrocha le micro et le porta à ses lèvres.

— Oui, papa ?

— Comment savais-tu que c'était moi ? demanda une voix bourrue en retour.

— C'est toujours toi, répondit-il avec un petit rire. Je suis sur la route.

— Oui, je sais. Je n'ai rien de nouveau pour le moment,

mais la Sécurité intérieure souhaiterait vous parler, au témoin et à toi. Ils vous attendent au poste.

— Entendu, nous n'allons pas tarder à arriver.

Il remit le micro en place et Andrea attendit qu'il s'adresse à elle. Mais, comme il ne semblait pas pressé de le faire, elle ne put s'empêcher de poser la question qui lui brûlait les lèvres :

— Cette fois, il s'agit *vraiment* de la Sécurité intérieure ?

Elle redoutait les explications qu'elle risquait d'avoir à donner très prochainement.

— Oui, cette fois, ce sont de véritables agents gouvernementaux. Il semblerait qu'ils aient une petite idée de l'identité de notre cadavre disparu.

— Je vois.

Ils viennent pour cet homme ou parce que je suis impliquée ?

— Ont-ils dit pourquoi ils souhaitaient me parler ?

— J'imagine qu'ils ont besoin de votre déposition. C'est une bonne chose car, s'ils prennent la situation en main, l'enquête progressera beaucoup plus vite. Ce qui signifie que, bientôt, vous ne nous aurez plus sur le dos. Vous êtes contente, non ?

— Pas vraiment. Pourquoi faut-il qu'une telle affaire me tombe dessus alors que je suis sur le point de finir mon mémoire ? Quelle poisse !

Et puis, ça ne s'annonçait pas aussi simple que Pete semblait le prétendre.

Ils arrivèrent à Marfa et contournèrent la prison du comté. Pete prit la radio pour annoncer leur arrivée imminente.

— La Sécurité intérieure a-t-elle dit qui elle envoyait ? demanda-t-elle.

— Pourquoi, vous connaissez quelqu'un chez eux ?

Avec un peu de chance, elle n'aurait pas à s'expliquer. Elle répondrait à leurs questions et, ensuite, ils lui diraient qu'elle était lavée de tous soupçons, qu'elle n'avait pas à s'inquiéter pour sa sécurité, et elle pourrait retourner à ses travaux.

— Je préfère ne pas en parler.

— Andrea, c'est vous qui avez abordé le sujet.

— Laissez tomber.

5

Aux alentours de 9 heures, une voiture officielle se gara devant le bureau du shérif du comté de Presidio et un homme en uniforme de la marine en sortit. Il regarda autour de lui puis passa plusieurs minutes à tapoter sur son portable.

Pete l'observait tout en gardant un œil sur Andrea. Elle semblait abattue. Après avoir déclaré qu'elle ne souhaitait pas parler de la Sécurité intérieure, elle n'avait plus décroché un mot. La jeune femme déterminée qui n'hésitait pas à dire ce qu'elle pensait était bien loin. Désormais, elle était repliée sur elle-même et se tenait bras croisés dans un coin.

Quand il fit son entrée, l'officier le salua mais, dès qu'il vit Andrea, il ne la lâcha plus du regard.

— Commandant, lui lança Andrea dans un long soupir exaspéré, comme si cet homme était le dernier qu'elle espérait voir arriver.

— Andrea, répondit l'officier sur un ton similaire avant d'inviter la jeune femme à passer dans le bureau d'à côté.

Elle obtempéra, le commandant lui emboîta le pas et ferma la porte derrière lui.

Pour le moment, comprit Pete, il n'était pas invité à prendre part à la discussion.

Alors comme ça, son témoin savait repérer les grades de l'armée et l'officier semblait la connaître.

Intéressant.

— Pete, tu veux manger un morceau ? lui demanda Honey.

— Non merci. J'emmènerai Mlle Allen prendre un petit déjeuner quand elle aura terminé sa déposition.

— Tu es sûr qu'elle ne va pas se faire enlever par les extraterrestres ou une agence gouvernementale secrète ? répliqua Honey dans un éclat de rire. Au fait, ton père est toujours sur le lieu de l'accident et il y sera certainement encore pour une bonne heure. Il souhaitait que tu le saches.

Pete devinait pourquoi son père ne l'avait pas appelé directement pour le prévenir. Sans doute se battait-il pour obtenir des infos et il ne voulait pas s'entendre dire de se ménager.

— Il tanne les agents du gouvernement pour qu'ils se montrent plus coopératifs ?

— Je suppose que oui, répondit Honey. Tu sais comment sont ces types. Avec eux, il n'y a jamais moyen de savoir quoi que ce soit.

— Tu vas ajouter ce détail à ton roman ?

Honey ignora sa question, car elle était déjà en train d'écrire dans un de ses petits carnets. Cela faisait des années qu'elle s'amusait à noter des anecdotes glanées dans son travail. Mais aucun livre n'avait encore vu le jour.

Pete porta la main à sa bouche pour dissimuler un bâillement. Il n'avait pas passé une nuit entièrement blanche depuis une éternité. Cependant, il ne pouvait rentrer se reposer tant que la Sécurité intérieure n'avait pas terminé d'interroger Andrea et ne lui avait pas dit quoi faire avec elle. Par ailleurs, son père n'allait pas revenir tout de suite. Il ne lui restait donc plus qu'à traiter un peu de paperasse pour passer le temps. Si, ensuite, il pouvait rentrer chez lui, il aurait de la chance.

— Je vais aller prendre une douche pour me réveiller, annonça-t-il à Honey. Préviens-moi s'ils ont terminé avant mon retour, ajouta-t-il en pointant du pouce la porte du bureau derrière lui.

— J'ai comme l'impression que ça va prendre un moment, confia Honey. A ce sujet, tu ne trouves pas bizarre que l'officier ne se soit même pas présenté auprès de cette jeune femme avant d'entamer l'interrogatoire ?

— Remarque pertinente. Mais je ne suis pas très au fait des procédures des agents de la Sécurité intérieure. Habituellement, lors d'un meurtre, personne ne peut empiéter sur notre juridiction.

— Tu ne redoutes pas qu'il y ait un autre meurtre prochainement ?

Dans la pièce d'à côté, le ton montait, remarqua Pete. Il ne comprenait pas ce qui se disait, mais l'échange était vif. Devait-il intervenir pour calmer les esprits ? S'il s'approchait de la porte, peut-être apprendrait-il la raison de cette altercation.

— Tu devrais aller voir ce qui se passe, non ? lui lança Honey.

Il fit quelques pas résolus en direction de la porte, puis s'arrêta net. En fait, réalisa-t-il, il attendait qu'Honey l'encourage pour intervenir et voler une fois de plus au secours d'Andrea.

Imbécile.

La jeune femme l'intéressait encore plus que le meurtre et la disparition du cadavre, il était obligé de l'admettre.

Il fit demi-tour et repartit en direction du vestiaire.

— J'en ai pour dix minutes au maximum.

— Si tu veux, je peux essayer d'écouter ce qui se dit.

— Remets-toi à ton écriture, Honey.

— Oui, monsieur.

*
* *

Il se rendit au vestiaire, se déshabilla, rangea ses affaires dans son casier et entra sous le jet sans attendre que l'eau chauffe.

Il devait faire un effort pour se concentrer sur l'enquête. Il se posait davantage de questions sur le lien entre la Sécurité intérieure et Andrea que sur l'identité et les motivations de celui ou ceux qui avaient fait disparaître le corps.

Il avait proposé de contribuer à l'identification du cadavre disparu, mais on lui avait demandé de ne pas développer les photos qu'il avait prises. En général, il n'appréciait pas de se faire dicter sa conduite. Pourtant, cette fois-ci, il n'y avait même pas repensé. A cette réserve près qu'il avait transféré ces photos sur sa propre clé USB.

En fait, Andrea Allen occupait toujours ses pensées. Il n'avait eu aucune raison de l'arrêter, d'autant plus que son casier judiciaire était vierge. Et la Sécurité intérieure avait seulement demandé qu'elle soit retenue jusqu'à leur arrivée.

Qui était-elle vraiment ? Où irait-elle quand elle aurait terminé ses travaux à l'observatoire ? A quoi ressemblait sa vie ? D'où était-elle originaire ? Comment s'était-elle fait cette petite cicatrice au menton et celle sur le cou ?

Pour obtenir des réponses à toutes ces questions, trois semaines ne suffiraient pas. Trois semaines, voire moins, car c'était le temps qu'elle était censée passer à l'observatoire, mais depuis quand y résidait-elle ?

Il sortit de la douche, se sécha et remit rapidement son pantalon. Il ne voulait pas risquer de retourner dans le bureau après le départ de l'officier de la Sécurité intérieure.

Il observa tout de même son reflet dans le miroir et remit ses cheveux en place. Une silhouette se dessina alors derrière lui. Mince, son arme était restée dans son casier. Il fit volte-face, poings fermés, prêt à…

— Andrea ? Comment êtes-vous entrée ? Je n'ai même pas entendu la porte.

— On peut ouvrir et refermer une porte sans que cela s'entende jusqu'à Proxima Centauri, vous savez.

— Prox… quoi ? fit-il en s'appuyant contre le lavabo.

Même en blouse d'hôpital, Andrea avait une allure terriblement sexy, et elle semblait avoir recouvré son assurance.

— C'est l'étoile la plus proche de la Terre, après le Soleil, évidemment. Mais ce n'est pas ma préférée.

— Moi, j'adore le soleil.

— A votre bronzage, je l'aurais deviné. Mais je parlais de Proxima Centauri. Elle a un nom un peu ringard.

Elle avança et se posta face à lui. Si près, songea-t-il, qu'elle allait certainement deviner le désir qu'il avait d'elle. Il rêvait de poser les mains sur ses hanches et de l'attirer à lui. Le souvenir de son soutien-gorge rose à l'hôpital le hantait.

Il s'obligea à faire un pas de côté pour la contourner.

— Je ferais mieux d'aller parler à l'officier de la Sécurité intérieure.

Elle lui posa une main sur le torse pour l'arrêter.

— Le commandant est parti sur le lieu de l'accident. Il nous demande de ne pas bouger jusqu'à son retour. On dirait bien que vous êtes coincé ici avec moi, shérif Morrison.

— Pourquoi vous obstinez-vous à m'appeler « shérif »ʔ « Pete » suffit, je vous l'ai déjà dit.

— Ne bougez pas, il faut que je fasse quelque chose.

— Je ne crois pas que l'endroit soit bien choisi.

Elle éclata de rire.

— Idiot. Avez-vous du gel ?

— Hein ?

Il ne s'attendait pas à cela.

— Du gel fixant.

— J'en ai déjà mis.

— Pas suffisamment, alors.

Elle tendit le bras pour s'emparer du flacon posé sur le rebord du lavabo derrière lui et le pressa pour en faire sortir du gel.

Il la suivait du regard, incapable de prononcer la moindre parole. Il était hypnotisé.

Elle frotta ses mains l'une contre l'autre puis les tendit pour lui appliquer le produit sur les cheveux.

— Baissez la tête, dit-elle.

Il obtempéra.

— Alors, votre étoile préférée, c'est laquelle ? lui demanda-t-il en fermant les yeux pour profiter encore mieux de la sensation de ses mains dans ses cheveux.

— La Wolf 359. Drôle de nom pour une étoile, vous ne trouvez pas ? Ne bougez pas, j'ai presque fini. Vous avez les cheveux très épais.

Heureusement pour lui, il s'était empressé de remettre son pantalon. Sinon, il se serait retrouvé en fâcheuse posture…

— Voilà, vous voyez ?

Non. Il ne pensait à rien d'autre qu'à ses seins qui se dessinaient sous le fin tissu de la blouse d'hôpital.

— Il faut bien vous imprégner les mains et ensuite vous les passer vigoureusement dans les cheveux. Comme ça, vous obtenez un effet faussement déstructuré qui devrait tenir toute la journée.

Elle se lava les mains et contempla le résultat.

— Ce sera beaucoup mieux quand vos cheveux seront secs.

Elle remit encore une mèche en place puis lui posa les mains sur les épaules. D'instinct, il la saisit par la taille pour l'attirer à lui. Il n'avait pu se retenir.

Ils étaient quasiment front contre front, et la respiration d'Andrea lui caressait le visage.

Concentre-toi sur ton boulot.

Mais justement quel boulot ? Il était censé rester là avec elle jusqu'à ce que quelqu'un d'autre se charge d'elle.

— Je n'ai pas pour habitude de dépasser les bornes, Andrea.

— Dans ce cas, pourquoi me tenez-vous dans vos bras ?

Parce que… Parce que c'était ainsi. Il ne pouvait en être autrement. Elle et lui…

— Ce qui va se passer ne devrait certainement pas avoir lieu mais, je vous préviens, je ne m'en excuserai pas.

— Je l'espère bien, Pete. Les hommes maladroits lors de leur premier baiser n'obtiennent pas de seconde chance en général.

Elle lui plaisait. Enormément. Beaucoup trop.

Il inclina la tête et effleura ses lèvres. Elles étaient douces et humides et elle les entrouvrit légèrement, comme pour l'encourager.

Il lui caressa le dos, découvrant ses muscles fermes. Il n'y avait qu'une fine blouse de coton entre leurs deux corps, et il dut lutter de toutes ses forces pour ne pas la lui ôter d'un geste. C'était leur premier baiser, et pourtant ils semblaient en avoir déjà échangé des milliers.

Leurs lèvres se mêlaient doucement, bougeaient à l'unisson, sans hésitation.

Andrea passa les bras autour de son cou et se serra contre lui. Il avait envie d'explorer son corps de ses mains, de la déshabiller sans demander la permission. Il était tout près de perdre le contrôle.

6

Un frisson la parcourut. Peut-être était-ce l'envie de s'opposer à son père, le commandant, qui la faisait agir ainsi. Ou alors, le charme de Pete, la part de mystère et de sagesse qu'il dégageait.

A vrai dire, en cet instant, Andrea s'en moquait. Elle était totalement sous l'emprise de son baiser. Il y avait bien longtemps qu'elle n'avait pas eu cette sensation. L'avait-elle même déjà éprouvée ?

A bout de souffle, ils durent s'interrompre.

— Ai-je réussi l'examen ? s'enquit-il.

Il continua à lui déposer de petits baisers dans le cou.

— Je crois que vous avez mérité une seconde audition, répondit-elle en inclinant la tête pour s'offrir à ses lèvres.

Après quelques secondes, il se redressa. Ses yeux bleus brillaient. Il avait le torse musclé, les biceps fermes, les épaules larges. Il était vraiment viril.

Elle l'aimait bien. Et, comme elle comptait ignorer son père, il lui serait très utile.

— Quand me donnerez-vous cette seconde chance ? lança-t-il d'une voix teintée de désir.

— Combien de temps faut-il pour retourner à l'observatoire ?

Elle devait l'inciter à la raccompagner là-bas.

— Je croyais que vous aviez reçu l'ordre de rester ici.

— Normalement, oui, mais tant que je reste avec vous, je ne risque rien.

Du bout des doigts, elle lui caressa le biceps.

— Je crois que nous nous comprenons, Pete…

— Peut-être vous ai-je donné une fausse impression, répliqua-t-il en lui saisissant les poignets pour lui ramener les bras le long du corps.

— Pourquoi dites-vous cela ? lui demanda-t-elle avec innocence.

Il se dirigea vers la porte et l'ouvrit.

— Honey ? appela-t-il.

— Oui, Pete ?

— Le commandant a-t-il laissé des consignes avant de partir ?

— Il a déclaré : « A mon retour, je souhaite que ma fille soit encore là. » C'est clair, non ?

Il se tourna vers elle et lui adressa un large sourire. Quand il souriait, de petites fossettes qui rappelaient celle qu'il portait au menton se marquaient sur ses joues. Andrea avait toujours eu un faible pour les fossettes. Il referma la porte, croisa les bras et la fixa.

— Alors comme ça, c'est votre père. Ses instructions ne collent pas très bien avec votre demande d'aller faire un petit tour dans les montagnes, vous ne trouvez pas ?

— Et vous allez le laisser vous donner des ordres sans lever le petit doigt ? Vous ne faites pas partie de la marine, que je sache. Dans les faits, il n'a aucun droit de vous dire quoi faire. S'il est là, c'est uniquement à cause de moi.

Son père était affecté au service de protection des douanes et frontières, qui était subordonné à la Sécurité intérieure. Où que se passe une affaire dont il avait la charge, il avait toute latitude pour demander la coopération du shérif concerné. Mais, là, il n'en avait rien fait. S'il avait demandé qu'elle reste au bureau du shérif jusqu'à son retour, ce n'était pas dans le cadre d'une affaire, mais seulement parce qu'il souhaitait diriger sa vie.

— *Dans les faits*, comme vous dites si bien, il dépend

de la Sécurité intérieure. Je n'ai pas encore tous les détails mais, à ce titre, je suis tenu de suivre ses ordres. Votre père souhaite que vous restiez ici pour votre sécurité. Et le mien veut que je veille à votre sécurité.

Il traversa la pièce, ouvrit sèchement la porte d'un casier et en sortit une chemise d'uniforme qu'il enfila.

— A vous regarder, *shérif*, on dirait que vous n'êtes pas aussi ravi que ça de devoir lui obéir.

— Qui sait, peut-être que je viens de rater « la seconde audition ».

Il se retourna et rentra les pans de sa chemise dans son pantalon.

— Je connais mes droits, reprit Andrea. Vous ne pouvez pas me retenir contre ma volonté. Et, quand je porterai plainte contre le comté, je vous vois mal plaider que vous l'avez fait parce que mon père vous l'avait ordonné.

— Pour le moment, je suis tellement épuisé que je me fiche des possibles conséquences. Je n'ai pas dormi de la nuit. Alors je vais être clair : soit vous venez prendre le petit déjeuner avec moi, soit je vous colle dans une cellule jusqu'à mon retour. C'est simple. A vous de voir.

— Vous n'avez vraiment pas envie de passer la seconde audition au plus vite ? insista-t-elle avec un sourire aguicheur.

— Non, j'ai trop faim pour changer d'avis, répondit-il en inclinant la tête de droite à gauche, apparemment pour s'assouplir la nuque.

— Entendu. Passez devant, je vous suis.

— Une minute. Je préfère ne pas traverser la rue en chaussettes, dit-il tandis qu'il enfilait ses bottes.

Andrea réfléchit à toute allure. Si elle partait en courant avant qu'il ait terminé, elle parviendrait certainement à s'enfuir. Mais ensuite, que ferait-elle ? C'était une petite ville, elle ne pouvait pas espérer sauter dans un bus ou un taxi au premier coin de rue.

En même temps, elle n'avait pas envie de rester plantée

là docilement. Elle sortit donc du vestiaire, traversa le vestibule et entra dans le bureau. Elle allait l'attendre confortablement assise dans son fauteuil. Au moins, pendant quelques instants, elle s'éloignerait de lui. Car, plus il lui souriait, plus elle avait envie de lui faire passer cette « audition » sans attendre.

Mais qui cherchait-elle à tromper ? Pete n'avait pas besoin d'être mis à l'épreuve une seconde fois. Elle avait encore quelques jours à passer au Texas et elle espérait bien ne plus avoir à se demander quoi faire pendant son temps libre.

Avant même qu'elle fût assise, Pete sortit à son tour du vestiaire, une botte enfilée, la seconde à la main. Il tourna la tête de tous côtés et, quand il la vit, soupira de soulagement. Il enfila sa seconde botte.

— Ouf. Je suis trop fatigué pour courir.

— Ne te réjouis pas trop vite, intervint Honey. Il y a du grabuge du côté de chez Doug Fossen. Un véhicule en feu sur le bord de la route.

— Ce n'est pas ma juridiction, c'est dans le comté de Davis. Appelle Mike Barber.

— Mike Barber a déjà été prévenu, mais il pense que tu devrais aller voir.

— Envoie Griggs, alors.

— Griggs ne s'est pas présenté ce matin et on souhaite que le shérif vienne en personne.

— Mais qu'est-ce que… Honey, s'il te plaît, appelle Peach pour lui demander si elle n'a pas oublié de me transmettre un message à propos de Griggs.

— Pete, tu sais très bien qu'elle n'a pas oublié. Si tu ne veux pas t'en charger, je demanderai à ton père d'écrire à Griggs au sujet de ses absences injustifiées mais, pour le moment, il y a un souci chez les Fossen.

— Mais moi je dois rester là pour jouer au baby-sitter !

Andrea décida d'intervenir.

— Ne vous faites pas de souci pour le bébé, il peut aller faire un petit dodo en cellule, comme vous l'avez suggéré tout à l'heure. De toute façon, je suis sûre que mon père préférerait me savoir en lieu sûr et sous la protection d'une dame respectable.

Honey partit d'un petit rire et fut interrompue par la sonnerie du téléphone du standard. Elle décrocha.

— Bureau du shérif du comté de Presidio… Oui. Oui, madame Fossen, nous envoyons quelqu'un dès que possible, dit-elle en faisant de grands gestes à Pete.

— Honey, je ne vais nulle part. Je sens que ça va encore être le bazar et je ne peux pas me déplacer.

Il chercha son chapeau, eut le réflexe de repousser une mèche de cheveux de son front et s'arrêta juste à temps. Le gel avait durci, et il fit mine de se gratter l'arête du nez pour se donner une contenance.

— On dirait qu'il va vous falloir prendre une décision, déclara Andrea en brandissant ses poignets. Allez-y, shérif, faites votre devoir, enfermez-moi.

Il hésita un instant.

— Honey, je n'y vais pas. Envoie Dominguez. Venez, Andrea.

— Ça vous ennuie si j'emprunte la veste pendue dans votre bureau ?

— Ce n'est pas mon bureau, mais je suis sûr que mon père n'y verra pas d'inconvénient.

Tandis qu'Honey répondait à de nouveaux appels et que Pete continuait à se frotter nerveusement l'arête du nez, Andrea alla chercher la veste. Les murs étaient couverts de photos encadrées de Pete à différents âges. Elle reconnaissait la petite fossette à son menton et sa silhouette longiligne. Pour la plupart, c'étaient des photos prises lors de compétitions sportives ou de remises de diplômes à l'école. Elle observa de près un cliché sur lequel il posait tout sourire, son chapeau à la main.

— C'est une de mes préférées. Vous avez l'air tellement détendu, vous ne trouvez pas ?

Elle se retourna. Honey se tenait à l'entrée du bureau.

— Je suppose qu'il n'est pas souvent détendu, ajouta-t-elle sans se démonter.

— Vous êtes perspicace. Il est parti acheter à manger pour le petit déjeuner. Nous ne nous sommes pas encore officiellement présentées. Je suis Honey, une des standardistes. A votre arrivée, vous avez rencontré Peach, ma sœur.

— Vous vous ressemblez beaucoup.

— Ne le dites pas à ma sœur, répliqua Honey dans un éclat de rire. Avez-vous tout ce qu'il vous faut ?

— Oui, merci. Je suis désolée si, tout à l'heure, le commandant vous a parlé rudement. J'aimerais pouvoir vous affirmer qu'il était stressé et que ce n'est pas son comportement habituel mais, hélas, il est toujours comme ça. Je l'aime, mais ce n'est pas un homme sympathique de prime abord.

— Je comprends, n'ayez crainte. J'espère que vous aimez les burritos car c'est à peu près tout ce qu'il y a à manger dans le café où Pete est allé.

— Ce sera très bien, je ne suis pas difficile. Ces photos sont vraiment réussies. Vous connaissez Pete et son père depuis longtemps ?

Elle avait compris la manœuvre de Pete : il avait préféré se rendre au café tout seul et avait demandé à Honey de garder un œil sur elle. Alors autant qu'elle en profite pour glaner quelques informations.

— Pete travaille avec Joe, son père, depuis… Oh ! A vrai dire, aussi loin que je m'en souvienne, il a toujours été là. Même quand Joe n'était qu'un simple agent, Pete passait beaucoup de temps ici. L'ancien shérif lui donnait même de l'argent de poche pour vider la corbeille à papier et passer un coup de balai.

— Et c'est sa mère qui a pris ces photos ? voulut savoir Andrea.

En effet, aucune femme n'apparaissait sur les clichés.

— Non, répondit Honey. En fait, Joe n'est pas le véritable père de Pete, mais un cousin éloigné. Les parents de Pete sont morts quand il avait trois ans et, suite à cela, il est venu vivre à Marfa. Joe ne s'est jamais marié mais il n'a pas hésité un instant à adopter un enfant de trois ans. Ma sœur et moi, nous avons commencé à travailler ici un peu avant cette époque.

— Pete s'en est bien sorti, finalement. Merci pour l'information car, sinon, tôt ou tard, j'aurais fini par lui poser des questions sur sa mère.

— Ces photos ont été prises par tous les gens qui ont travaillé ici ou y travaillent encore. Nous sommes une grande famille et Pete a longtemps été considéré comme le petit dernier.

— Je comprends. Je ne veux pas vous retarder. Si vous voulez, vous pouvez retourner au standard.

Honey se contenta de sourire mais ne bougea pas.

— Attendez, laissez-moi deviner, reprit Andrea. Pete vous a demandé de me surveiller jusqu'à son retour. Je me trompe ?

— Il m'a rappelé qu'en cas de force majeure surveiller une personne faisait aussi partie de mes attributions. Je lui ai proposé d'aller acheter à manger moi-même, mais il m'a répondu qu'il avait besoin de prendre l'air et de se retrouver seul un moment. Alors nous ne bougeons pas jusqu'à son retour. Désolée.

— Oh ! Je ne vous en veux pas. Et je n'ai rien contre Pete non plus. Le problème, c'est que si je reste ici jusqu'au retour du commandant, je risque de perdre le bénéfice de deux ans de travaux. Car il pourrait parfaitement décider de me renvoyer manu militari à Austin, voire à Washington. Je me retrouverais dans l'impossibilité de boucler mon mémoire et…

Elle s'interrompit. De toute évidence, la réceptionniste ne la laisserait pas partir, quoi qu'elle dise.

— Mais vous vous en fichez, n'est-ce pas ?

— Je vous en prie, asseyez-vous, mademoiselle Allen. Je ne suis pas indifférente à vos problèmes, mais ma loyauté envers Pete est indéfectible.

Un instant, Andrea songea à s'enfuir par la porte arrière. Mais elle n'avait nulle part où aller. Rester avec Pete était sa meilleure option. Elle devait se servir de lui pour se tenir à l'écart de son père. Elle avait besoin d'encore au moins six jours à l'observatoire.

7

A peine Pete fut-il de retour au bureau avec les burritos qu'Andrea lui sauta dessus.

— Je ne peux pas rester là jusqu'au retour de mon père !

— Ce ne sera pas le cas. Venez, répliqua-t-il.

Son portable à l'oreille, il lui fit signe de le suivre.

— Il y a des journées plus chargées que d'autres. Profitez bien de votre sortie, leur lança Honey avant de répondre à un nouvel appel.

Pete indiqua à Andrea de monter en voiture. Elle ne se fit pas prier, s'installa confortablement au fond de son siège et mangea ses burritos. Elle semblait parfaitement détendue.

Mais Pete le savait désormais : ce n'était qu'une façade et, tôt ou tard, elle chercherait de nouveau à le rallier à sa cause.

Il voulut joindre son propre père, mais tomba sur la boîte vocale. Il laissa un message :

— Nous n'avons pas terminé notre conversation, papa. Je te préviens, j'ai une affaire à régler et, ensuite, je te rejoins. S'il le faut, je t'enfermerai pour t'obliger à te reposer. Et ne me fais pas de scène, sinon je te jure que je te menotte et que je te jette sur la banquette arrière de ma voiture.

Sur ce, il rangea son portable et démarra la voiture. Faire sortir son témoin du poste de police n'était pas forcément une bonne idée. Andrea était davantage en sécurité au bureau, au milieu des agents. Mais le commandant Allen l'avait appelé pour lui demander de venir sans délai avec sa fille à la plate-forme d'observation. Là-bas, un hélicoptère viendrait les chercher.

Andrea n'en savait rien. Le commandant avait insisté pour qu'elle n'en soit pas informée. Ce type avait quand même une drôle de façon de traiter sa fille.

— Quand vous a-t-il appelé ? lui demanda Andrea sur la route.

Il haussa les sourcils, comme s'il ne comprenait pas de qui elle parlait.

— Qui ça ?

— Le commandant. Je connais par cœur la tête que font ceux qui reçoivent des ordres de sa part et sont contraints d'y obéir.

— J'étais en train de laisser un message à mon père.

— A l'instant oui, dit-elle avec une expression indiquant qu'elle n'était pas dupe. Mais, je constate que vous ne niez pas que le commandant vous a appelé.

— Non, en effet. Pourquoi l'appelez-vous « le commandant » ?

— Je me suis toujours adressée à lui par son grade. Enfin, en tout cas depuis l'adolescence. C'était plus simple. Quand nous nous retrouvions au milieu d'autres gens, il répondait plus vite lorsqu'il s'entendait interpeller ainsi. Et puis, ça n'a jamais semblé le déranger. Etant donné que vous ne m'avez pas dit où nous allons, je suppose qu'il vous a ordonné de ne pas me le révéler. Il a peur que je pique une crise ?

— Non, il n'a rien dit de tel. En fait, il ne m'a pas expliqué ses motivations. En revanche, il paraît très soucieux de votre sécurité. Et je me demande bien pourquoi.

Il devait y avoir un rapport avec ce cadavre disparu. Ceux à qui l'homme avait échappé avant de mourir savaient certainement qu'il avait parlé à Andrea. Sans doute pensaient-ils qu'elle détenait des informations cruciales. Son père avait apparemment tenu le même raisonnement.

— Je ne vois pas ce que vous insinuez, reprit Andrea. J'ai parlé cinq minutes avec mon père. Comment pouvez-vous affirmer qu'il s'inquiète pour moi ?

— Cessons de tourner autour du pot. Votre père m'a demandé de vous conduire sur le lieu de l'accident. J'ai répondu que ça ne me paraissait pas judicieux. Si des hommes sont à votre recherche, vous êtes davantage en danger seule avec moi dans cette voiture, même si le trajet est assez bref.

— A-t-il précisé pourquoi il souhaitait que je me rende là-bas ?

— Pour vous évacuer.

Soit Andrea avait effectivement obtenu des révélations de la part de l'homme qu'elle avait secouru, soit ceux qui la pourchassaient étaient bien renseignés et savaient que c'était la fille d'un membre de la Sécurité intérieure. La tentative du type survenue à l'hôpital accréditait cette thèse.

Andrea serra les poings.

— Je l'ai déjà dit, je suis adulte, il n'a aucun droit de…

— Pete ? intervint la voix d'Honey dans la radio, tu m'entends ?

A son ton, elle était bouleversée.

— Qu'est-ce qui ne va pas ?

— Le bureau du shérif du comté de Jeff Davis vient d'appeler. Un de leurs hommes a découvert la voiture de Griggs, incendiée. Tu veux que j'envoie quelqu'un sur place ?

— Envoie Hardy et personne d'autre, répliqua-t-il avant de reposer son micro.

— Vous pourriez vous rendre là-bas en personne, mais

je vous en empêche, dit Andrea. Retournons au bureau et laissez-moi avec Honey. Je vous promets d'être sage.

Il se gara sur le bas-côté.

— Nous ne sommes qu'à trois kilomètres de la plate-forme d'observation. Je pourrais vous y déposer, puis repartir sans attendre.

— Mais ?

Cette affaire n'était pas claire. Il y avait trop de coïncidences, de non-dits, d'ordres donnés sans explications. Il avait besoin de comprendre, il ne pouvait pas laisser tomber.

— Pete, tu es encore là ? appela de nouveau Honey.

Il fit demi-tour puis reprit le micro.

— Oui, je suis là. Appelle le bureau du shérif de Jeff Davis, dis-leur que je suis en route et demande-leur de ne rien déplacer avant mon arrivée.

— C'est ce que je souhaitais entendre. Au moment où nous parlons, ils recherchent Griggs. Et toi, tu joues toujours les baby-sitters ?

Andrea leva les yeux au ciel et agita la tête.

— Affirmatif, répondit-il dans un éclat de rire.

Honey rit également.

— Tu crois qu'ils vont retrouver notre collègue endormi quelque part sur un banc ?

— Possible. Si c'est le cas, je rédigerai moi-même le blâme. Je te laisse et je fonce.

Mais les doutes l'envahissaient. Se rendre sur le lieu d'une autre affaire avec Andrea était imprudent. En outre, la jeune femme semblait avoir cherché à le séduire pour mieux le manipuler. Elle se servait de lui contre son père, c'était certain.

— De toute façon, je n'ai jamais eu le choix, marmonna-t-il tout haut.

— Pardon, vous avez parlé ?

— Ouais. Je disais qu'une fois sur place vous devrez

rester dans la voiture et ne sortir que si je vous y autorise. Sinon, dans votre propre intérêt, je vous passe les menottes.

— Compris. A part ça, le petit déjeuner était délicieux.

Obéissait-elle trop facilement ? Et pourquoi changeait-elle aussi rapidement de sujet ? Il devait rester sur ses gardes mais, si elle souhaitait parler d'autre chose, ça ne le dérangeait pas.

— Les burritos du café en face du bureau sont toujours bons. Mais dites-moi, que se passe-t-il exactement entre votre père et vous ? Pourquoi voulez-vous à tout prix éviter qu'il vous renvoie à la maison ? Vous êtes un peu âgée pour une ado fugueuse.

— C'est drôle car vous n'êtes pourtant pas loin de la vérité. Depuis mes vingt ans, je me sens comme une fugueuse. Me lancer dans de nouvelles études, pour moi, c'est une façon de ne pas rentrer chez moi.

— Vous avez changé plusieurs fois de cursus ?

— Pas vraiment, j'ai plutôt laissé mes parents me convaincre d'en effectuer trois différents.

— Vous êtes un véritable bourreau de travail, alors. Y en aura-t-il un quatrième ?

— Oh ! Je ne suis pas aussi travailleuse que… Enfin, bref, je me considère plutôt comme une enfant docile. Là, je termine ma maîtrise en études spatiales et, pour ça, je dois encore rester ici quelques jours.

— Votre relation avec vos parents semble compliquée.

— Vous savez comment sont les parents par rapport à la nécessité d'obtenir des diplômes, répondit-elle simplement.

— Pas franchement.

Il ne s'étendit pas non plus, car il ne souhaitait pas parler de sa vie.

— Je ne comprends pas, Pete. Vous êtes entré dans la police sans faire d'études, sans passer de diplôme ?

Il ne put retenir un soupir.

— Mon père était déjà shérif quand j'ai eu le bac.

Avant, il était simple agent. J'ai passé pour ainsi dire toute ma vie dans le service. Alors, quand j'ai eu l'âge de l'intégrer pour de bon, je n'ai pas eu besoin de justifier de compétences ou références particulières. Mon père a terminé de m'enseigner ce que je devais savoir.

— Toute votre vie, vous avez souhaité devenir shérif ?

— A vous entendre, on croirait que c'est une tragédie.

— Non, pas du tout, excusez-moi. J'ai une façon de m'exprimer qui rend les gens mal à l'aise ou leur donne l'impression que je les insulte.

— Eh bien, puisque vous le dites…

— Sincèrement, je vous présente mes excuses. En fait, ma question, c'était de savoir si… devenir shérif, c'était votre rêve à vous ou celui de votre père.

— Les deux, je pense. Mais à vrai dire je n'y ai jamais beaucoup réfléchi. Pour tout le monde, c'était évident.

Il avait cependant dû y réfléchir plus sérieusement quand son père avait fait une crise cardiaque et qu'on lui avait demandé de le remplacer. Avant, devenir shérif avait toujours été une perspective qui deviendrait réalité un jour. Désormais, comment voyait-il les choses ? Le secret de son père, qu'il n'avait appris que récemment, le forçait à reconsidérer son avenir.

Mais ce n'était pas le moment de s'attarder sur cette question. Avec Andrea, il avait suffisamment à faire.

— Peu de gens étaient volontaires pour accepter le job. Le comté couvre un vaste territoire en grande partie désert. Ce n'est pas très excitant.

— Vous plaisantez, je suppose. En l'espace de douze heures, vous avez vu les extraterrestres débarquer, un cadavre disparaître, vous avez déjoué une tentative d'enlèvement, et même la Sécurité intérieure s'intéresse à l'affaire. Qui ne souhaiterait pas être à votre place ? répliqua-t-elle avec un sourire.

— Je vois ce que vous voulez dire.

Très prochainement, il devrait prendre une décision au sujet de l'élection. Mais, avant, il lui fallait retrouver un de ses agents et comprendre ce qui se passait dans le comté. Et, s'il laissait Andrea partir avant d'avoir obtenu des réponses, il aurait bien du mal à boucler l'affaire.

Il se concentra sur la conduite. Il roulait vite, sans pour autant prendre de risques inconsidérés. Il connaissait ces routes par cœur.

— Moi, on m'a toujours dit que j'étais capable d'accomplir de grandes choses, confia Andrea. Mais, quand je souhaite atteindre des objectifs à ma façon, là, ça pose problème…

Elle n'ajouta rien d'autre et regarda par la vitre, au loin.

— Shérif, ici Honey. Où es-tu ?

Il saisit le micro.

— A environ deux kilomètres de Fort Davis.

— On a retrouvé Logan.

Elle s'exprimait d'une voix chevrotante. Elle avait certainement pleuré.

— Honey, qu'est-ce qu'il y a ?

— Ce n'est pas une bonne nouvelle, Pete.

— Excusez-moi, parlez-vous de Logan Griggs ? intervint Andrea.

Il acquiesça.

— Pourquoi, vous le connaissez ?

— C'est le petit copain de Sharon, l'amie que je remplaçais hier soir. Ils devaient se voir. Est-ce que…

Il devina la question qu'elle laissait en suspens. Si, en revenant d'Alpine, ils avaient croisé la route des hommes qui avaient tenté de la tuer…

— Vos pères respectifs se rendent sur place, reprit Honey dans la radio. Dois-je les avertir que vous êtes vous aussi en chemin ?

— Négatif, ils l'apprendront bien assez tôt. En revanche,

préviens les hommes qui ont effectué les recherches qu'une jeune femme a probablement disparu également.

— Pardon ?

— Griggs était en compagnie d'une étudiante de l'observatoire. Dis-leur et tiens-moi au courant des avancées.

Quel bazar !

Il se tourna vers Andrea.

— Avant que vous ne cherchiez à me convaincre de vous conduire ailleurs pour éviter votre père, nous devons cesser les cachotteries.

— Entièrement d'accord. Croyez-vous réellement que Sharon était avec lui ?

— Vous ne m'avez pas tout dit sur votre accident d'hier soir. La Sécurité intérieure n'envoie pas des hommes enquêter sur un accident de voiture, quand bien même la fille d'un de leurs officiers est impliquée. Alors, qu'est-ce qui se passe ?

— Je… je vous jure que je n'en sais pas plus que vous. Sharon m'a demandé de la dépanner à la dernière minute. Elle avait rendez-vous avec Logan et ne voulait pas passer la soirée à guetter d'éventuelles lumières dans le ciel. Elle m'a prêté sa voiture et m'a simplement demandé de filmer si je voyais quelque chose de particulier.

— Et vous avez filmé ?

— Peut-être que c'était ça que voulaient ces types qui ont provoqué l'accident !

— Je n'ai pas trouvé de caméra dans la voiture. Où est-elle ?

— Je l'ai laissée sur le siège passager pour installer l'homme blessé sur la banquette arrière. Elle doit encore être dans la voiture. Ou alors elle a été éjectée du véhicule lors de l'accident. Qu'en pensez-vous ?

— Je ne sais pas, j'ai sommairement inspecté la voiture. Ensuite, j'ai repéré vos traces, puis je vous ai transportée à l'hôpital.

— Possible que vous ayez été suivi, avança Andrea.

Ils arrivèrent à l'endroit indiqué. Pete était à la fois impatient d'obtenir la confirmation que les deux événements étaient en rapport et plein d'appréhension à l'idée qu'un de ses agents et ami ait été victime d'un homicide.

— Andrea, même si, pour le moment, nous ne disposons pas encore de suffisamment d'éléments, mon instinct me dit que votre accident et celui de Logan sont liés. Je ne pense pas avoir été suivi à l'hôpital. J'ai plutôt l'impression que ceux qui s'en sont pris à vous savaient que vous seriez à la plate-forme d'observation hier soir et qu'ils avaient anticipé que vous pourriez réchapper à l'accident.

Elle en resta bouche bée.

— Non, c'est impossible.

— A-t-on déjà essayé de s'en prendre à vous ? Pensez-vous que des hommes pourraient tendre un piège à votre père pour se débarrasser de lui ?

— Non, c'est la première fois. Mais il a rejoint la Sécurité intérieure depuis à peine plus d'un an.

— Je suis responsable de vous, Andrea. Vous m'écouterez et m'obéirez au doigt et à l'œil, quoi que je vous ordonne. Compris ?

Quand, quelques heures plus tôt, un homme avait surgi dans sa chambre d'hôpital pour essayer de l'enlever, elle avait paru moins effrayée qu'en cet instant.

— Je ne crois pas à votre raisonnement, Pete. Cependant, j'avoue que vous commencez à me faire un peu peur.

— Mince alors, je comptais vous faire vraiment *très* peur, vous savez.

8

Andrea attendit dans la voiture, comme Pete le lui avait demandé. De toute façon, c'était là qu'elle était le mieux. Le corps de Logan avait été retrouvé tout près, de l'autre côté de la colline.

L'incendie de son véhicule avait attiré l'attention des gardes forestiers. Lorsque Andrea était arrivée sur place avec Pete, le feu était maîtrisé, mais elle s'était caché le visage dans les mains pour ne pas voir l'épave. En moins de vingt-quatre heures, cela faisait trop.

Des policiers étaient toujours à la recherche de Sharon qui, c'était confirmé, n'était pas rentrée à l'observatoire.

Sur son siège de voiture, Andrea était tendue et serrait les poings tellement fort que ses ongles lui rentraient dans les paumes. Elle avait le cœur serré d'angoisse. Elle commençait à avoir du mal à respirer, elle avait besoin d'air. Elle entrouvrit la portière, mais une odeur âcre de plastique brûlé la saisit. Des volutes de fumée noire montaient encore au-dessus de la cime des arbres.

Une terrible culpabilité la tenaillait, elle ne savait pas quoi faire. La déclaration de Pete l'avait effrayée.

Si elle restait dans la région pour terminer son mémoire, s'exposait-elle réellement à un grave danger ?

Elle ne put retenir ses larmes. Son amie Sharon respirait tellement la vie.

Etait-elle morte à cause d'elle ? Ou alors, Sharon était-elle complice des hommes qui s'étaient attaqués à elle dans le but d'atteindre son père ? Andrea soupira. Qu'était-elle supposée faire, dans de telles circonstances ?

Elle faisait confiance à Pete pour la défendre. A l'hôpital, il lui avait prouvé qu'il était à la hauteur. De plus, c'était quelqu'un d'honnête et il la traitait bien, elle devait le reconnaître. S'il l'avait voulu, il aurait pu la jeter en cellule jusqu'au retour de son père et ne plus se soucier d'elle. Elle savait ce que ferait le commandant si elle refusait de l'écouter : il lancerait un mandat, un agent viendrait l'arrêter et la renverrait chez elle.

Des parents ne devraient pas se comporter ainsi avec leur fille de vingt-six ans. D'autant moins que, depuis qu'elle avait décroché son premier diplôme, elle finançait elle-même ses études. Elle ne supportait plus de ne pouvoir contrôler sa vie. Pire : cela ne semblait pas devoir s'arranger.

Six jours, c'était tout ce qu'il lui fallait pour boucler son mémoire et pouvoir décrocher le boulot dont elle rêvait. Loin du commandant Tony Allen. Loin également du docteur Beatrice Allen, une épouse parfaite et la mère la plus autoritaire de tous les Etats-Unis.

Andrea lâcha un soupir. Même après avoir validé trois cursus universitaires, elle se sentait obligée de justifier auprès de ses parents son envie de rédiger un mémoire sur les étapes de la naissance d'une nouvelle étoile. Elle adorait contempler le ciel sous toutes les coutures et, même si l'observatoire lui avait promis de lui transmettre toutes les données enregistrées par le télescope, elle tenait à être là pour ne rien rater et rédiger un mémoire d'une précision qui épaterait la plupart des experts du monde entier.

Si elle échouait, que ferait-elle ? Se lancerait-elle dans d'autres travaux de recherche ? Ou bien laisserait-elle tout tomber pour aller travailler avec sa mère ?

Elle devinait déjà les commentaires de ses parents :

« Tu aurais mieux fait de nous écouter. »

« Tu n'as pas assez travaillé, tu ne t'es pas assez investie. Voilà le résultat ! »

Plusieurs fois déjà, elle avait refusé de suivre leurs conseils, à son détriment.

Cette fois, c'était sa dernière chance. Dans les six prochains jours, une étoile allait naître, elle en était persuadée. Mais elle assisterait à cette naissance derrière un télescope ou devant un écran de télévision.

Pete tapa à la vitre côté conducteur, la sortant de ses pensées. Elle déverrouilla la portière.

Il discutait au téléphone :

— Non, elle est avec moi et, compte tenu des circonstances, elle le restera, disait-il à son interlocuteur.

Tout en gardant son téléphone à l'oreille, il déposa son chapeau sur la banquette arrière puis tendit la main pour tourner la clé de contact.

Mais, en son absence, elle s'en était emparée et la serrait dans sa main. Elle inséra elle-même la clé et enclencha le contact. Pete lui adressa un regard surpris, puis se concentra de nouveau sur sa conversation. Il bloqua le téléphone contre son épaule, passa la première et démarra sèchement dans un nuage de poussière.

— Deux personnes de sexe masculin. A environ cinquante mètres du véhicule.

Il marqua une pause, écoutant la réponse de son interlocuteur.

— Non, elle ne reste pas. Je suis d'accord, pas au téléphone. Il se pourrait qu'on nous écoute, alors je préfère ne pas courir le risque.

— De quoi est-il question ? intervint-elle.

Mais il n'avait pas raccroché et lui fit signe de se taire.

— Oui. Entendu, je comprends, monsieur.

Il mit fin à la communication et rangea l'appareil.

— Je devine que c'était mon père. Alors quelles sont ses nouvelles instructions ?

— Je dois vous conduire à l'observatoire et, de là-bas, vous vous en irez.

— Et, bien évidemment, je n'ai pas mon mot à dire.

Elle était révoltée mais, en même temps, consciente de la gravité de la situation. Deux hommes avaient perdu la vie.

— Non, en effet, vous n'avez pas votre mot à dire. Il semble évident que c'était *vous* la cible des types qui ont attaqué Griggs. Le cadavre que nous avons retrouvé en sa compagnie est celui de l'homme que vous avez secouru dans le désert.

— Et Sharon ?

Elle était dévorée par la culpabilité. Si Pete ne l'avait pas conduite au poste de police mais à l'observatoire, Sharon ne serait pas morte. Andrea en était certaine. Elle-même aurait été tuée si Pete ne l'avait pas retrouvée après l'accident.

Le téléphone de Pete sonna. Il décrocha et écouta.

— Oh ! S'il te plaît, papa, calme-toi et fais de ton mieux pour coopérer avec lui. Très bien. Toi aussi. A plus tard au ranch.

Andrea se posait une multitude de questions. Elle avait besoin de parler à Pete.

Dès qu'il eut raccroché, elle se lança :

— Les types qui ont attaqué Logan croyaient que c'était nous, dans la voiture, n'est-ce pas ? Oh ! mon Dieu ! A cause de moi, vous auriez pu perdre la vie. Qu'allons-nous faire, maintenant ? Vous me conduisez auprès de mon père, qui me mettra dans le premier avion pour que je retourne à la maison, c'est ça ?

— Calmez-vous, Andrea. Si vous me bombardez de questions, comment puis-je vous expliquer ce que j'ai appris ? Nous n'avons pas retrouvé votre amie. Etiez-vous proches ?

— Non, je la connaissais depuis trop peu de temps. Mais imaginer qu'elle puisse être morte à cause de moi est insupportable.

— L'homme qui avait disparu hier et que nous avons retrouvé aujourd'hui était un agent sous couverture qui travaillait pour votre père. Je resterai avec vous jusqu'à l'arrivée de l'hélicoptère qui doit vous emmener, continua-t-il d'une voix altérée, comme s'il était ému. Le commandant a demandé que…

— Je ne pars pas.

— Quelqu'un essaie de vous tuer, Andrea ! Deux personnes sont mortes, peut-être trois. Que voulez-vous dire quand vous déclarez que vous ne partez pas ?

— Cela fait deux ans que j'attends la semaine qui s'ouvre. Celle-ci et pas une autre. A l'observatoire, il est prévu que je puisse me servir exclusivement du télescope pour mes travaux pendant les six jours à venir. Si je ne le fais pas, mes travaux n'auront servi à rien.

— Et c'est plus important que votre vie ?

— Cette semaine est cruciale. Une telle occasion ne se représentera pas.

— C'est peut-être aussi ce que se disent les types qui en ont après vous. Qu'ils doivent vous avoir maintenant.

— Vous croyez réellement que ma vie est en danger ?

— Oui, j'en suis persuadé, répondit-il sans hésitation.

— Alors je partirai.

Elle n'avait pas le choix. Elle ne pouvait mettre d'autres vies en danger. Un an plus tôt, quand il avait rejoint la Sécurité intérieure, son père l'avait avertie que peut-être on s'en prendrait à elle pour l'atteindre, *lui*. Jusque-là, elle n'y avait pas cru.

Désormais, elle était indirectement responsable de la mort d'au moins deux personnes. C'était déjà trop.

— Vous ne dites pas cela pour m'amadouer ? reprit Pete. Vous allez partir pour de bon ?

Ils se dévisagèrent.

Il lui sourit. Elle se sentit mieux.

— Voulez-vous que je signe une déclaration de mon sang, shérif ?

— Shérif provisoire, corrigea-t-il. Et, non, ce ne sera pas la peine.

Il se réinstalla au fond de son siège, fixa la route et ajouta :

— Voilà, donc… J'imagine que vous ne reviendrez pas de sitôt dans la région observer les étoiles. Dommage, j'aurais bien aimé passer cette seconde audition.

— Moi aussi, je l'attendais avec impatience.

9

Rook prit sur lui pour ne pas jurer. Cette Patricia Orlando commençait sérieusement à lui courir sur les nerfs. Elle n'arrêtait pas de poser des questions :

— Si vous savez où va la fille, pourquoi ne pas envoyer des hommes l'éliminer ?

En plus, elle tapotait de façon agaçante sur la table avec ses longs ongles vernis.

— La Sécurité intérieure va certainement augmenter les patrouilles dans le secteur et il nous faudra les éviter !

Cette fois, Rook souffla lourdement.

— Avant de décider l'arrêt de projets élaborés depuis plusieurs mois, j'aimerais découvrir ce que cette fille sait exactement.

Il contourna la bibliothèque et passa devant les échiquiers alignés le long du mur. Une fois qu'il en aurait fini avec Patricia, il pourrait terminer sa partie n° 4 en trois coups. Il s'arrêta devant l'échiquier n° 1 pour déterminer quelle approche adopter.

— Mais maintenant la Sécurité intérieure s'en mêle, insista-t-elle d'un ton plaintif.

S'il n'avait pas eu besoin d'elle, il l'aurait giflée.

— En effet, Patricia, ce qui signifie qu'il faudra faire preuve d'imagination pour contourner le problème. Mais, si vous vous rappelez, ce n'est pas la première fois que je dois faire face à une situation complexe.

— Oui, mais pas de cet ordre.

— Ma chère, pourquoi faut-il toujours que vous doutiez de mes capacités ? La dernière fois, vous avez manifesté les mêmes inquiétudes.

— Se débarrasser de deux Texas Rangers et affronter la Sécurité intérieure, ce n'est pas pareil. Et d'abord, pourquoi ont-ils envoyé un homme pour infiltrer notre opération ?

Devoir sans cesse tout expliquer était lassant. Mais, à toujours prévoir de nouvelles parades en fonction des mouvements de ses adversaires, il en oubliait parfois la médiocrité de ses partenaires…

— Patricia, je vous rappelle que la Sécurité intérieure a en charge la surveillance des frontières. Combien de fois nous sommes parvenus à faire passer des armes des deux côtés de la frontière à leur nez et à leur barbe ! Nous sommes devenus un des plus gros pourvoyeurs de drogue du pays. Et bientôt nous serons les leaders du marché. En conséquence, il est tout à fait normal que la Sécurité intérieure s'intéresse à nous.

— Monsieur Rook, pourriez-vous arrêter de me faire la leçon ? Je suis parfaitement au courant, je ne suis pas stupide.

— Loin de moi la volonté de vous offenser, ma chère.

— Alors venez-en au fait. Jusque-là, nous avons eu de la chance. Je souhaite que ça continue.

De la *chance ?* s'étrangla-t-il. Tous les plans avaient été minutieusement préparés, avec l'élaboration chaque fois de divers scénarios pour ne retenir que le meilleur.

— Les Texas Rangers ne se sont pas intéressés à nous pendant près de quatre ans parce que j'ai fait en sorte qu'ils ne nous voient pas, rappela-t-il en s'installant devant le second échiquier. Et, quand nous avons commencé à retenir leur attention, je leur ai donné un os à ronger pour les distraire. Ils sont tellement obsédés par la volonté de retrouver les assassins de leurs collègues que nous pouvons agir en toute tranquillité. Patricia, venez vous asseoir.

— Nous perdons du temps. Je refuse que l'opération tourne mal. Quel est l'intérêt d'enlever la fille qui a aperçu notre équipe hier soir ? On sait déjà qu'elle a détalé avant de comprendre ce qu'elle voyait, non ?

— Patricia, Patricia, Patricia.

Il se leva et posa les mains sur ses épaules.

— Je viens d'entamer une partie d'échecs, ne l'avez-vous pas compris ? Moi, c'est ce que je préfère.

— Je n'ai jamais été portée sur les échecs.

— Et pourtant, vous avez toutes les qualités d'un bon joueur, ma chère, répliqua-t-il en accentuant légèrement la pression sur ses épaules. Je souhaite que ce soit fait aujourd'hui même. Mettez quatre de vos meilleurs hommes à ma disposition.

— Quatre de mes meilleurs hommes ?

— Pour atteindre un objectif, il faut parfois sacrifier ses meilleurs éléments.

Sur l'échiquier, il déplaça son cavalier, même s'il allait être capturé. Son adversaire verrait son mouvement comme une erreur fatale mais, plus tard, se rendrait compte qu'il s'était fait piéger.

— Vous… vous me faites mal, monsieur Rook !

— Quatre hommes à remplacer, ce n'est rien.

Il accentua encore sa pression.

— Où doit-elle être emmenée ? bafouilla presque Patricia.

— Je prendrai des dispositions le moment venu. Avertissez-moi dès que ce sera fait.

Il desserra son étreinte.

— Bien, monsieur.

Il poussa un soupir de contentement.

— Nous devons donner aux autorités un nouvel os à ronger. Cela apaise les gentils contribuables et, pendant un moment, la surveillance aux frontières se relâche et nous pouvons en profiter pour effectuer quelques transactions juteuses.

— Quel est cet os ?

— Andrea Allen.

10

Andrea avait fait ses valises, qui seraient récupérées plus tard, et avait glissé son ordinateur portable et une tenue de rechange dans son sac à dos. Elle contempla l'observatoire avec dépit. Tout le monde voulait qu'elle monte dans cet hélicoptère et, ensuite…

C'était là le problème. Ensuite, il n'y avait rien. Si elle ne bouclait pas son mémoire, elle ne décrocherait jamais mieux qu'un poste d'enseignante de second ordre dans une université déjà remplie d'astronomes désœuvrés. Elle ne pourrait pas partir travailler en Allemagne, en Australie ou en Afrique du Sud.

— Vous semblez bien morose.

La voix de Pete lui fit relever la tête.

— Vraiment ? Je suis désolée, mais les tendances hyper-protectrices de mon père m'exaspèrent. En plus, son grade et sa position font qu'on lui obéit toujours sans sourciller.

— Je comprends.

Il s'appuya dos au mur et fixa la porte d'entrée derrière elle. Il n'avait sans doute pas conscience d'avoir posé les mains sur sa ceinture, prêt à dégainer son arme à la moindre alerte.

Elle se sentit égoïste. Il prenait des risques pour assurer sa sécurité et il avait perdu un ami.

— Je suis désolée, Pete. En ce moment même, vous devriez être en train d'enquêter pour retrouver ceux qui ont tué votre collègue.

— Mon boulot, c'est d'être ici, répliqua-t-il sans bouger.

Il semblait éviter son regard.

— Laissez tomber, Pete. Je vous jure que je ne bougerai pas. Je sais que je dois partir. Je ne peux pas courir le risque qu'il arrive malheur à quelqu'un d'autre à cause de moi. Merci quand même d'être resté avec moi tout ce temps.

— J'ai donné ma parole, répondit-il, toujours immobile.

— Bien sûr. Mais je vous en suis néanmoins reconnaissante. L'hélicoptère ne devrait plus tarder. J'aimerais attendre dehors.

— Je ne crois pas que ce soit une bonne idée.

— Tant pis. J'en ai assez d'être là.

Elle se dirigea vers la porte mais la tira trop sèchement. Son poignet foulé lui fit mal et les larmes lui vinrent aux yeux.

— Attendez ! intervint Pete. Si jamais on nous a suivis jusqu'ici, vous ne devez surtout pas vous montrer.

— Vous avez raison, une fois de plus, shérif.

Elle laissa tomber les bras le long du corps, dépitée de tout faire de travers, et plus encore que Pete soit sur le point de la voir fondre en larmes. Elle se massa le poignet. Ainsi, il croirait peut-être que ses larmes n'étaient dues qu'à la douleur.

— Allons, Andrea, ce n'est pas ma faute.

Elle le savait.

— Je ne vous reproche rien. Je vais perdre toute chance d'obtenir le boulot dont je rêvais parce que, un vendredi soir, je ne savais pas quoi faire et que j'ai accepté de prendre la place d'une amie. Tout est ma faute, je dois l'admettre.

Elle s'essuya les yeux. Elle en avait gros sur le cœur. A cause de Sharon et de ce policier qu'elle n'avait jamais rencontré. A cause de cet homme blessé qu'elle avait voulu secourir mais qui était finalement mort lui aussi. Et, égoïstement, parce qu'elle n'aurait jamais la carrière qu'elle espérait. Pleurer sur son propre sort était mesquin, mais elle n'arrivait pas à se retenir.

Soudain, Pete la prit dans ses bras.

— Ne vous blâmez pas, Andrea. Même si vous n'aviez pas remplacé Sharon, ces types auraient trouvé un autre moyen de vous atteindre. Ç'aurait pu se passer ici ou en pleine rue, n'importe où, et les conséquences n'auraient pas forcément été moindres.

Depuis qu'elle l'avait rencontré, Pete agissait en professionnel, avec rigueur. Sauf à quelques moments, quand il se laissait aller et devenait complètement lui-même, comme en cet instant. C'était ainsi qu'elle le préférait. Il dégageait une véritable force, alliée à une grande douceur. Etre dans ses bras paraissait naturel et délicieux, en dépit des circonstances.

— Je regrette de ne pas vous avoir rencontré deux semaines plus tôt, chuchota-t-elle.

— Mais est-ce que nous nous serions rencontrés ? observa-t-il avec un brin de malice.

Il la prit par les épaules pour l'écarter de lui et lui faire relever la tête. Leurs lèvres se retrouvèrent toutes proches et se joignirent instantanément, comme par magnétisme.

— Ce que nous faisons va à l'encontre de toutes les règles d'usage, mais, pour le moment, je préfère les ignorer.

Il l'embrassa de nouveau, avec ardeur.

C'était quelqu'un de bien, pour qui il était facile de ressentir de l'affection, voire de l'admiration. Finalement, peut-être était-ce mieux qu'elle s'en aille, car il n'en aurait pas fallu beaucoup pour qu'elle tombe amoureuse de lui.

Au loin, le vrombissement d'un hélicoptère se fit entendre. Dans quelques minutes, son père serait là. Le commandant n'avait pas révélé où il l'emmènerait. Etait-elle la seule à ne pas supporter qu'on dirige ses faits et gestes sans qu'elle ait son mot à dire ? Elle devait en avoir le cœur net.

— Je n'ai pas envie de partir, Pete. Je ne dis pas cela

à cause du commandant ou de mon mémoire. Mais cela fait bien longtemps que je n'ai pas ressenti une telle envie de rester avec quelqu'un. Et vous ? lui demanda-t-elle en le fixant droit dans les yeux.

— Eh bien, pour être honnête, cette seconde audition m'a beaucoup plu. Ce qui ne fait que renforcer ma volonté de vous voir monter dans cet hélicoptère car, ici, vous n'êtes pas en sécurité.

— Laissez-moi au moins votre numéro de téléphone, alors.

Il éclata de rire et secoua la tête.

— Vous savez très bien comment me joindre, Andrea.

— Je sais, mais je crois qu'Honey se méfie de moi. Si j'appelle un jour et que je tombe sur elle, je redoute qu'elle ne vous transmette pas le message.

De qui se moquait-elle ? Elle ne rappellerait pas et le savait pertinemment. Jamais elle ne serait autorisée à revenir à Fort Davis. Son père y veillerait.

— Vous êtes attendue, répliqua-t-il en désignant la porte de la tête.

Il semblait ému et déglutit avec difficulté, remarqua Andrea.

Ils sortirent mais, alors qu'ils se dirigeaient vers la pelouse devant l'observatoire, elle jeta les bras autour de son cou pour un ultime baiser. Il y répondit sans retenue.

L'hélicoptère continuait son approche et, soudain, tout lui revint. Il produisait un vrombissement particulier. Le même que celui qu'elle avait entendu la nuit précédente. Elle s'en souvenait justement parce que cet engin avait un son plus étouffé que la normale.

Elle s'y connaissait en avions et hélicoptères. C'était un des rares points communs qu'elle avait avec son père...

Souvent, ils jouaient à identifier un modèle d'engin volant au son qu'il produisait.

— Ce n'est pas mon père, déclara-t-elle en pointant le doigt dans la direction de l'hélicoptère. Faites-moi confiance, Pete. Celui-ci, c'est un Hiller, un engin d'entraînement. Jamais mon père n'utiliserait un hélico de ce genre.

— Vous êtes capable d'identifier un hélico à l'oreille ?

— Que comptent-ils faire ? Comment osent-ils se montrer en plein jour alors que mon père doit arriver d'un instant à l'autre ? se demanda-t-elle tout haut sans tenir compte de sa question. Pensent-ils pouvoir m'emmener sans que…

Un coup de feu l'interrompit. Pete se jeta devant elle pour la protéger. Sur leur gauche, quelques personnes installées sur des chaises de jardin pour manger un sandwich prirent leurs jambes à leur cou pour se mettre à l'abri.

— Pete, ces types sont prêts à tout, ils se moquent de blesser des innocents !

Ils n'étaient qu'à quelques mètres de la porte. Un nouveau tir retentit. Andrea se recroquevilla. Pete baissa la tête et sortit son arme. D'autres personnes s'étaient réfugiées le long du mur.

Pete jeta un regard à droite et à gauche puis prit le risque de se relever. Il n'y eut pas de nouveaux tirs. Il s'empressa de pousser tout le monde vers la porte.

— A l'intérieur, tous, et ne restez surtout pas à proximité des fenêtres ! Allez, allez !

Il désigna une salle de cours.

— Entrez et cachez-vous sous les tables.

— Que se passe-t-il ? intervint un homme en sortant du bureau d'accueil.

— Je suis le shérif Morrison du comté de Presidio. Faites une annonce au haut-parleur pour demander à tout le monde de se réfugier dans les salles et de rester à l'écart des fenêtres. Et que personne ne sorte.

Il plaqua Andrea contre une paroi et fit signe à tous d'aller se mettre à l'abri.

— Laissez-moi rester avec vous, je suis bonne tireuse, dit-elle.

— Vous devez rester avec moi, oui. Ces types cherchent précisément à semer la confusion pour nous séparer. C'est vous, leur cible, Andrea. Et pour mettre la main sur vous, ils n'hésitent pas à attaquer en plein jour.

— Il faut que j'appelle le commandant.

— Ils écoutent certainement la fréquence de la police, voire mon portable. Sinon, jamais ils n'auraient su que vous étiez ici ou que votre père envoyait un hélicoptère.

Il se tenait devant elle et lui obstruait complètement la vue. Elle fit un pas de côté.

— Comment peuvent-ils connaître l'identité de mon père ? Oh mon Dieu ! Mes papiers d'identité. Ils ont mis la main dessus, ils savent qui je suis.

Tout était sa faute. Elle avait commis une série d'erreurs qui avaient été fatales à des innocents.

— S'ils écoutent votre portable, Pete, plus tôt ils sauront que mon père arrive, plus vite ils partiront. Je vous en supplie, laissez-moi l'appeler. Je ne supporterais pas qu'il y ait d'autres victimes.

— D'accord, allez-y, répondit-il en lui tendant son téléphone. Mais faites vite.

Elle composa le numéro de son père.

— Mince, il n'y a pas de réseau ici. Il faut que j'utilise le téléphone de l'observatoire.

— Ne bougez pas, Andrea, c'est trop risqué. J'ai comme l'impression que l'appareil se pose.

Prudemment, il s'approcha des fenêtres.

Elle ne supportait pas de rester sans rien faire. Au pas de course, elle traversa le hall pour se diriger vers le bureau d'accueil.

— Que faites-vous ? lança Pete.

— Il faut les empêcher d'entrer dans le bâtiment !

Elle s'adressa à l'homme qui s'était caché sous le comptoir :

— Où sont les clés de la porte d'entrée ?

— Juste là, répondit-il en désignant un trousseau sur un crochet au mur. Mais je ne suis pas payé pour risquer ma vie !

— Bien sûr que non, répondit-elle d'un ton rassurant en prenant les clés. Mais pourriez-vous appeler le 911 ? Dites-leur de contacter le commandant Tony Allen et de l'alerter de ce qui se passe ici. Il nous aidera.

— Ne fermez pas les portes, Andrea, c'est ce qu'ils souhaitent, l'avertit Pete, accouru derrière elle.

Elle acquiesça, puis se tourna vers le réceptionniste. Il tenait le combiné mais semblait hésiter à composer le numéro.

— Dépêchez-vous ! lui intima-t-elle.

Pete la tira alors derrière le comptoir.

— C'est trop dangereux, dit-il.

— Mais il faut les ralentir.

— Verrouiller les portes ne servira à rien et je refuse que vous ou qui que ce soit d'autre s'expose, insista Pete.

Le réceptionniste s'était résolu à composer le 911. Pete lui fit signe de la tête avant de lui prendre le combiné des mains.

— Allez vous mettre à l'abri avec les autres dans la salle de cours.

— Oui, monsieur, répondit l'homme avant de s'éloigner à quatre pattes.

— Allo ? lança une voix dans le combiné du téléphone.

Pete enclencha le haut-parleur.

— Ici le shérif Morrison. Avez-vous réussi à joindre le commandant Allen ?

— Pas encore, en revanche la police devrait être sur place dans vingt minutes.

— Je suppose que le commandant est avec mon père, répliqua Pete. Essayez son portable et dites-lui que nous sommes réfugiés à l'intérieur de l'observatoire.

Andrea voulut jeter un regard par-dessus le comptoir, mais il l'en dissuada en lui posant la main sur l'épaule. Pour la première fois, elle regrettait que son père ne soit pas là.

Pete observa les panneaux indicateurs au mur : « intendance », « accueil », « auditorium », « cafétéria ». Il fallait qu'il trouve un endroit où cacher Andrea avant que des individus pénètrent dans le bâtiment et les neutralisent. Il ne portait pas son gilet pare-balles. Son père allait lui passer un sacré savon. Si du moins il survivait jusqu'à son arrivée.

Il était totalement investi du devoir de protéger Andrea. Pas parce qu'il avait promis au commandant Allen de veiller sur elle ni parce qu'il était le shérif. Il s'était attaché à elle, elle était devenue importante à ses yeux.

S'il lui arrivait malheur, il ne se le pardonnerait pas.

— Je dois vous faire sortir d'ici.

— Je ne suis pas une petite fille, Pete. Depuis l'enfance, je prends des cours d'autodéfense. Et je sais tirer. Mais mon arme est dans mon sac, qui est resté dehors.

C'était bon à savoir, mais il ne pouvait pas la laisser sortir.

— Il faut qu'on déniche un endroit, un placard à balais, par exemple, où vous pourriez vous dissimuler un moment.

— Vous pensez qu'ils sont encore là ?

— L'hélico est toujours posé. Il se peut également que ces types aient des complices qui étaient là avant pour préparer l'embuscade.

Deux silhouettes traversèrent le patio.

— Ne restons pas là, décida Pete. A côté de la cafétéria, je crois qu'il y a un placard. Courez, je vous couvrirai s'il le faut.

Ils traversèrent le hall aussi vite que possible. Il se retournait régulièrement, mais personne ne les suivait.

Arrivée à la porte, Andrea dut s'y reprendre à plusieurs fois avant de trouver la bonne clé. Enfin, elle put ouvrir et, sans attendre, se glissa à l'intérieur.

— Pouvez-vous verrouiller de l'intérieur ?

— Je crois, oui.

— Gardez les clés avec vous, je n'en ai pas besoin. C'est plus sûr.

Evidemment, avec une arme, ce n'était pas difficile de faire sauter une serrure mais, avec un peu de chance, ces types ne prendraient pas le risque de blesser Andrea, se dit Pete.

— Mais, Pete…

— Laissez-moi faire mon travail, Andrea. Faites en sorte de ne pas être visible si quelqu'un ouvre la porte, et ne bougez pas jusqu'à l'arrivée de la cavalerie.

— Ou plutôt de la marine, en l'occurrence. Mon père ne nous laissera pas tomber.

Pete acquiesça. Il avait fait son possible pour la mettre à l'abri. Désormais, il devait affronter ceux qui voulaient s'emparer d'elle. Il fit basculer les tables de la cafétéria. S'il devait s'enfuir, elles lui permettraient de rester à l'abri. Soudain, par la fenêtre, des silhouettes apparurent de nouveau. Il eut juste le temps de plonger derrière le bar avant que des tirs ne retentissent.

Il y eut des cris en espagnol puis la porte d'entrée s'ouvrit. D'autres coups de feu éclatèrent. Il reconnut le bruit caractéristique d'un revolver automatique. L'arme de prédilection des cartels de la drogue. Une balle alla se ficher dans le panneau du menu de la cafétéria.

— Nous savons que la *chica* est ici ! Livrez-la-nous et personne ne sera blessé !

En guise de réponse, Pete répliqua par deux coups de feu à l'aveugle. Il y eut des jurons et d'autres tirs.

Sa radio se mit à grésiller. Les renforts étaient peut-être tout près. Il baissa le volume pour éviter que ses adversaires n'entendent ce qui se disait, puis il porta le micro à sa bouche :

— Ici Morrison. Je suis bloqué dans la cafétéria. Il y a de nombreux civils dans la salle de cours près de l'entrée. Je fais face à plusieurs assaillants équipés d'armes automatiques, impossible de donner un nombre précis.

Un des malfrats lui lança :

— Nous savons que vous êtes là et que vous êtes tout seul, shérif. Nous n'avons rien contre vous. Nous voulons seulement la fille.

Pete tira deux fois.

— Vous avez compris le message, cette fois ? Et d'abord, pourquoi elle ?

— Les renforts n'arriveront pas, ne cherchez pas à gagner du temps.

Etait-ce du bluff ou avaient-ils tendu un piège au commandant Allen ? Pete savait précisément combien de balles il lui restait. Il ne tiendrait pas longtemps.

Il y eut un feu nourri et il dut se plaquer au sol. La veille encore, il se demandait s'il aurait toujours du boulot après l'élection du nouveau shérif. Désormais, son seul souci était de parvenir à rester en vie.

Et à faire en sorte qu'il n'arrive rien à Andrea.

11

L'oreille tendue, Andrea suivait tout ce qui se passait à l'extérieur du placard. Elle était en équilibre sur un seau retourné pour atteindre le faux plafond et parvenir à déplacer un panneau d'isolation. Son poignet foulé lui faisait mal et, quand elle poussa le panneau, elle dut serrer les dents pour ne pas gémir de douleur.

Elle rassembla ses forces et se hissa avec difficulté entre les charpentes métalliques. Elle avait envie de se reposer, mais elle ne le pouvait pas. Elle remit le panneau en place. D'autres coups de feu éclatèrent.

Allez, commandant, qu'est-ce que tu fiches ?

Elle était dans une position précaire. Un faux mouvement risquait de faire s'effondrer le faux plafond sous son poids et révéler aux types qui la cherchaient où elle était.

Il fallait qu'elle s'échappe.

Et elle devait trouver un moyen d'aider Pete. Elle l'avait entendu répliquer à ces hommes et tirer pour se défendre. Mais combien de temps tiendrait-il ? Elle devait intervenir, elle en était capable, elle n'était pas une petite étudiante qui ne sortait jamais de ses livres. Son père lui avait appris à se défendre, à tirer. Si elle réussissait à sortir et à récupérer son arme, alors tout serait différent.

— Pete, Pete, tu m'entends ? Nous sommes sur le parking. Tout va bien, fils ?

C'était la voix de son père dans la radio. Pete se sentit gagné par un immense soulagement alors que les balles sifflaient autour de lui depuis plusieurs minutes.

— Oui, ça va.

— Il se pourrait qu'on nous écoute, Pete, alors changeons de fréquence. Tu te souviens du jour de naissance du poulain, le mois dernier ?

— Oui, on bascule.

Il passa sur la fréquence définie, mais ils disposaient de peu de temps avant que leurs adversaires ne parviennent de nouveau à les écouter.

— Pete ? Tu sais ce que ces types veulent ?

— Ouais, ils sont après Andrea Allen. Son père est avec toi ?

— Non, il tente de pénétrer dans le bâtiment par un autre point d'entrée. Combien sont-ils ?

— Quatre hommes sont arrivés en hélico, j'ignore combien les attendaient au sol.

— Nous avons sécurisé les abords et nous sommes prêts à évacuer les gens dans la salle de cours par la sortie de secours. Change de fréquence, pense à l'anniversaire de Peach.

— Bien reçu.

Il manipula sa radio. Ils avaient fêté l'anniversaire de Peach la semaine précédente, ce n'était pas difficile de se souvenir de la date.

— Ne bouge pas, Pete. Nous arrivons.

Il vérifia son chargeur. Il lui restait trois balles.

Ses munitions supplémentaires étaient restées dans la voiture.

« Ne bouge pas. »

Comme s'il avait le choix !

Il y eut des échanges de voix en espagnol, puis des bruits de pas.

— Qui est là ? demanda alors un des hommes.

Pete rampa jusqu'au bout du comptoir pour jeter un regard à l'extérieur. C'était certainement un des agents du comté de Jeff Davis. Mais, à sa grande surprise, il vit Andrea sortir une arme de son sac et faire feu trois fois.

Il en profita pour se précipiter à côté d'elle. Elle tenait la porte entrouverte pour lui et continuait à tirer afin de le couvrir.

Un homme sortit alors à découvert, revolver en main.

— Baissez-vous ! ordonna Pete à Andrea.

Leur adversaire tira. Andrea répliqua avant que Pete ne se jette sur elle pour la faire plonger au sol.

Pete sentit une vive brûlure à son bras gauche. Il avait été touché…

L'homme qui avait tiré, lui, s'effondra.

Pete serra les dents, se releva et prit Andrea par la main pour l'entraîner à sa suite.

— Courez !

Ils longèrent le mur de brique jusqu'au pied de l'escalier qui menait au poste d'observation du ciel. S'ils cherchaient à s'éloigner, ils se retrouveraient à découvert. C'était trop risqué. En revanche, si Andrea contournait le bâtiment, elle pourrait rejoindre son père.

— Faites le tour. Vous allez tomber sur les policiers qui se chargent d'évacuer les civils rassemblés dans la salle de cours.

— Et vous, que comptez-vous faire ?

Elle s'exprimait calmement, sans paniquer.

— Je vais créer une diversion pour protéger votre retraite, répondit-il en désignant l'hélicoptère posé au sol.

— Vous êtes capable de le faire décoller ? s'enquit-elle. Car moi, je peux.

Il fit non de la tête.

— Je ne sais pas piloter, mais je vais le saboter. Préparez-vous, je compte jusqu'à trois et on y va.

— Mais je viens de vous dire que je pouvais le faire…

De nouveaux tirs retentirent. Il baissa la tête et protégea Andrea de son corps. Si elle refusait de coopérer, il l'obligerait à contourner le bâtiment. Leurs assaillants parviendraient peut-être à prendre la fuite mais, au moins, elle aurait la vie sauve. C'était sa priorité.

Quand les coups de feu cessèrent, il la prit par la main et, le dos courbé, avança en la tirant derrière lui. Son bras gauche lui faisait de plus en plus mal mais Pete était toujours lucide.

Elle le retint pour qu'il s'arrête.

— Je refuse que ces voyous s'échappent.

— Alors donnez-moi votre arme. Je vais m'occuper de l'hélico pendant que vous contournez le bâtiment.

Elle lui tendit son revolver.

— Nous perdons du temps, dit-elle. Si je parviens à faire décoller ce coucou, ces types seront piégés et, moi, je serai loin. C'est la meilleure solution. Couvrez-moi.

Avant qu'il puisse protester, elle se redressa, jeta un regard à droite et à gauche, puis partit en courant vers l'hélicoptère.

Pete jura. Ses réflexes étaient moins vifs que d'habitude. Sans doute à cause de sa blessure. Il perdait du sang, la manche de sa chemise lui collait à la peau. Il se plaqua dos au mur, les yeux fixés sur la porte. Des coups de feu retentirent, mais de l'autre côté du bâtiment.

Ces types allaient chercher à s'enfuir, c'était certain. Et Andrea était presque arrivée à l'hélico. Bon sang ! Il leur aurait suffi de rester à l'abri, comme son père le lui avait demandé.

Un homme sortit de l'observatoire. En réponse, Pete fit feu deux fois. Il ne visait pas juste, mais il l'avait néanmoins obligé à se replier à l'intérieur. Le moteur de l'hélico se mit en route. Pete partit en courant et tira ses dernières cartouches en direction de la porte.

Il devait atteindre l'appareil sans flancher.

Par chance, l'hélico était tout près du bâtiment : Andrea l'atteignit rapidement. A l'intérieur, il n'y avait personne. Sans attendre, elle s'installa au poste de pilotage et prit les commandes.

Au même instant, Pete apparut, ouvrit la porte et s'installa à côté d'elle. Il grimaçait.

— Vous êtes sûre de pouvoir le piloter ?

Il semblait épuisé.

— Oui, aucun souci. Attachez-vous.

Elle tira sur le manche pour les faire quitter le sol.

Très vite, ils furent à bonne distance. Des tirs résonnèrent, mais Andrea ne chercha pas à savoir d'où ils provenaient. Si tout se passait bien, les policiers en bas mettraient leurs agresseurs hors d'état de nuire.

Il y avait longtemps qu'elle n'avait pas piloté, et retrouver les sensations d'être aux commandes d'un hélico lui plut. Quand elle était plus jeune, son père l'emmenait voler avec lui aussi souvent que possible. A cette époque, il se comportait comme un père, il n'était pas encore devenu « le commandant » à temps plein.

— Hé, Pete, je vous avais dit de vous attacher.

Elle lui posa la main sur le bras pour attirer son attention. Il saignait !

— Vous êtes blessé ? Hé, shérif, restez avec moi !

Il ne répondit pas. Il était affalé sur le côté. Peut-être même n'avait-il pas bien refermé la porte côté passager !

Sans lâcher les commandes, elle tenta de le tirer vers elle pour qu'il ne pèse pas contre la porte. Puis elle réussit à lui passer son harnais.

Il y eut quelques secousses mais, globalement, elle s'en était bien sortie.

Il n'y avait pas de radio, elle ne pouvait prévenir personne. Pete avait son portable dans sa poche et sa radio à sa ceinture, mais elle ne pouvait attraper ni l'un ni l'autre.

— Je ferais peut-être bien d'essayer de me poser le plus tôt possible.

Les commandes étaient molles et ne répondaient pas aussi vite qu'elle l'aurait voulu. Peut-être qu'un des coups de feu tirés après le décollage les avait atteints ? Elle ne laisserait pas l'hélicoptère s'écraser, mais elle ne pouvait pas non plus choisir le lieu d'atterrissage.

Ils allaient se retrouver au milieu de nulle part, sans eau ni provisions.

Seconde après seconde, les commandes devenaient de plus en plus lâches.

— Accrochez-vous, Pete, nous allons atterrir.

12

Des lèvres douces. Pete n'avait pas l'habitude d'être réveillé par un baiser, mais il sut immédiatement qui l'embrassait. Il tendit les bras pour serrer Andrea contre lui. Une vive douleur l'en empêcha.

— On m'a tiré dessus.

— En effet. J'ai attendu patiemment votre réveil, mais je commençais à m'ennuyer ferme car il n'y a pas beaucoup de distraction par ici.

— C'est inquiétant, car on sait ce qui se passe quand vous vous ennuyez, répliqua-t-il en se redressant avec l'aide d'Andrea.

— Ha ha ha, fit-elle ironiquement.

Il observa les alentours. L'hélicoptère était posé à une vingtaine de mètres. Des traces de bottes formaient des sillons entre l'endroit où ils étaient et l'appareil. Andrea avait dû le traîner tant bien que mal.

— Je suis heureux de ne pas avoir été conscient pour voir ça, dit-il en désignant les sillons.

— J'ai fait de mon mieux. Ça fait un moment que nous sommes là et je ne pouvais pas vous laisser en plein soleil. D'autant que vous avez perdu votre chapeau.

— C'est déjà la fin de l'après-midi.

D'ici une heure, le soleil descendrait derrière les montagnes.

— Oui, vous avez dormi un moment. Mais vous en aviez besoin.

— Il n'y a pas de réseau ?

— Non, dit-elle en désignant la radio à sa ceinture. Je pensais que le commandant allait débarquer à un moment ou un autre pour me faire un sermon mais, en définitive, rien du tout.

— Merci de vous être occupée de mon bras.

— Je n'arrive pas à croire que vous ayez pris une balle. Enfin, si, j'y crois. Vous auriez pu me le dire avant que je coure vers l'hélico. Mais c'est vrai que je ne vous en ai pas franchement laissé l'occasion et...

— Andrea, la coupa-t-il.

Elle parlait vite, sans reprendre son souffle. Elle était nerveuse ou effrayée, peut-être un peu les deux.

— Oui ?

— Ce n'est pas votre faute. Nous sommes sains et saufs, et il y a tout lieu de croire que les types qui en avaient après vous ont été arrêtés. Sans l'hélicoptère, ils n'avaient aucun moyen de s'enfuir. Mais que s'est-il passé avec l'hélico, d'ailleurs ?

— On nous a tiré dessus juste après le décollage et une balle a touché le moteur. Mais nous nous en sommes bien sortis car, si elle avait atteint le rotor, ç'aurait été pire.

— Ces hommes étaient armés de revolvers automatiques. Selon toute vraisemblance, ils font partie d'un cartel de la drogue. Nous savions que, depuis quelque temps, des opérations de trafic s'étaient intensifiées à la frontière, mais c'est la première fois que je les affronte directement.

— Comment va votre bras ? reprit Andrea. La balle vous a éraflé, je pense que vous vous en sortirez avec une cicatrice. J'ai pu stopper l'hémorragie et je n'ai pas eu à extraire une balle à la pointe d'un couteau. J'en aurais été capable, vous savez, mon père m'a enseigné de nombreuses méthodes de survie.

— Je n'en doute pas. J'ai constaté que vous étiez adroite avec une arme à feu.

— En revanche, je n'ai pas compris ce qui vous avait fait vous évanouir, même si vous avez perdu pas mal de sang. Vous êtes-vous cogné la tête ?

— Je vais bien, ne vous tracassez pas. Laissez-moi quelques instants pour vérifier si je reconnais où nous sommes.

— Oh moi, je sais précisément où nous sommes, lança-t-elle avec assurance.

Il hocha la tête. La crête des montagnes lui était vaguement familière.

— A environ vingt kilomètres de l'observatoire, je dirais.

— Bravo, shérif.

— Je sillonne la région depuis pas mal de temps, je n'ai pas de mérite. Nous ne sommes pas loin du tout du ranch Scout mais, si nous voulons passer la nuit dans un lit confortable, nous ferions mieux de nous mettre en marche sans tarder.

— Est-ce une invitation ? lui demanda-t-elle avec malice. Dans ce cas, vous pourriez quand même commencer par m'inviter à dîner.

— Je vous ai déjà offert le petit déjeuner, répliqua-t-il. Mais je crains que votre père refuse de vous voir passer une nuit supplémentaire à Marfa.

Il se leva avec un grognement. Il avait beau avoir dormi, il était encore fatigué. Andrea le soutint jusqu'à ce qu'il recouvre l'équilibre.

— Je suis adulte, Pete. Je suis capable de prendre une décision moi-même.

— Alors, une fois que nous aurons compris pourquoi ces types ont pris autant de risques pour tenter de vous enlever, nous pourrons envisager de dîner.

— Ça me va.

— Il n'y avait pas de radio dans l'hélicoptère ? demanda-t-il.

Il se reprit aussitôt :

— Non, bien sûr. Sinon, vous auriez commencé par essayer de vous en servir.

Ils se mirent en marche et il redouta que les forces ne lui manquent. Mais ils devaient au moins prendre un peu d'altitude pour avoir du réseau et pouvoir passer un appel.

— Ça va ? s'enquit Andrea.

— Je vais faire de mon mieux.

— Si vous n'y voyez pas d'inconvénient, je vais tout de même m'assurer que vous ne flanchez pas, dit-elle en se postant juste à côté de lui.

— Vous allez me tenir la main ?

— Peut-être, répondit-elle dans un sourire.

— Comment se fait-il que votre père ne vous ait pas encore retrouvée ?

— Je me suis posé la même question.

Il tendit le bras.

— Je vais reprendre votre revolver.

Elle repoussa sa main.

— Ne le prenez pas mal, Pete, mais je crois qu'il vaut mieux que je le garde. Pour le moment, vous n'êtes pas tout à fait vous-même.

Peut-être n'avait-elle pas tort, reconnut-il intérieurement. Il n'était pas en pleine possession de ses moyens. De plus, il l'avait vue tirer et, quand l'homme qu'elle visait s'était effondré, elle n'avait pas craqué. C'était ce qui l'étonnait le plus car lui, il avait toujours du mal à devoir tirer sur quelqu'un. Cependant, cette fois-ci, ils n'avaient pas eu le temps de réfléchir. C'était lui ou eux. Et ce n'était pas le moment de s'encombrer l'esprit avec de telles réflexions.

— Vous savez, Pete, en attendant votre réveil, j'ai pas mal réfléchi.

— Et à quelle conclusion êtes-vous arrivée ?

A sa grande satisfaction, il recouvrait de l'énergie à chaque pas.

Quand elle s'aperçut qu'ils s'apprêtaient à gravir une colline escarpée, elle s'arrêta net.

— Vous êtes sûr que c'est par là ?

Il désigna le sommet de la colline.

— Là-haut, on verra peut-être E.T. appeler « maison ».

Elle le fixa, mains sur les hanches.

— A l'hôpital, je n'aurais jamais dû vous dire que je ne savais pas ce qui m'avait poursuivi. Maintenant, vous n'allez jamais cesser de faire comme si j'avais été prise en chasse par des extraterrestres, n'est-ce pas ?

Il éclata de rire. Sa moue vexée l'amusait au plus haut point.

— Non, je ne crois pas.

Elle le prit par le bras.

La pente était raide, mais il tint bon.

— Comme je le disais avant votre petite plaisanterie, j'ai beaucoup réfléchi. A bien y repenser, la tentative de ces types est absurde.

Il était du même avis.

— Comment ont-ils appris que vous deviez partir ? Pourquoi tiennent-ils tant à mettre la main sur vous ?

Il ajouta dans la foulée :

— Une fois que nous serons parvenus à passer un appel, nous devrons nous cacher car ce n'est pas impossible que mon téléphone soit sur écoute, même s'il est plus probable que ces types se soient branchés sur la fréquence radio de la police.

— Oui, je pense comme vous.

— Evidemment, de par la position de votre père, vous constituez une monnaie d'échange de valeur, si je puis parler ainsi. Mais pourquoi courir le risque de perdre des hommes et un hélicoptère ?

— J'ai exactement les mêmes interrogations. Certes, ils pourraient croire que j'ai connaissance d'informations importantes les concernant mais, dans ce cas, pourquoi ne pas chercher à m'éliminer purement et simplement ?

Elle disait tout cela avec calme et lucidité. Sa force de caractère l'impressionnait.

— A-t-on déjà cherché à s'en prendre à vous ?

— Non, mais mon père m'a prévenue que cela pouvait arriver et que je devais m'y préparer. J'ai fait tout ce que mes parents attendaient de moi. Je souhaitais les rendre fiers.

— C'est pour cette raison que vous avez appris à piloter un hélico, notamment ?

— Oui, mais piloter me plaît. D'ailleurs, j'ai toujours cherché à prendre du plaisir dans tout ce que j'apprenais. Un jour, il faudra que vous me parliez de vos randonnées en montagne mais, pour le moment, contentez-vous de bien reprendre votre souffle. Nous aurons d'autres occasions de bavarder.

Pourvu qu'elle ait raison, songea-t-il.

— Bref, soit ces bandits pensent que vous détenez des infos compromettantes, soit ils veulent se servir de vous comme otage.

— Nous en revenons toujours au même point, mais cela n'explique pas pourquoi ils se sont lancés dans une tentative en plein jour et en débarquant en hélicoptère. Car pourquoi ne pas avoir tenté une approche-surprise et utilisé l'hélico pour prendre la fuite une fois qu'ils auraient mis la main sur moi ?

Tout en réfléchissant à ses propos, Pete tâta sa poche de pantalon.

— Vous cherchez votre téléphone ? lui demanda-t-elle en brandissant l'appareil. Je l'avais éteint pour préserver la batterie.

Il le ralluma, puis ils reprirent leur ascension. Pour le moment, ils n'avaient toujours pas de réseau.

— Vous avez raison, les conditions de cette attaque sont plus que bizarres, dit-il. Normalement, ils auraient dû s'assurer que vous étiez bien à l'observatoire, prévoir comment ils allaient entrer, sortir et prendre la fuite. D'autant plus qu'ils n'auraient eu aucun mal à me neutraliser, j'étais tout seul pour vous protéger.

— Ou alors cette attaque était une diversion.

— Vous vous montrez très perspicace.

Elle était décidément belle et intelligente. Il consulta son portable. Enfin, il avait deux barres de réseau. Sans attendre, il composa le numéro de son père.

— Pete ?

— Oui, c'est moi, papa.

— Dieu merci. Andrea est avec toi ?

— Oui et nous allons bien tous les deux. Je ne sais pas si je dois te parler trop longtemps, car il se pourrait que mon téléphone soit sur écoute.

— C'est possible mais, de toute façon, je crois qu'aucun moyen de communication n'est sûr. Où êtes-vous ?

— Eh bien, si c'était la saison, je pourrais aller me baigner à Buffalo.

— Ah, bien joué, fils, j'ai compris. Nous arrivons sans tarder.

Andrea tourna la tête dans tous les sens, sans doute pour essayer de décrypter son message codé.

A l'autre bout de la ligne, son père poursuivit :

— Il nous a fallu un moment pour comprendre qu'aucun de vous deux n'était avec un des types du commando. Le dernier a failli nous échapper.

— Il m'a semblé qu'ils étaient cinq en tout. Trois qui sont arrivés dans l'hélico, deux en voiture. C'est ça ?

— Oui, et ils sont tous morts. Le commandant Allen souhaite parler à sa fille.

— Allo ? Andrea ? Tout va bien ? intervint la voix du commandant.

— Oui, monsieur, je n'ai pas la moindre égratignure.

— Bonne fille. Des ennuis mécaniques ?

— Affirmatif, monsieur.

— L'équipe de recherches a pris du retard, mais nous allons pouvoir les aiguiller dans la bonne direction. Tu es sûre que ça va ?

Andrea avait les larmes aux yeux, remarqua Pete. Il lui reprit le téléphone des mains.

— Elle va bien et vous pouvez être fier de votre fille, monsieur. Il serait plus prudent que je raccroche pour préserver la batterie, au cas où nous aurions besoin de passer un autre appel.

— Bien sûr, répliqua le commandant qui raccrocha sans autre forme de procès.

Andrea s'essuya les yeux.

— Il n'est pas très doué pour dire au revoir, commenta-t-elle.

Pete ne répondit pas. Il n'était pas certain de comprendre l'émotion d'Andrea. Aussi, il changea de sujet.

— Ici, c'est un endroit approprié pour attendre. Si, à l'arrivée de l'hélico, vous remarquez de nouveau que ce n'est pas le bon appareil, nous n'aurons qu'à dévaler l'autre flanc de la colline pour rejoindre la route.

Andrea tourna la tête dans la direction que Pete indiquait. Il y avait bel et bien une route en bas.

— Moi qui croyais que nous étions au milieu du désert… Alors qu'en fait seule cette colline nous sépare de la civilisation !

— La colline est plutôt imposante, observa Pete. Vous ne pouviez pas le deviner.

— Bien. Profitons de l'attente pour nous reposer.

Ils cherchèrent un gros rocher plat et s'installèrent dos au soleil. Tout était calme et silencieux. Si quelqu'un tentait de les attaquer, ils l'entendraient arriver, se rassura Andrea.

— Avant le coup de fil, je disais que cette tentative était peut-être une diversion. Qu'en pensez-vous ?

Pete haussa les épaules.

— Je ne suis sûr de rien, mais il semble évident que le but recherché était assez important pour justifier le sacrifice de cinq hommes et d'un hélicoptère, dit-il. Un hélicoptère qui, d'ailleurs, n'était pas celui équipé pour simuler le phénomène des lumières de Marfa. Il produisait un bruit similaire, mais celui d'aujourd'hui était un modèle moins sophistiqué.

— Donc, ce cartel dispose d'un second hélico.

— Vraisemblablement, acquiesça Pete.

— Ceux qui sont derrière cette opération ont découvert mon identité et ont décidé d'en tirer parti.

Pete s'essuya le front.

— Vous avez de véritables dons d'enquêteur, vous savez.

— J'ai eu une heure et demie pour réfléchir à tous les tenants et aboutissants de cette histoire. Et l'esprit de déduction, c'est mon point fort.

— Mais, hier soir, vous avez remplacé Sharon au pied levé, ce n'était pas prévu. A la place des types dont vous avez surpris les agissements, j'en aurais déduit que vous travailliez à l'observatoire, pas que vous étiez la fille d'un agent de la Sécurité intérieure.

— Sharon ! s'écria Andrea. Sharon le savait. La semaine dernière, je lui en ai parlé. Je lui ai expliqué combien j'avais eu du mal à convaincre l'université de me laisser venir au Texas pour la seule raison que mon père y était opposé.

Une pensée la traversa. En colère contre elle-même, elle se leva. Elle ne tenait plus en place.

— Quelle idiote je fais ! J'ai enfreint la première règle que mon père m'a inculquée. Depuis qu'il a rejoint la Sécurité intérieure, il n'a qu'une hantise : qu'il nous arrive quelque chose, à ma mère ou à moi. Aujourd'hui, ses craintes sont devenues réalité.

— Si je vous suis bien, il est possible que Sharon vous ait demandé de prendre sa place dans un but précis.

— Mais ils ne pouvaient pas avoir la certitude que j'accepterais. Et puis, il y a cet homme dans le désert…

Elle fit quelques pas, arracha un long brin d'herbe et joua nerveusement avec.

— Cet homme était un agent infiltré, rappela Pete. Imaginons qu'il ait appris que ce cartel envisageait d'enlever la fille d'un de ses collègues : cela expliquerait qu'il ait pris le risque de tenter de prévenir quelqu'un. Ce qui signifie qu'hier soir les hommes du cartel n'étaient pas en train de faire entrer de la drogue au Texas. Ils étaient à la recherche de cet agent qui connaissait leurs plans, les détails de leurs opérations. Mais, avant qu'ils parviennent à le capturer, il tombe sur vous. Ensuite, ils vous poursuivent, vous font quitter la route, tout ça pour vous enlever.

— Mais votre arrivée les en a empêchés, compléta Andrea. Et ils ignorent que cet agent n'a pas eu le temps de me parler.

— Ils devaient savoir qu'il faisait partie de la Sécurité intérieure et c'est pourquoi, à l'hôpital, ils envoient un homme qui se fait passer… pour un agent de la Sécurité intérieure, justement. Maintenant, reste à déterminer comment ils ont démasqué cet agent infiltré. Quand je l'ai vu, il était dans un sale état, comme s'il avait été roué de coups. Possible qu'ils aient eu des doutes et qu'ils l'aient frappé pour le faire parler. Ils auront deviné qu'il voulait alerter votre père sur les plans du cartel.

— Le raisonnement se tient, reconnut Andrea. Mais Sharon dans tout ça ?

Pete ne répondit pas. Un lourd silence les enveloppa.

— Pensez-vous qu'ils l'ont tuée ou qu'elle travaillait pour eux ? avança Andrea.

— Pour être honnête, je pense que ces types n'ont aucun

scrupule à éliminer les gens qui ne leur servent plus à rien ou risquent de leur mettre des bâtons dans les roues.

— Hélas, parmi eux, il y avait Logan, votre collègue et ami. J'en suis vraiment désolée. Il avait l'air de quelqu'un de bien.

— Je devais fréquemment le remplacer et, maintenant, je sais pourquoi. Mais il était sympa, oui. Et puis, la plupart du temps, ça ne me dérangeait pas de faire des gardes de nuit à sa place. Même quand je ne suis pas de service, je dois me lever aux aurores pour m'occuper des chevaux au ranch. Je crois que je préfère encore les patrouilles.

Il tourna la tête pour la regarder et son expression changea, comme si une idée venait de le traverser.

— Mais, au fait, reprit-il, comment êtes-vous sortie du placard à l'observatoire ?

Elle fit un grand geste de la main.

— D'abord, laissez-moi vous dire que ça n'a pas été facile. J'ai déplacé une dalle du faux plafond et j'ai réussi à gagner les combles. Ensuite, je me suis laissée glisser le long des poutres métalliques qui forment la structure du bâtiment. J'ai bien failli chuter avant d'arriver en bas, d'ailleurs.

Un bourdonnement au loin capta leur attention. Pete se protégea les yeux de la main et fixa un point dans le ciel.

— Est-ce l'hélicoptère du commandant ?

Elle acquiesça et il épousseta son pantalon de sa main valide.

— Vous êtes une fille pleine de ressources.

— Dites-le à mon père.

Ils redescendirent vers la plaine où l'hélicoptère se poserait sans difficulté.

— Il va me donner l'ordre de partir. Préparez-vous à ce qu'il prenne à peine le temps de vous déposer à l'hôpital.

— Je le comprends.

— Mais je ne suis pas sûre d'avoir envie de partir. J'ai l'impression de m'enfuir, alors que rien n'est éclairci.

— Bien sûr que vous devez partir. C'est trop dangereux, des hommes sont morts, vous devez en tenir compte, répliqua-t-il en la fixant d'un air grave.

— Oui, mais les hommes qui ont voulu m'enlever sont hors d'état de nuire maintenant. C'est fini.

— Qu'en savez-vous ?

Il se tenait à un mètre d'elle, comme s'il cherchait à rester à bonne distance alors qu'elle aurait voulu qu'il la serre contre lui.

— Mais vous étiez d'accord avec ma théorie, Pete.

L'hélicoptère se rapprochait.

— Sauf que ce n'est qu'une théorie, justement. Rien ne nous dit que nous avons vu juste.

— C'est vrai, vous avez raison.

Et pourtant, elle avait une terrible envie de planter son père et de rester avec Pete.

— Et si je n'ai pas envie de m'en aller ?

— Mais vous étiez d'accord…

Il chercha son regard.

— Que gagnerez-vous à rester, Andrea ? Vous n'avez rien à prouver.

Elle ne voulait pas rester uniquement pour lui. Après tout, elle le connaissait à peine.

— Comment allez-vous vous y prendre pour retrouver les hommes qui ont tué Logan ? Et Sharon ? Vous avez dit vous-même que je ferais un bon enquêteur.

— Et vous croyez sincèrement que votre père va vous autoriser à rester ? Avant l'attaque d'aujourd'hui, il souhaitait déjà vous emmener loin d'ici. Alors maintenant…

C'était la vérité et, en définitive, elle avait rarement tenu tête à ses parents. La seule fois où elle s'était vraiment opposée à eux, c'était quand son père avait décrété qu'elle ne pouvait pas aller seule dans l'ouest du Texas. Peut-être que, s'il lui avait clairement expliqué ses raisons, elle se serait pliée à sa volonté. Et alors, rien ne serait arrivé.

— Il y a un détail que vous oubliez, Pete : des créneaux ont été réservés spécialement pour moi à l'observatoire. Et, si je devais renoncer à les utiliser, je devrais me justifier. Moi, et personne d'autre.

13

Bien des fois, quand il était adolescent, Pete s'était querellé avec Joe, son père. Dernièrement, comme celui-ci se remettait tout juste de sa crise cardiaque, il s'était retenu d'avoir une explication avec lui. Mais, le jour où elle surviendrait, il n'allait pas mâcher ses mots.

— Ils n'ont pas encore terminé ? demanda Honey, assise à son bureau.

— Je n'aurais jamais cru qu'on pouvait se disputer à ce point sans avoir bu, ironisa Joe.

Pete acquiesça. Cela faisait un bon bout de temps qu'Andrea et le commandant s'invectivaient dans le bureau à côté. Chaque éclat de voix le faisait presque sursauter. S'il avait su que leur échange prendrait une telle tournure, ils les auraient conduits au beau milieu du désert.

Soudain, la porte s'ouvrit et le commandant apparut, l'air furieux. Manifestement, il n'avait pas atteint son objectif qui était de convaincre sa fille de rentrer à la maison.

Pete le vit s'arrêter net devant lui.

— Vous devriez faire examiner cette blessure, lui dit-il d'une voix tendue. Andrea est déterminée à rester là, continua-t-il. Et folle de rage parce que je m'y refuse.

— Je comprends ce que vous ressentez, monsieur.

Le commandant poussa un lourd soupir.

— J'aurais besoin de prendre un café avant le second round.

Joe fit signe au commandant.

— Venez, je vous accompagne à la machine.

Pete les suivit du regard puis se tourna vers Honey.

— Tout le monde est là ? A quelle heure la famille Griggs doit-elle arriver ?

— Oui, tout le monde est là. Et les proches de Logan devraient arriver dans trois quarts d'heure.

C'était trop juste pour qu'il puisse effectuer un aller-retour jusqu'à chez lui. Pourtant, il aurait bien eu besoin d'un véritable repas avant de se retrouver face aux parents de Logan.

Son père et celui d'Andrea revinrent un café à la main. Le commandant lui désigna le bureau.

— Pete, peut-on vous parler une minute ?

Pete obtempéra. Le commandant referma la porte derrière eux trois, tandis qu'Andrea les dévisageait, sans un mot depuis son siège.

— Ces derniers mois, commença le commandant, quelques individus ont acheté des quantités importantes d'armes à feu. Nous avons toutes les raisons de croire que le cartel en a assez de recevoir des armes au compte-gouttes et qu'une opération de très grande ampleur se prépare. J'ai soumis à mes supérieurs votre théorie comme quoi l'attaque d'aujourd'hui était peut-être une diversion. Ils l'ont jugée très convaincante.

Pete ne répondit pas et attendit. Apparemment, Andrea avait fait croire à son père que c'était lui seul qui avait eu cette réflexion. Avait-elle une idée derrière la tête ?

— Nous avons passé en revue des images satellites et remarqué qu'un nombre important de camions avaient franchi la frontière à Presidio. Tout indique que vous aviez raison. Le cartel souhaitait que notre attention soit focalisée sur la tentative d'enlèvement d'Andrea pour pouvoir mener son opération en toute tranquillité. Je crois que le moment est venu pour moi de vous intégrer à mon équipe, shérif.

Pete déglutit avec difficulté. A priori, cette proposition aurait dû le flatter, car c'était une reconnaissance du sérieux de son travail. Mais si par malheur la Sécurité intérieure fouillait dans son passé, il perdrait très gros.

Il jeta un regard à son père, qui lui retourna un clin d'œil, comme pour lui faire comprendre de ne rien dire.

Pour lui, c'était facile puisqu'il taisait un secret depuis vingt-six ans ! Un secret qui risquait de les mener tous deux à leur perte.

— Je suis en train de mettre en place une équipe spécifique pour traiter ce dossier et je veux que vous en fassiez partie, réitéra le commandant Allen.

— Pourquoi avez-vous besoin de moi ? lui demanda Pete.

— Parce que vous connaissez très bien la région, que vous réfléchissez vite et bien et que vous agissez en consé-quence. Tout cela nous sera très précieux pour coordonner notre action avec les shérifs des autres comtés concernés.

— Désolé, monsieur, mais je dois refuser. J'ai déjà énormément à faire et il me faut me préparer pour l'arrivée des proches de notre collègue décédé. Excusez-moi.

Il quitta la pièce.

— Faut-il que j'apporte quelques précisions ? lança le commandant dans son dos.

— Non, répliqua son père, c'est à moi de le faire. Pete, attends une minute, s'il te plaît, dit-il en lui emboîtant le pas. Fils, tu es conscient que c'est une opportunité…

Pete se retint de toutes ses forces de répliquer. Il ne voulait pas que d'autres l'entendent. Il se dirigea vers le vestiaire. Son père le suivit et ferma la porte derrière lui.

Pete se mit à faire les cent pas.

— Papa, tu souhaites réellement que j'intègre l'équipe ?

— Evidemment. Pour toi, c'est une occasion unique.

— Papa, nous sommes au milieu d'une histoire de

famille. Andrea veut rester ici, son père souhaite qu'elle s'en aille. Je n'ai aucune envie de me retrouver au milieu de cet imbroglio.

— Pete, cet aspect est réglé. Andrea s'en va. Et, si c'est ce qui t'inquiète, personne ne va découvrir ta véritable identité. Tu n'as pas à te soucier de cela maintenant.

— Bon sang, papa, depuis que tu m'as révélé ce fichu secret, je ne pense qu'à cela, justement !

— J'ai gardé ton identité secrète pour ton bien, fils.

Pete posa les mains sur les épaules de son père et secoua la tête. Tous deux n'étaient pas du genre à pleurer mais, cette fois, ils ne semblaient pas loin de craquer.

— Tu sais que je t'aime. Pour moi, mon père, c'est toi. Mais je sais déjà quel est mon véritable nom et qui est mon père biologique. J'attendais seulement que tu m'expliques tout.

— Comment l'as-tu découvert ?

— Je suis le shérif, après tout. Du moins, c'est toi qui cherches à m'en convaincre. Je n'ai pas eu à chercher très longtemps pour découvrir d'où je venais il y a vingt-six ans et deviner qui était mon véritable père.

— Nous en reparlerons plus tard. Pour le moment, le commandant Allen a besoin de toi.

— Et que se passera-t-il s'il demande qu'une enquête de routine soit menée sur ma personne ? Tu y as pensé ? Pour la Sécurité intérieure, c'est une procédure normale. Tu es conscient des conséquences que cela entraînera pour toi ? Franchement, crois-moi, le plus sage est de décliner poliment cette proposition et d'assurer au commandant Allen que nous resterons à sa disposition.

Son père avait les traits tirés.

— Pete, je sais que tu te poses de nombreuses questions, mais ce n'est ni le lieu ni le moment pour avoir cette discussion. Et je continue de penser que tu devrais rejoindre l'équipe du commandant Allen.

— Aucune chance, cela reviendrait à précipiter un désastre.

Joe lui fit un clin d'œil.

— Ne sois pas aussi négatif, fils. Tu y trouveras des compensations, j'ai remarqué comment sa fille te regardait, tu sais.

— Laisse tomber. C'est une fille bien, je le reconnais. Mais c'est aussi une fille qui a besoin qu'on lui offre un avenir, et moi je n'en ai aucun.

— Qu'est-ce que tu racontes ? Tu as déjà une position et tu seras bientôt élu officiellement shérif. Tu n'as aucun opposant à ta taille, tout le monde s'accorde à le reconnaître.

— Laisse tomber.

Ce n'était pas le moment d'apprendre à son père qu'il n'avait toujours pas rempli et renvoyé les documents officiels pour faire acte de candidature à l'élection de shérif du comté. Et il n'était pas certain de le faire. Mais il y avait une chose dont il était sûr :

— Je ne veux plus avoir affaire à Andrea Allen. Le baby-sitting, c'est terminé.

Aïe. Andrea prit soin de ne pas claquer la porte et la referma doucement. Elle avait suivi Pete pour le remercier, prête à se plier à la volonté du commandant et à quitter Marfa. Elle n'avait nullement l'intention de surprendre une conversation entre Pete et son père, qui plus est sur un sujet sensible. En tout cas, Pete avait été clair : il ne voulait plus avoir affaire à elle.

Etait-ce mieux ou moins bien ?

Elle était complètement perdue. Combien de fois avait-elle changé d'avis ? Elle voulait rester, puis partir, rester, partir…

Dans le bureau, Pete avait semblé profondément déçu qu'elle s'en aille et elle en avait été affectée.

Mais, désormais, elle connaissait son état d'esprit.

Donc, elle s'en irait et réfléchirait au meilleur moyen d'obtenir les données dont elle avait besoin pour boucler son mémoire.

Si elle terminait ses travaux à Austin, ce ne serait pas la fin du monde.

La porte du vestiaire s'ouvrit, et elle se retrouva face à Pete, surpris de la trouver là.

— Vous n'allez pas chercher à me convaincre de rejoindre l'équipe de votre père, n'est-ce pas ?

— Non, j'étais venue vous remercier avant de partir, mais...

— Ne me remerciez pas. Maintenant, je dois y aller. Excusez-moi.

— Hé, attendez un peu, dit-elle en lui obstruant le passage.

Il aurait pu facilement l'écarter de son chemin, mais il ne le fit pas.

— Papa, tu peux nous laisser une minute, s'il te plaît ?

Son père s'éloigna sans un mot.

— Pete, c'est inutile que je cherche à vous convaincre. Je sais déjà comment mon père va procéder : il va appeler les gens dont votre administration dépend et, au final, vous n'aurez d'autre choix que de vous plier à sa volonté.

— Et en quoi est-ce important pour vous de me le faire savoir ?

— Je ne le fais pas pour moi, mais pour vous. Mon père tient à ce que le moins de gens possible soient au courant de ce qui s'est passé aujourd'hui. Vous, vous faites déjà partie du cercle de ceux qui savent. C'est pourquoi il souhaite vous avoir avec lui.

— Je déteste cette logique, mais je la comprends.

— Et vous n'avez pas à vous en faire pour moi. Même si je restais dans les parages, vous pourriez assigner n'importe quel agent à ma protection. Mais je m'interroge sur votre réticence à aider le commandant. Pour vous, c'est une chance. Prendre part à une telle opération ne peut que vous être bénéfique. Après cela, vous pourrez demander à aller où bon vous semble, on vous l'accordera.

— Je m'assurerai que votre père et son équipe disposent de toute l'aide nécessaire, promit Pete. Mais qui vous dit que j'ai envie de quitter Marfa ? Je me plais ici.

Il sourit et elle se sentit fondre.

— Vous devriez user de vos charmes plus souvent. Je parie que votre père et tous les gens qui vous connaissent depuis l'enfance cèdent chaque fois que vous leur demandez quelque chose en leur adressant ce sourire. Est-ce pour cela que vous faites l'enfant gâté ?

— Moi ? Je fais l'enfant gâté ? répliqua-t-il d'une voix indignée. Vous ne manquez pas de toupet. Et vous, êtes-vous consciente de la façon dont votre père se comporte avec vous ? Mais non, ne répondez pas, je m'en fiche.

— Vous n'avez rien compris. Je ne l'appelle pas « le commandant » à cause de son grade.

Elle voulut ajouter des excuses pour cet « enfant gâté » qu'elle ne pensait même pas. Mais les mots s'étranglèrent dans sa gorge. Au fond, elle était mortifiée que Pete ne veuille plus d'elle.

— Bien, excusez-moi, il faut que je contacte l'observatoire. Normalement, je devais me servir du télescope à 19 h 30. Il faut que je donne des consignes.

Elle fit volte-face pour s'éloigner, mais il la retint par le bras.

— Il est hors de question que vous passiez vous-même ce coup de fil. Vous m'expliquerez ce que je dois dire à l'observatoire et je passerai l'appel moi-même.

— Entendu.

Plus tôt dans la journée, il aurait suffi qu'ils se retrouvent ainsi, tout près l'un de l'autre, pour qu'ils s'embrassent avec passion. Désormais, c'était fini. Elle en fut tellement déçue qu'une violente douleur la traversa.

Elle baissa les yeux pour ne pas croiser son regard. Elle était tout près de le supplier de lui pardonner ses paroles, de l'implorer de l'embrasser de nouveau.

— Vous restez avec moi ou votre père jusqu'à votre départ. Compris ?

Elle ne répondit pas, mais le suivit docilement. Le commandant était dans un coin, occupé à passer des coups de fil. Pete se remit à traiter les affaires courantes tandis que Peach répondait au téléphone qui n'arrêtait pas de sonner.

Quelques minutes plus tard, un couple entra dans le poste. L'homme semblait hagard, la femme était en larmes et s'essuyait les yeux avec un mouchoir.

Pete s'avança vers eux et leur donna l'accolade, puis leur fit signe de s'asseoir.

Andrea vit alors Peach se glisser discrètement jusqu'à elle.

— Ce sont les parents de Logan, murmura la standardiste. Ils voulaient parler avec Pete de ce qui s'est passé.

— Je regrette de ne pas l'avoir mieux connu, confia Andrea.

— C'était un jeune homme sympathique. On recherche toujours l'étudiante qui était avec lui…

Le téléphone se mit à sonner et Peach regagna le standard.

Andrea retint un soupir, envahie par la culpabilité. Elle avait pensé à ce qui lui était arrivé et avait presque oublié qu'on ne savait toujours rien du sort de Sharon. Avait-elle été tuée avant qu'on jette son corps quelque part ?

Elle voulait le découvrir, coûte que coûte.

14

— Peach, y a-t-il un bureau libre où mon père pourrait s'isoler quelques instants ?

— Oui, bien sûr, répondit la standardiste qui sortit une clé d'un tiroir. Au fond du couloir, à côté du bureau de Pete. La seconde porte à droite.

Andrea tira doucement sur la manche de son père, qui était toujours au téléphone, et lui fit signe de la suivre. Elle s'installa dans un des deux fauteuils et attendit qu'il ait terminé sa conversation. A peine eut-il raccroché qu'elle s'adressa à lui :

— Je reste. Je te jure que j'étais prête à partir avec toi, mais la vision des parents de Logan, le policier qui a été tué, m'a bouleversée. J'aimerais que tu m'autorises à intégrer ton équipe le temps de cette enquête. Je veux savoir ce qu'est devenue Sharon. C'est en partie à cause de moi si elle est portée disparue, je ne peux pas continuer à vivre sans savoir ce qui lui est arrivé. Tu comprends ?

— Qu'est-ce qui te fait croire que ta participation à l'enquête la fera avancer plus vite ?

— Rien, mais les hommes qui ont débarqué à l'observatoire aujourd'hui en avaient après moi. C'est un fait. Ce qui signifie qu'ils pourraient de nouveau tenter de m'enlever.

— C'est bien le problème. Ici, tu n'es pas en sécurité.

— Je refuse de te décevoir une fois encore.

— Mais pourquoi crois-tu que tu pourrais me décevoir ?

— Eh bien, je me disais… Enfin, maman et toi, vous

étiez tellement opposés à ma venue ici. Et tu ne pouvais même pas m'expliquer pourquoi.

— Non, en effet, et je ne devrais même pas en parler maintenant. J'avais un agent sous couverture, infiltré dans un cartel qui opère précisément dans cette région. Je n'avais aucune envie de te savoir dans le secteur. Ce qui s'est passé m'a donné raison.

— Possible, mais ce qui est fait est fait. Je dois aller au bout de cette histoire.

Etonnamment, son père acquiesça.

— Mon patron tente par tous les moyens de me convaincre que le mieux serait que tu coopères avec nous. Il pense qu'on devrait se servir de toi comme appât.

— Dit comme cela, ce n'est pas très tentant.

Il se posta face à elle, l'invita à se lever et la prit par les épaules.

— Andrea, ce n'est pas un jeu. Tu n'es pas préparée à te retrouver dans une situation aussi périlleuse, et ça pourrait très mal tourner. Tu as vu ce qui est arrivé à notre agent, il était pourtant chevronné.

— Je sais, papa, mais, encore une fois, si je m'en allais, je crois que cette affaire me hanterait sans cesse.

Il ne répondit pas tout de suite et baissa la tête. C'était enfin son père qu'elle avait face à elle, et plus le commandant.

— Andrea… L'homme qui organise ces livraisons d'armes au Mexique est forcément quelqu'un de très haut placé et de très dangereux. Réfléchis bien…

— Papa, toute ma vie je t'ai entendu dire qu'il fallait toujours terminer ce qu'on avait commencé, avoir l'esprit d'équipe, ne jamais laisser tomber les autres. Et tu veux que je m'en aille, que je sois en totale contradiction avec les principes auxquels tu tiens tant ?

— Le plus important pour moi, c'est que les deux femmes que j'aime le plus au monde soient en sécurité. Quel père oserait jeter sa fille en pâture à des trafiquants ?

— Un père qui comprendrait que, pour moi, c'est crucial de boucler cette affaire. Ça me concerne directement et ma participation peut tout changer. S'il te plaît, accepte.

A contrecœur, de toute évidence, il répondit :

— J'accepte pour toi, pas pour mon patron. Je comprends ce que tu ressens. Si je pouvais, je dépêcherais une équipe entière pour veiller sur toi — c'est ce que ta mère souhaiterait, en tout cas —, mais cette enquête mobilise toutes nos forces. Accepterais-tu qu'un garde du corps professionnel... Non, je vois à ton expression que ça ne te plaît pas non plus.

— Si un garde du corps professionnel m'accompagne partout, ces hommes risquent de renoncer à s'en prendre à moi. Alors, que je reste ne servirait à rien. Je vais terminer mon travail à l'observatoire, comme c'était prévu, et je te promets que je te tiendrai en permanence au courant de mes faits et gestes. Je ne veux en aucun cas te causer de tracas supplémentaires. Sharon est toujours portée disparue et ce serait terrible si on découvrait qu'elle a été enlevée parce qu'on l'a confondue avec moi. D'autant plus que j'ai commis une erreur impardonnable en lui révélant que tu travaillais pour la Sécurité intérieure. Je m'en veux énormément, tu sais.

— Arrête, Andrea, tu ne peux rien contre des types qui n'ont aucun respect pour la vie humaine. Ce sont eux les seuls et uniques responsables. C'est entendu, tu restes ici, mais on fait les choses à ma façon. Je me charge de tout expliquer à ta mère. Tout le monde doit continuer à croire que tu n'es là que pour terminer tes travaux d'études. Seul mon agent de liaison connaîtra la véritable raison.

Elle repensa à Pete, au moment où il avait accueilli les parents de Logan. Qui serait l'agent de liaison ? Si ce n'était pas Pete, elle serait obligée de lui mentir et de jouer à la petite fille capricieuse qui ne pense qu'à elle.

— Mes hommes m'ont appris que l'hélico de tes

agresseurs était dans un état pitoyable, reprit son père. Tu t'en es sortie avec classe, cet après-midi. Ça me rappelle l'époque où nous allions voler ensemble le dimanche. C'était il y a bien longtemps.

— Oui, papa. Moi aussi, j'ai la nostalgie de cette époque.

— Il faudra qu'on recommence prochainement.

Il serra sa main dans la sienne. De sa part, c'était une grande preuve d'affection.

Elle sourit.

— Je ne manquerai pas de te rappeler que c'est toi qui me l'as proposé.

— Au cas où tu en douterais, je suis fier de toi, Andrea. Très fier. Maintenant, concernant cet après-midi, mon équipe pense également qu'il y aura une nouvelle tentative. Peut-être dans le but de faire diversion, encore une fois. Je vais bientôt t'envoyer une paire de boucles d'oreilles. Veille bien à les porter en permanence et je saurai toujours où tu es. Mon agent de liaison sera le seul à savoir pourquoi tu restes. Quant à l'homme qui sera responsable de ta protection, il sera autonome. Quelqu'un en qui nous pourrons tous deux avoir une entière confiance. Mais tu ne devras pas lui révéler pourquoi tu restes ici. Ni à lui ni à personne d'autre.

— Je veux que ce soit Pete.

— Je lui ai proposé de rejoindre mon équipe, mais il a refusé.

— Je sais pertinemment que ça ne t'arrêtera pas. En plus, ce sera plausible que le shérif local veille sur moi. Si c'est un homme qui vient de l'extérieur, ce sera plus suspect.

— Je devrais t'enfermer dans une cellule et jeter la clé dans le caniveau ! plaisanta son père.

Elle rit. Le commandant ressortit du bureau.

Venait-elle vraiment d'insister pour mettre elle-même sa vie en danger ? Elle n'en revenait pas. Mais n'était-ce pas ce que faisaient quotidiennement tous les gens qu'elle côtoyait en ce moment ? La Sécurité intérieure, les Texas Rangers, la brigade antidrogue, le service du shérif du comté de Presidio.

Elle allait servir d'appât. C'était odieusement angoissant.

Pour ne pas flancher, elle pensa à Sharon, puis aux hommes responsables de sa disparition. Ils devaient être punis.

Accessoirement, une question lui trottait dans la tête : pourquoi le shérif Pete Morrison avait-il déclaré qu'il n'avait pas d'avenir ?

— Je dois de nouveau vous parler, shérif Morrison, dit le commandant Allen de sa voix qui ne souffrait aucune contestation.

Pete n'avait pas le choix. Le maire de Marfa l'avait déjà appelé pour lui demander de tout faire pour assister la Sécurité intérieure. Au moins, Andrea allait rentrer chez elle. Quelque part, c'était un soulagement.

D'ailleurs, elle apparut derrière son père.

— A-t-on retrouvé votre chapeau, shérif ? lui demanda-t-elle.

Son air malicieux l'intrigua.

— Je ne sais pas. On vient de me ramener ma voiture, il se peut qu'il soit dedans.

— Cette photo est très bien, reprit-elle en désignant un cliché au mur sur lequel il posait avec son chapeau, justement. Ce serait vraiment dommage que vous ne le retrouviez pas.

— Andrea…

— Etiez-vous en service ?

— Quoi ? Oh ! Sur la photo ? Non, je venais de participer à un rodéo. Je n'ai pas encore pu appeler l'observatoire de votre part. Avez-vous encore un peu de temps avant de partir ?

— Oh ! Ne vous inquiétez pas pour cela, le commandant et moi, nous sommes arrivés à un compromis.

— C'est-à-dire ? s'enquit-il avec appréhension.

— J'espère que vous ne m'en voudrez pas, Pete, mais je ne pars plus.

— Je vous fais confiance pour veiller sur ma fille, renchérit le commandant Allen.

Pourquoi ce revirement ? Pete resta silencieux et fixa Andrea, mais elle fuyait son regard.

— Andrea, sous quelles conditions êtes-vous autorisée à rester ? demanda-t-il fermement.

Elle releva la tête et ne put dissimuler un petit sourire de satisfaction.

— Je peux rester à la condition que vous deveniez mon garde du corps et que vous m'autorisiez à vivre quelques jours dans votre ranch. Quand je ne serai pas à l'observatoire, bien sûr.

— En gros, vous me demandez de devenir votre baby-sitter officiel. Commandant, je ne comprends pas. Tout à l'heure, vous avez affirmé qu'elle partait.

— Eh bien, j'ai changé d'avis. Elle m'a promis de se montrer d'une extrême prudence, de n'aller nulle part ailleurs qu'à l'observatoire et, le reste du temps, de ne pas bouger de chez vous et de ne vous causer aucune difficulté.

Non seulement il devrait l'escorter mais, en plus, elle allait venir au ranch ? Vivre chez lui ?

— En fait, vous souhaitez que je rejoigne votre équipe pour jouer les gardes du corps auprès de votre fille ? Pourquoi ne pas simplement me demander d'assigner quelques hommes à sa protection ?

— Je vous le répète, j'ai toute confiance en vous. En vous personnellement.

Deux personnes entrèrent dans le poste.

— Ah, mon agent de liaison vient d'arriver ! observa le commandant. Veuillez me rejoindre avec Andrea dans la salle de conférences. Vous devez tous deux assister au briefing.

Pete reconnut le Texas Ranger. En revanche, il n'avait jamais vu la femme qui l'accompagnait. Son allure semblait complètement décalée : des talons hauts, un tailleur de marque. Pas franchement une tenue adaptée pour l'ouest du Texas.

— Commandant Allen ? Je suis Cord McCrea, heureux de vous rencontrer en personne, se présenta le Texas Ranger. Bonjour, Pete, comment ça va ?

Il se tourna vers la femme à côté de lui et reprit :

— Voici l'agent spécial Beth Conrad, de la brigade de répression des trafics de stupéfiants.

— Enchanté, fit le commandant. Venez, allons en salle de conférences.

Tous prirent la direction de l'escalier, à l'exception de la femme en talons hauts.

— Pourriez-vous m'indiquer l'ascenseur, s'il vous plaît ?

— Venez, je vous accompagne, intervint le père de Pete.

Cord McCrea et le commandant avaient pris quelques mètres d'avance. Pete se posta à côté d'Andrea.

— Pourquoi ? lui demanda-t-il.

Elle évita son regard et haussa les épaules.

— Je dois finir mon mémoire. Mais si vous ne voulez vraiment pas de moi, demandez à votre père de faire le boulot à votre place.

— Ce n'est pas pour cette raison que j'avais dit non. Je considère que, tant que vous restez ici, vous mettez votre vie en danger.

De toute évidence, Andrea ne lui disait pas tout et il avait la désagréable impression de savoir ce qu'elle lui cachait.

15

Andrea entra dans la salle de conférences et s'installa. Tous les participants se présentèrent brièvement. Au lieu de s'asseoir à côté d'elle, Pete resta debout, bras croisés, dos au mur.

Le commandant s'était posté en bout de table, pour diriger la réunion.

— J'ai délibérément choisi de m'entourer d'une équipe restreinte, déclara-t-il. Je veux à tout prix éviter que notre ennemi sente que nous nous intéressons de trop près à lui. Maintenant, venons-en à ce que nous savons : vendredi soir, aux environs de 22 heures, un homme qui avait subi des sévices est sorti du désert et…

— Si je peux me permettre, commandant, le coupa Pete en sortant son calepin. L'agent McCrea et moi, nous connaissons très bien le secteur. Je crois que ce serait bien si nous nous chargions de faire un compte rendu détaillé des événements.

— Je suis d'accord, renchérit McCrea. Vas-y, Pete, je compléterai si besoin.

Beth, de la brigade antidrogue, sortit elle aussi un carnet et se prépara à noter.

— Andrea Allen se trouvait à la plate-forme d'observation, près de la N 90, commença Pete. Des gens s'y arrêtent fréquemment pour regarder les lumières qui apparaissent de temps en temps dans cette direction.

Il pointa le doigt sur une carte plaquée au mur.

— A 22 h 4, un chauffeur routier nous a appelés pour nous prévenir qu'il venait justement de voir ces lumières. Andrea, qui était sur place, a cherché sa caméra pour filmer la scène.

La caméra ! songea soudain Andrea. Qu'était-elle devenue ? Il fallait qu'elle pose la question à son père.

Pete continua son récit, expliqua ce qu'il avait vu et fait à son arrivée sur place.

Andrea se massait le poignet.

Quand Pete en arriva au moment où elle s'était échappée du placard à l'observatoire, l'agent de la brigade antidrogue et le Texas Ranger l'observèrent et lui adressèrent un signe de tête appréciateur.

— Et c'est au commandant Allen de nous donner les détails sur ce point, conclut Pete, qui resta debout sans la regarder.

— L'homme qui est sorti du désert s'appelait Lyle Morland. C'était un de mes agents. Il était capable de piloter tous types d'appareils. Il avait été choisi pour cette mission, car M. McCrea nous avait appris qu'il était possible qu'un cartel utilise des hélicoptères pour des opérations de contrebande. Ce n'est pas la première fois qu'un tel cas se présente mais, en l'occurrence, nous devons reconnaître que le chef de ce cartel est très intelligent et, hélas pour nous, patient.

— Etais-tu au courant, papa ? demanda Pete à son père.

— Non, je l'ai appris seulement quand je me suis rendu sur le lieu de l'accident et que j'ai parlé avec les agents de la Sécurité intérieure présents sur place.

— Et l'un d'entre vous sait-il ce qu'est devenu le caméscope de l'observatoire ? intervint Andrea.

— Qu'avez-vous filmé exactement ? s'enquit Beth. Une

partie des propos de Lyle Morland ? L'appareil qui vous a pris en chasse ?

— Je me souviens de l'avoir mis en route. Ensuite, cet homme est arrivé et, très vite, il a perdu connaissance.

— Moi, je ne l'ai pas trouvé, dit Pete.

Le commandant et Joe indiquèrent qu'eux non plus.

— Peut-être est-ce la raison pour laquelle les membres du cartel pensent que Mlle Allen détient d'importantes informations sur eux, suggéra Beth.

Andrea s'était fait la même réflexion.

— Pourquoi mon service n'a pas été mis au courant plus tôt des opérations de ce cartel ? maugréa Pete.

— Nous avions besoin d'en apprendre plus avant d'alerter tout le monde, expliqua le Ranger.

Andrea eut envie de se dégourdir les jambes. La conversation ne la concernait plus. Elle se leva pour sortir. Joe la suivit.

— Vous voulez un café ? lui demanda-t-il.

— Oh oui, pourquoi pas.

— Et quelque chose à grignoter, peut-être ?

— Non, merci, c'est gentil.

Au moment de se diriger vers la machine à café au bout du couloir, Joe parut hésiter puis lui fit de nouveau face.

— Pete est persuadé qu'il n'a pas le droit de s'engager dans une quelconque relation. Vous devriez lui demander pourquoi. A vous, il est possible qu'il réponde.

Sans un mot supplémentaire, il s'éloigna.

Elle resta interdite. Joe savait-il qu'elle avait surpris leur conversation dans le vestiaire ?

Au fond, peu importait. Elle était obligée de mentir à Pete sur ses réelles motivations pour rester à l'observatoire et, plus elle garderait ses distances avec lui, moins elle aurait à le faire.

*
* *

Pete avait évidemment remarqué qu'Andrea avait quitté la pièce. Il était prêt à interrompre sa discussion pour la suivre, mais son père lui avait indiqué d'un geste qu'il s'en chargeait.

— Bien, sommes-nous tous d'accord sur la marche à suivre ? demanda le commandant Allen, mains à plat sur la table, prêt à se lever.

— Oui, répondit tout le monde à l'unisson.

Pete transmettrait ses infos à McCrea, qui se chargerait de faire remonter le tout au commandant et à l'Antidrogue. Et, comme on le lui avait expliqué plus tôt, il était également chargé de la protection du témoin.

Le commandant se glissa près de lui.

— Andrea s'est endormie sur un banc dans le couloir, lui chuchota-t-il. Vous devriez la réveiller pour la conduire à l'observatoire. Sa mère ne comprend pas sa passion pour les étoiles mais, moi, si. Avant de travailler pour la Sécurité intérieure, je faisais partie de la NASA.

— Vous souhaitiez devenir astronaute ?

— Oui, j'aurais bien aimé. Pas vous ?

— Je crois que je n'étais pas assez bon élève. Vous passez la nuit à Marfa, commandant ?

— J'ai fait tout ce que j'ai pu mais je n'ai jamais été choisi pour partir en mission dans l'espace, continua le commandant sans l'écouter, une once de regret dans la voix. Bien, ici, vous avez la situation en main.

— C'est plutôt McCrea qui mène les opérations.

— Vous avez compris de quoi je voulais parler, répondit le commandant en lui posant la main sur l'épaule.

Puis ils se rendirent dans le couloir.

— Andrea ? fit le commandant. Réveille-toi.

Elle leva la tête et dissimula un bâillement.

— Tu t'en vas ?

Il la prit dans ses bras, lui dit bonsoir et s'en alla.

— Et maintenant, shérif ? lança Andrea à Pete.

— Votre décision est ferme et définitive ? Il est encore temps de rattraper votre père. Tout à l'heure, vous étiez prête à partir, et je ne suis pas certain d'avoir compris ce qui a changé depuis.

— On peut y aller, oui ou non ?

— Entendu. Je vous en prie, c'est par là.

Ils sortirent et montèrent en voiture. Andrea s'endormit presque aussitôt. Après tout, jugea Pete, ce n'était pas une mauvaise idée puisqu'elle s'apprêtait à travailler toute la nuit.

Toutefois, quand il attrapa le sac que Peach avait laissé pour lui dans la voiture et en sortit un hamburger, elle ouvrit les yeux et déclara :

— Ça sent rudement bon.

— Il y en a un pour vous si vous le souhaitez.

Elle s'empara du sac.

— Oh ! Génial. Merci d'avoir pensé à moi.

— C'est Peach qu'il faut remercier.

— D'accord. Alors pensez bien à lui transmettre ma gratitude, dit-elle, la bouche pleine.

— Quand nous serons sur place, il faudra que vous me fassiez savoir à quelle heure vous devez être à l'observatoire, à quelle heure vous voulez en repartir et me promettre de ne jamais changer les horaires.

— C'est promis. J'arriverai pile pour démarrer mes travaux d'observation, nous repartirons quand ils seront terminés et vous n'aurez qu'à me conduire entre chez vous et l'observatoire.

— C'est moi qui dois prévoir qui vous escortera, qui vous protégera, à quelle heure vous devez partir du ranch ou quitter l'observatoire. Personne, pas même mon père, ne sera autorisé à modifier ces horaires. Ce qui signifie que si quelqu'un d'autre que moi vous affirme qu'il y a eu un changement, qui que ce soit, vous devez considérer qu'il ment.

— Message reçu.

Elle répondait sèchement, sur un ton presque hostile, comme si elle était en colère contre lui. Mais pourquoi ? Elle lui avait reproché d'être un enfant gâté, alors que c'était elle qui abusait de la position de son père en lui demandant de l'autoriser à rester à Marfa pour finir ses recherches.

En définitive, même s'ils avaient échangé quelques baisers, que savait-il d'elle ? Quasiment rien.

Il n'avait pas eu le temps de faire connaissance avec elle en profondeur. Et il ne l'aurait jamais. Quand il avait déclaré à son père qu'elle méritait de rencontrer un homme qui aurait un véritable avenir à lui offrir, il était sérieux. S'il perdait son travail de shérif, il n'aurait plus qu'à s'occuper du ranch et de leur maigre bétail. Mais, comme son père s'apprêtait à prendre sa retraite, la pension qu'il allait toucher et les revenus générés par le ranch ne suffiraient pas à les faire vivre. Pour joindre les deux bouts, il devrait certainement se faire engager comme commis dans un autre ranch.

D'ici là, il avait une mission à accomplir. Protéger Andrea pendant quelques jours.

— Pourquoi est-ce aussi important pour vous d'observer les étoiles ? lui demanda-t-il.

— Je travaille avec un astronome de l'université du Texas qui, à l'aide de différents télescopes, s'est lancé dans l'observation de la galaxie visible la plus éloignée de la nôtre. Pour moi, l'important, c'est surtout d'obtenir le plus de temps possible d'observation pour avoir suffisamment de données à ma disposition afin de boucler mon mémoire et de le publier. Comme il n'y a encore quasiment pas eu de publications sur le sujet, cela me permettra d'être en pôle position pour décrocher un poste dans un des meilleurs observatoires du monde.

— Alors c'est ça, votre motivation première ? Décrocher un bon job ?

— Au Chili, la construction du télescope Magellan, qui deviendra un des plus puissants au monde, va bientôt débuter. Quand il sera opérationnel, on pourra observer en détail la naissance d'une étoile. Mon rêve, c'est d'intégrer une équipe qui assistera à ce phénomène.

Dans d'autres circonstances, l'enthousiasme dans sa voix l'aurait touché. Mais, là, le trouble l'emportait.

— Vous êtes prête à risquer votre vie, et celle des hommes qui vous protégeront, pour mettre toutes les chances de votre côté pour décrocher un job ? Et c'est moi que vous traitez d'égoïste ?

Il s'en voulut de cette dernière accusation. Garder ses distances avec elle ne signifiait pas qu'il devait l'agresser.

— Vous m'avez posé une question sur mon travail et je vous ai répondu. Sharon a disparu et Logan est mort, je le sais. Mais je… je n'y peux rien.

— Mais, vous aussi, vous pourriez être portée disparue. Vous en êtes consciente ?

— Oui, je sais, répondit-elle avec calme.

Soudain, une idée le traversa.

— Bon sang, ça y est, j'y suis. Votre père a répété trois fois que vous étiez un témoin, pas un membre actif de l'équipe constituée pour cette affaire. Mais vous mentez tous les deux, pas vrai ?

— Je reste pour terminer mes travaux.

— Et dans l'espoir que ces types essaient de nouveau de vous enlever. Je n'arrive pas à y croire !

De colère, il tapa du plat de la main sur le volant.

— C'est un plan débile. Je ne pourrai pas veiller sur vous vingt-quatre heures sur vingt-quatre !

— Evidemment. Mais de toute façon, si vous restez en permanence avec moi, le cartel n'osera pas tenter une nouvelle fois sa chance.

Ce commentaire était un aveu. Elle était là pour faire sortir le loup du bois.

Il jeta un coup d'œil dans son rétroviseur et se gara sur le bas-côté.

— On fait demi-tour. Ou alors je vous conduis à Alpine pour que vous preniez le premier avion à destination d'Austin. Je ne peux pas vous laisser faire. C'est de la folie.

— Je vous rappelle que cette décision ne vous appartient pas.

— Andrea ! s'exclama-t-il d'un ton presque suppliant.

Elle s'était collée contre la portière pour être le plus loin possible de lui. Il savait pourquoi il gardait ses distances avec elle. Mais elle, pourquoi se comportait-elle ainsi ?

La lumière du plafonnier jouait sur les contours de son visage. Elle était belle, il eut envie de la prendre dans les bras.

Dans le même élan, ils eurent le réflexe de se rapprocher l'un de l'autre. Mais l'apparition de phares derrière eux les en dissuada.

— Je suis touchée par votre inquiétude pour moi, mais je dois rester, en dépit du danger. C'était mon idée et les supérieurs du commandant étaient d'accord. Mon père a respecté ma décision, je vous le jure, Pete.

Quand il l'avait rencontrée, elle se mettait à bavarder sans réfléchir. Là, il avait face à lui une femme parfaitement consciente de ce qu'elle faisait, qui choisissait ses mots avec soin.

Il poussa un soupir, vaincu.

— Vous avez raison, je n'ai pas mon mot à dire.

Il redémarra et retint les questions qui lui brûlaient les lèvres. Notamment, pourquoi faisait-elle tout cela ? Mais mieux valait qu'il n'en sache rien, sinon il se rapprocherait d'elle et ses sentiments entreraient en conflit avec sa mission.

— Puis-je quand même vous demander pourquoi votre père a répété que vous ne faisiez pas partie du dispositif ? Il ne souhaitait pas que les autres membres de l'équipe soient au courant ?

— C'est mieux ainsi. Il veut éviter tout risque de fuites.

— Je vois. Mais rassurez-moi, Cord McCrea est au courant, lui, n'est-ce pas ?

— Oui, en dehors de mon père et nous, il est le seul à savoir. S'il vous plaît, n'ayez pas une mauvaise opinion de mon père. Il comprend pourquoi je dois rester. Sharon a disparu mais, s'il y a la moindre chance…

— Il faut que j'assigne plus d'hommes que prévu à votre protection.

— Non, Pete. Je vous en conjure, ne changez rien.

— Je ne peux pas faire autrement. Je ne prendrai pas la responsabilité de jouer avec votre vie.

— Encore une fois, ce n'est pas à vous de décider. Si vous ne respectez pas ce qui est prévu, alors vous serez mis à l'écart du dispositif et nous demanderons au shérif du comté de Jeff Davis de prendre votre place.

— Pour m'écarter, il faudra me passer sur le corps.

— N'en venons pas aux extrêmes, s'il vous plaît. J'ai promis à mon père de ne causer aucune difficulté. Je travaillerai à l'observatoire, le reste du temps je serai au ranch. Jamais ailleurs. Si Sharon est encore en vie et que ces hommes croient toujours que je détiens des informations compromettantes pour eux, je veux contribuer à leur arrestation et au sauvetage de mon amie.

— J'admire votre détermination et votre courage, même si je continue de penser que c'est de la folie.

— Merci.

Au moins, il avait un but. Andrea et lui n'avaient peut-être pas d'avenir ensemble, mais il s'en fit le serment : il ne lui arriverait rien, et elle vivrait pour voir ses rêves devenir réalité.

Rook jura en déplaçant une pièce sur un des échiquiers. L'opération avait entraîné la perte de cinq hommes et d'un hélicoptère. Patricia allait être en colère. Elle devait arriver d'un instant à l'autre.

Mais lui-même était encore plus furieux. L'espion de la Sécurité intérieure lui avait dérobé des secrets qui pourraient lui coûter bien plus que ce que Patricia avait perdu. Il en était persuadé : Andrea Allen avait reçu une partie de ces secrets, même si elle n'en avait pas forcément conscience.

Tomas s'était montré trop curieux. Son attitude aurait dû lui faire comprendre que c'était un agent infiltré. Mais il avait été suffisamment intelligent pour faire profil bas pendant plusieurs mois et rester en retrait lors d'opérations d'envergure. Hélas, ils n'étaient pas parvenus à lui faire avouer par quel biais il transmettait des informations à ses supérieurs.

Heureusement qu'ils avaient appris qui était Andrea Allen. Il voulait toujours mettre la main sur elle. C'était crucial pour le déroulement des prochaines opérations.

Evidemment, que les hommes de Patricia parviennent à l'enlever était improbable, mais ça avait valu le coup d'essayer. Les bénéfices qu'il avait tirés de cette « diversion » étaient bien supérieurs aux pertes.

La porte s'ouvrit.

— Mademoiselle Orlando, entrez, je vous en prie.

— Monsieur Rook, je vous avais prévenu que ça ne marcherait pas, dit-elle en posant négligemment son sac.

— En effet, répondit-il. Mais je vous avais indiqué que, pour moi, les pertes que vous pourriez subir ne comptaient pas. Les camions ont passé la frontière et nous sommes dans les temps.

— J'ai besoin d'une compensation pour les hommes que j'ai perdus. Les remplacer me coûtera cher, et je refuse d'attirer l'attention en puisant dans mes réserves.

— Naturellement. Vous aurez de quoi engager les meilleurs. A moins que vous ne souhaitiez y réfléchir à deux fois ? ajouta-t-il en portant les mains à la gorge exposée de Patricia.

Elle n'avait pas vu venir son geste et n'eut pas le temps de se défendre. Ses bras se mirent à battre frénétiquement l'air, ses yeux semblaient près de sortir de leurs orbites. Elle était totalement à sa merci, c'était à lui de décider si elle continuerait à vivre ou pas. Dans un effort désespéré, elle hocha la tête : elle avait compris, elle ne lui demanderait plus rien.

Il desserra son étreinte, tourna la tête vers l'échiquier n° 3 et sut alors quel serait son prochain coup.

— Ah, merci, Patricia, je n'avais pas envisagé ce mouvement.

Tandis qu'il déplaçait une pièce sur l'échiquier, Patricia pliée en deux, s'efforçait de recouvrer son souffle.

— Bien, reprit-il, je crois que nous avons redéfini les modalités de notre relation de travail. Je ne vous retiens pas.

Sans un mot, elle s'empara de son sac et quitta la pièce.

« Pete est persuadé qu'il n'a pas le droit de s'engager dans une quelconque relation. Vous devriez lui demander pourquoi. »

Andrea chercha à se concentrer. En l'espace de deux heures, elle était à peine parvenue à rédiger deux phrases pour son mémoire. Elle ne cessait de repenser aux propos de Joe.

— C'est sans espoir, dit-elle tout haut en refermant son ordinateur.

Elle se frotta les yeux. Toutes ses affaires avaient été emportées au ranch, mais elle disposait toujours de sa chambre dans le dortoir de l'observatoire. Elle y était venue tôt pour ne pas être distraite.

La veille, depuis la fenêtre de sa chambre au ranch, elle avait vu Pete s'occuper des chevaux et elle n'avait pu s'empêcher de le regarder, fascinée, jusqu'à ce qu'il ait terminé.

A présent, elle était venue étudier à l'observatoire pour éviter que cela se reproduise.

Se plonger dans le travail n'avait jamais été un souci pour elle. Du moins d'habitude... Dormir en horaires décalés ne la gênait pas non plus. Quand on observe les étoiles, on finit par s'y faire. Mais, là, elle n'arrivait plus à dormir du tout. Toutes ses pensées étaient focalisées sur Pete et les propos cryptiques de son père.

Trois nuits passées à observer une galaxie aux confins

de l'univers, et impossible de rédiger la moindre ligne !
Pire : contempler les étoiles ne lui procurait pas le même
plaisir, la même excitation, qu'à l'accoutumée.

Pendant la journée, des ouvriers travaillaient à réparer
les dégâts causés par la fusillade de l'autre jour. Des dégâts
importants car, malgré les efforts des forces de l'ordre
pour prendre vivants les hommes qui avaient tenté de
l'enlever, ceux-ci avaient décidé de se défendre jusqu'au
bout. Quatre de ces assaillants étaient morts à l'observatoire, le cinquième s'était enfui dans les bois et avait été
traqué plusieurs heures avant d'être à son tour abattu.

A cause de cette chasse à l'homme, les recherches
pour les retrouver, Pete et elle, avaient été différées. Ne
pas repenser à cette terrible journée était difficile. Et ça
l'était plus encore de ne pas songer à Pete.

Rêveuse, elle tapota des doigts sur son ordinateur.
Etait-elle prête à le rouvrir et à se mettre sérieusement au
travail ? Non. Elle voulait s'occuper l'esprit.

Elle sortit de sa chambre.

— Tout va bien, Bill ? demanda-t-elle à l'homme chargé
de sa protection pour les heures à venir.

Elle avait appris le prénom de tous les hommes assignés à sa surveillance et échangeait toujours quelques
mots avec eux.

Pete avait averti ses agents qu'ils ne devaient jamais
relâcher leur vigilance, qu'une attaque pouvait survenir
à tout moment.

— Oui, merci, Andrea, répondit l'agent en la saluant
d'un petit geste.

Les réparations avaient entraîné la fermeture provisoire
d'une partie du bâtiment, mais les séances d'observation
des étoiles à destination du grand public avaient toujours
lieu et, d'où elle était, Andrea voyait les gens se presser
pour qu'on leur donne un télescope. Le ciel était clair, ce
serait une belle nuit pour contempler les étoiles.

L'observatoire manquait de personnel et de bénévoles pour encadrer ces séances, et Andrea avait récemment reçu, comme l'ensemble des autres étudiants, un mail d'appel aux volontaires. Elle n'était pas encore censée se rendre à son poste d'observation, alors pourquoi ne pas donner un coup de main ?

De toute façon, elle n'arrivait pas à écrire. Et puis, s'il y avait actuellement des travaux de réparation, c'était en partie à cause d'elle, il était donc naturel qu'en retour elle donne un peu de son temps.

Certes, elle avait promis à son père et à Pete de rester en permanence à l'intérieur quand elle serait à l'observatoire, mais, depuis, trois nuits et deux jours étaient passés, et elle commençait à se sentir claustrophobe. Bouger lui ferait du bien et, techniquement, elle serait quand même toujours à l'observatoire.

Elle enfila une paire de baskets, indiqua à Bill qu'elle sortait et, sans attendre, se dirigea vers les gens qui faisaient la queue. Bill la rattrapa et se posta à côté d'elle.

Le vendredi précédent, elle avait effectué le même trajet pour prendre la voiture de Sharon. Ensuite, tout s'était enchaîné : elle avait failli mourir dans un accident de la route, elle s'était retrouvée au milieu d'une fusillade à l'observatoire, elle avait pris la fuite en hélicoptère et avait atterri au milieu du désert en compagnie du shérif local. Un shérif très séduisant qui l'avait embrassée plusieurs fois et qui, désormais, l'évitait autant que possible.

Certes, les journées de Pete étaient bien remplies, encore plus depuis qu'il avait rejoint l'équipe du commandant. Et elle, durant le jour, elle dormait. La nuit, elle faisait des calculs, notait ses observations pendant que lui dormait et rêvait d'elle. C'était en tout cas ce qu'elle espérait secrètement.

Elle repoussa cette dernière pensée. Elle voulait justement l'oublier en partageant avec d'autres sa passion pour les étoiles, leur indiquer où regarder pour contempler les constellations.

« Pete est persuadé qu'il n'a pas le droit de s'engager dans une quelconque relation. Vous devriez lui demander pourquoi. »

La prochaine fois qu'elle verrait le shérif du comté de Presidio, elle ferait en sorte d'en savoir plus.

— La source est fiable, murmura McCrea. Le rassemblement des amateurs d'ovnis sera bientôt le théâtre d'une opération d'envergure du cartel.

Pete hocha la tête, digérant l'information. Cord McCrea luttait contre les trafics à la frontière occidentale du Texas depuis plus de dix ans. Il connaissait la région et ses habitants comme sa poche.

Les hommes qui avaient tenté d'enlever Andrea à l'observatoire avaient forcément obtenu des informations qui venaient des forces de l'ordre elles-mêmes. Sans doute en interceptant des communications radio ou des conversations téléphoniques. Pete avait donc convenu de rencontrer McCrea dans une zone où les portables ne passaient pas et où personne ne pourrait surprendre leur échange. La vie d'Andrea était en jeu, il ne voulait courir aucun risque.

— Mais comment vont-ils pouvoir se servir de cet événement ? Ce n'est pas comme s'il allait y avoir une immense foule éparpillée un peu partout. Ce rassemblement attire deux mille personnes au maximum. Et encore, ça, c'est pendant les concerts. Pour les conférences, il y a encore moins de monde.

— Je ne sais pas, Pete, je ne fais que répéter ce que m'a appris mon informateur et il n'en sait pas plus.

— Est-ce que cela change quelque chose pour moi ?

Cord s'étira.

— Non, continue à faire ton boulot de shérif et à veiller sur Andrea Allen. En revanche, je te demanderai de me transmettre l'identité des agents que tu enverras au rassemblement.

— Oui, bien sûr. Ecoute, Cord, je sais que vous souhaitez vous servir d'Andrea comme appât.

— Je me doutais que tu ne mettrais pas longtemps à le découvrir.

— Ah oui ? Pourquoi ?

Cord haussa les sourcils.

— Oh ! L'autre soir, j'ai remarqué comment vous vous regardiez, tous les deux. La tension était palpable. C'est elle qui a demandé à s'installer chez toi, à ce que tu sois en charge de sa protection. Au départ, le commandant Allen souhaitait que tu sois son agent de liaison.

Andrea avait bel et bien posé ses conditions, pensa Pete.

Cord lui donna une tape sur l'épaule.

— Je devine ce que tu es en train de te dire. Et, oui, Mlle Allen a affirmé que tu étais le seul à avoir toute sa confiance pour veiller sur elle. Vas-y, bombe le torse, tu devrais te sentir fier !

Tous deux éclatèrent de rire, mais Pete n'en pensait pas moins.

— Je te préviens, je vais l'avertir que nous soupçonnons qu'une opération va certainement avoir lieu. Je veux qu'elle soit prête.

— Oui, ça me paraît normal.

— Et à part ça, comment vont Kate et le petit dernier ? Ça fait un moment qu'on ne l'a pas vue en ville.

— Oui, elle reste encore beaucoup avec lui à la maison, mais tous deux vont bien. A la fin du mois, David, le frère de Kate, vient nous rendre visite. Ce qui signifie que ton père et toi, vous serez prochainement invités à un barbecue chez nous.

— Ce sera avec plaisir. J'espère seulement que, d'ici là, cette histoire sera finie.

— Tu sais, on n'en aura jamais complètement terminé avec les trafics à la frontière. On démantèle un cartel, un autre prend sa place. C'est un éternel recommencement, commenta-t-il avec amertume.

— Au moins, tu as la sécurité de l'emploi, ironisa Pete. C'est une consolation.

Il aurait bien aimé en dire autant. Malgré ses compétences en tant que shérif, il était sur un siège éjectable.

— Ce n'est pas le plus important, Pete. Je te souhaite de le découvrir prochainement. A bientôt. Si jamais mon informateur en apprend plus, je te tiens au courant.

— Je vais avoir davantage d'agents à ma disposition. Il était prévu de longue date que nous ayons des renforts en prévision du rassemblement sur les ovnis. C'est vraiment difficile de comprendre que le cartel attende justement la date à laquelle il y aura le plus de policiers dans le secteur pour lancer une opération d'envergure.

— C'est vrai mais, encore une fois, ma source est vraiment solide. Il faut que je file, à bientôt, Pete.

Cord monta dans sa camionnette et démarra.

Appuyé contre sa voiture, Pete le suivit du regard. La lumière baissait, il ne tarderait pas à faire nuit. Andrea devait être à l'observatoire depuis une bonne heure. Un agent la ramènerait au ranch au petit matin.

Tôt ou tard, il faudrait qu'il lui parle. Il ne pouvait pas continuer à l'éviter.

Il remonta en voiture, roula quelques minutes et, quand il eut de nouveau une couverture réseau, sortit son téléphone.

— Allo, Peach ? Préviens l'agent prévu demain matin pour reconduire Mlle Allen au ranch qu'il pourra rentrer chez lui. J'irai la chercher moi-même.

— J'en étais sûre, répondit Peach. J'avais parié avec Honey que tu assumerais toi-même.

— Merci de ta confiance.

— On t'a élevé pour que tu deviennes un héros, Pete, pas un lâche.

— Ouais. J'ai terminé mon service, je rentre.

— Bonne nuit, shérif.

« Pas un lâche. » Au cours des trois jours précédents, avec Andrea, il n'était pourtant pas certain d'avoir été très courageux…

Pete fit signe à Randy Grady, debout devant la porte du bureau où travaillait Andrea.

— On ne t'a même pas donné une chaise ?

— C'est moi qui ai refusé. Je ne voulais surtout pas risquer de m'endormir, expliqua l'agent en lui serrant la main. Comment va ton bras ?

— Etonnamment bien, répondit Pete en le bougeant dans tous les sens.

— C'est une chouette fille, Andrea. Y a-t-il une chance que sa protection rapprochée soit levée avant son départ ?

— Non, avec son père, ça m'étonnerait.

— Ouais, bien sûr. Je comprends tout à fait. Moi aussi, je la garderais pour moi tout seul. Allez, j'y vais.

— Non, ce n'est pas ça.

Pourtant si, et Pete le savait. Il ne chercha pas à retenir Randy Grady pour s'expliquer.

Par la fenêtre, il contempla le ciel au-dessus des arbres. C'était le petit matin, Andrea n'allait pas tarder à sortir. Pourquoi était-il venu la chercher ? Il n'avait rien à prouver. Et, à la fin de la semaine, Andrea serait partie. Pour de bon, cette fois-ci.

A ce moment-là, la porte s'ouvrit.

— Oh ! Salut, dit-elle.

Puis elle se retourna pour faire un geste d'au revoir.

— Mon escorte est là, à demain les gars.

Pete s'assura que tout était calme et évita de croiser son regard. Trois jours étaient passés sans le moindre incident. Aucun des agents assignés à la protection d'Andrea n'avait remarqué quoi que ce soit d'étrange, ni vu personne qui aurait paru rôder autour de l'observatoire.

— Je ne m'attendais pas à vous voir.

— Vraiment ?

— Oui. C'est Randy qui était là tout à l'heure.

— Il vient de partir, alors je vous raccompagne au ranch. Avez-vous besoin de quelque chose ?

— Non, c'est bon, répliqua-t-elle en tapotant la housse de son ordinateur. Quel beau matin !

— Oui, en effet.

Elle se tenait juste devant lui et il avait tout loisir de contempler sa silhouette. Elle ne portait plus de bandage autour du poignet, elle était vêtue d'un jean moulant qui épousait joliment ses formes et d'un T-shirt cintré du meilleur effet.

Ils montèrent en voiture et il démarra en prenant soin de vérifier que personne ne les suivait ou ne jaillissait d'un véhicule.

Andrea lançait constamment des regards en arrière.

— Vous avez l'air soucieuse, commenta-t-il. Ça ne va pas ?

— J'attends seulement que vous m'expliquiez la véritable raison pour laquelle vous êtes venu me chercher en personne, alors que, depuis trois jours, vous m'évitez. Que s'est-il passé ? Avez-vous eu vent de nouvelles menaces ?

— Non, rien de tel. J'ai préféré venir moi-même au cas où, exceptionnellement, vous auriez eu besoin de faire un détour avant de rentrer. Et, si nous ne nous sommes pas beaucoup vus dernièrement, c'est seulement parce que nos emplois du temps respectifs sont décalés.

— A qui la faute ?

— A personne. C'est comme ça, c'est tout.

— Donc, il ne s'est rien passé, vous n'avez pas reçu de message de mon père ?

— Il ne vous appellerait pas directement ?

— Je n'en ai aucune idée. La situation actuelle est tout sauf normale. D'habitude, nous ne nous parlons pas aussi fréquemment.

— C'est triste.

Andrea éclata de rire.

— Voilà, maintenant, vous savez tout sur mes relations familiales. A votre tour de m'en dire un peu plus.

— Eh bien, mon père et moi, on s'entend plutôt bien.

— Vous ne vous en sortirez pas aussi facilement. Je vis chez vous, vous savez. Je sens que votre père se montre très discret et que vous ne vous parlez pas beaucoup.

— Il a eu une crise cardiaque. Et, en ce moment, je suis très occupé.

— Je vous crois. Quant à votre père, il fait de l'exercice et, grâce à son régime, il a perdu du poids.

— Comment le savez-vous ?

— Il ne cesse de me dire qu'il est obligé de serrer sa ceinture d'un cran supplémentaire tous les matins. Si vous passiez plus de temps avec lui, vous le sauriez également. Etes-vous préoccupé par l'élection qui approche ? Avez-vous peur qu'il vive mal le fait que vous le remplaciez officiellement ?

Il fut tenté de tout lui avouer. Cela faisait six semaines qu'il gardait pour lui le secret de son père, et cela lui pesait.

— Je prends votre silence pour un oui.

— Non, mon père est préparé à prendre sa retraite. Bien sûr, beaucoup de gens lui manqueront, mais il commence à en avoir assez de toute la paperasse quotidienne à traiter.

— Selon lui, personne n'est à la hauteur pour vous contester le poste de shérif, alors quel est le problème ? Pourquoi êtes-vous aussi tendu ?

— Apparemment, mon père vous parle volontiers, mais je ne suis pas certain que tout cela vous regarde.

— Que puis-je répondre ? J'aime bien bavarder.

— Je m'en étais rendu compte.

— Etes-vous en colère contre lui à cause de moi ? Je sais que votre père était tout à fait prêt à aider le commandant, contrairement à vous. Je suis également consciente d'être un souci supplémentaire pour vous. Devoir sans cesse organiser mes allers-retours à l'observatoire doit être pesant.

— J'ai une idée : pourquoi ne mettez-vous pas la radio en marche pour vous distraire au lieu de cogiter sur mes problèmes ?

— D'accord, message reçu. Mais je ne suis pas fan de country. Y a-t-il une radio locale qui diffuse de la pop alternative ?

Pete fut pris d'un accès de culpabilité. Il se montrait trop rude avec Andrea.

Alors qu'ils arrivaient à Fort Davis, il était prêt à la supplier de lui pardonner et de lui parler de nouveau. Il aimait sa voix et, quand elle ne disait rien, ne pas l'entendre lui manquait.

— Vous avez raison, déclara-t-il soudain, ne supportant plus le silence.

Elle tourna la tête, haussa les sourcils et attendit manifestement qu'il continue.

— Ce n'est pas…

Pouvait-il lui expliquer ce qu'il ressentait sans entrer dans les détails ? Non. Il voulait se montrer honnête envers elle. Mais ce n'était peut-être pas raisonnable.

S'il était trop bavard, il risquait de causer des ennuis à son père, ce qu'il voulait à tout prix éviter.

— Si les circonstances étaient différentes…

Une fois encore, il ne sut comment continuer.

— Je comprends, fit-elle. Vous avez des soucis personnels et moi, je suis une étrangère.

— Pourquoi vous préoccupez-vous autant de mes soucis ?

— Sans votre père et vous, je ne serais plus là. Je vous dois énormément. Alors voir vos rapports se détériorer à cause de moi, ça m'est très pénible.

— Non, ça n'a rien à voir avec vous.

— Très bien, je vous crois. Toutefois, depuis que mon père vous a sollicité pour intégrer son équipe, vous avez pris vos distances avec moi. Et votre père m'a suggéré de vous demander pourquoi. J'aurais bien aimé le faire plus tôt, mais vous…

— Attendez une minute. Mon père vous a dit de me demander pourquoi je me comportais de cette façon ?

— Oui. En quittant la réunion l'autre jour, il a insinué que vous aviez une bonne raison de vous conduire comme un imbécile.

— Ce n'est pas la première fois qu'il me donne ce genre de surnom.

Andrea se mit à rougir.

— Désolée, en fait, c'est moi qui interprète ses propos. Cela dit, je n'ai même pas eu l'occasion de vous remercier de m'avoir sauvé la vie puisque vous passez votre temps à m'éviter.

— Nous nous sommes mutuellement sauvé la vie, en fait. Nous formons une bonne équipe.

— Mais ça ne doit pas continuer, c'est ça ?

Il traversa Marfa sans un mot. Ce fut seulement quand le ranch fut en vue qu'il reprit la parole :

— Ecoutez, Andrea, je ne vois pas à quoi cela servirait. Dans quatre jours, vous aurez terminé vos travaux, vous n'aurez plus aucune raison de rester ici. Et je me doute que votre père mettra tout en œuvre pour vous tenir aussi loin que possible de Marfa et de ce cartel. En plus, d'ici quelque temps, vous partirez certainement travailler à l'autre bout du monde.

— Alors c'est ça, les relations brèves vous font peur. Pourquoi ? Vous vous êtes déjà fait larguer ?

Il entra dans la cour du ranch et fit signe à son père assis sous le porche. Celui-ci lui répondit avec un grand sourire, ce qui signifiait que tout était normal.

Pete se gara et coupa le moteur, perplexe.

Son père semblait attendre qu'il se passe quelque chose entre Andrea et lui.

Elle déboucla sa ceinture et se tourna vers lui, tout sourire.

— A voir comment se comportaient les infirmières à l'hôpital avec vous l'autre jour, j'en ai déduit que vous étiez plutôt bien vu de la gent féminine locale. Je me trompe ?

— Bien vu. Il m'est arrivé de sortir avec quelques filles, mais rien de sérieux et…

— Attendez, taisez-vous et écoutez.

Elle ouvrit sa portière et sortit.

— Est-ce un hélicoptère qu'on entend ? Est-ce qu'il nous suivait ?

Il dégaina son arme et sortit à son tour, les yeux levés vers le ciel. Mais il n'y avait rien.

Andrea se dirigea vers l'écurie, tête en l'air.

— Arrêtez, vous êtes à découvert !

18

Andrea courut jusqu'à ce qu'elle puisse distinguer l'hélicoptère. Celui-ci s'éloignait. Elle en fut soulagée car, l'espace d'un instant, elle avait redouté que la journée ne bascule de nouveau dans le chaos.

Elle s'arrêta.

Pete était juste derrière elle. Il tendit le bras, comme prêt à la serrer contre lui pour la protéger. Mais quand il constata qu'il n'y avait pas de danger, il baissa la main.

— Tout va bien, je suis en vie, fit-elle avec un haussement d'épaules. Ne dites rien, Pete, je reconnais que c'était stupide de ma part de partir en courant. Ça n'arrivera plus, je vous le promets.

— Si je ne dois rien dire, quand est-ce que je vous fais des reproches ? Quand on aura réussi à vous enlever ?

Andrea poussa un soupir. Elle en avait assez que Pete soit toujours inquiet et ne sourit plus. Et tout ça à cause d'elle. Elle en avait également assez de lutter contre son attirance pour lui. Au fond d'elle-même, elle le savait : si elle avait voulu rester dans la région, c'était en partie pour lui.

Il la fascinait. Il dégageait une grande force intérieure, mais il y avait aussi beaucoup de douceur en lui. Elle voulait apprendre à mieux le connaître, percer ses mystères.

Cédant à l'élan de son cœur, elle l'embrassa.

Quand elle releva la tête, il parut extrêmement confus.

Il recula d'un pas puis tourna les talons. Mais elle le retint par les épaules, l'obligeant à lui faire face.

Ils étaient à quelques centimètres l'un de l'autre.

— Ce n'est pas une bonne idée, Andrea.

— Il va falloir trouver de meilleurs arguments, répliqua-t-elle.

Ils restèrent immobiles, à se dévisager.

Finalement, il posa les mains sur ses hanches, elle passa les mains autour de son cou.

— Une très très mauvaise idée, reprit-il avant de l'embrasser avec passion.

— Comment pouvez-vous affirmer que c'est une mauvaise idée alors qu'on ne m'a jamais aussi bien embrassée ? chuchota-t-elle tout près de son oreille.

— Vous me faites perdre la tête, répliqua-t-il avant de lui donner un second baiser.

Elle ne voulait plus le laisser partir, son désir était trop fort et était manifestement réciproque.

Il déposa des baisers sur sa joue, sur son cou. Elle inclina la tête pour le laisser explorer sa gorge et la naissance de ses seins.

Des frissons de plaisir la parcouraient.

Quel dommage qu'ils ne soient pas dans un lit ! Ils ne pouvaient quand même pas le faire là, ils n'étaient pas seuls ! Elle eut beau se faire cette réflexion, rien ne semblait pouvoir stopper leur élan.

Pete caressait ses seins. Seule la fine dentelle de son soutien-gorge constituait encore une barrière.

Son désir était de plus en plus fort, elle s'attaqua aux pans de sa chemise, mais n'arriva pas à les sortir de son pantalon, ce qui rajouta à sa frustration.

Elle explora ses cheveux épais, l'incita à l'embrasser de nouveau, sans retenue.

— Hem…

Joe s'était éclairci la voix pour indiquer sa présence.

Andrea tourna la tête. Seule l'ombre de Joe se dessinait car, certainement par pudeur, il se tenait à l'angle de l'écurie.

Pete poussa un soupir de résignation.

— Très mauvaise idée, murmura-t-il.

— Non, absolument pas, répliqua-t-elle tout bas.

— Euh, fils, reprit Joe, puisque tu es là et que tu peux rester avec Andrea, je souhaitais en profiter pour aller en ville avec Rowdy. Nous avons besoin de fourrage et de faire quelques courses pour nous. Je pense que nous déjeunerons sur place, alors ça devrait nous prendre trois ou quatre heures.

— Papa, tu n'es pas obligé de…

Andrea posa un doigt sur ses lèvres pour l'empêcher de continuer.

— Je promets d'être gentille et de ne pas chercher à m'enfuir, lui chuchota-t-elle à l'oreille.

Il hésita un instant.

— D'accord, c'est bon, papa, ne te presse pas, je ne bouge pas d'ici.

Pete aurait dû garder les mains dans ses poches et enfermer Andrea dans sa chambre. Ç'aurait été plus raisonnable. Il pouvait toujours essayer mais, à en croire les battements de son cœur, il allait avoir beaucoup de mal.

Il avait perdu le contrôle. Si son père ne les avait pas interrompus, jusqu'où seraient-ils allés ?

Au loin, la camionnette démarra.

— Nous devrions aller à l'intérieur.

Andrea se baissa pour ramasser son chapeau et le lui tendit. Puis elle se posta face à lui, mains sur les hanches.

— Qu'est-ce qui ne va pas ? Vous vous sentez gêné ?

Il mit son chapeau et la prit par le poignet.

— Allons à l'intérieur. Non, je ne suis pas gêné. Enfin, si, un peu.

Dès qu'ils eurent tourné à l'angle de l'écurie, elle se débattit pour libérer son poignet.

— Cela fait quelques années que je suis capable de marcher toute seule, je vous signale.

— Andrea, vous êtes sous ma protection. Nous ne pouvons pas… je ne peux me permettre de baisser la garde ou de profiter de la situation.

Il ouvrit la porte, prêt à l'enfermer et à rester planté devant l'entrée jusqu'au retour de son père.

Elle l'observa, parut lire dans ses pensées et, au moment de pénétrer dans la maison, se ravisa, allant s'asseoir sur la balancelle sous le porche où elle l'invita à la rejoindre.

Dépité, il obtempéra. Le léger grincement de la balancelle les berça. Dans le corral, les chevaux trottaient tranquillement, une légère brise faisait osciller les branches des arbres. Sa main effleura celle d'Andrea, et il ne put se retenir d'entrelacer ses doigts aux siens.

— C'est ravissant, commenta Andrea. Ma mère adorerait cet endroit.

Elle semblait de bonne humeur et nullement contrariée par ses états d'âme. Elle était différente des autres filles qu'il connaissait. Ne devrait-elle pas être en colère contre lui au lieu de rester là avec sa main dans la sienne ?

— Les plantes passent très bien l'hiver ici, répliqua-t-il, désireux de faire la conversation sans aborder les sujets sensibles.

Mais combien de temps parviendrait-il à ignorer qu'ils avaient la maison pour eux tous seuls pendant trois heures, alors que le simple contact de la main d'Andrea le faisait vibrer ?

— Votre père est persuadé que, si vous tenez à éviter qu'il se passe quoi que ce soit entre nous, c'est pour une raison très importante. Moi, je n'en suis pas aussi sûre, déclara-t-elle.

La conversation banale, c'était terminé.

— J'ai plus qu'une bonne raison.

Se retrouver à côté d'elle l'empêchait de se montrer ferme et convaincant. Elle avait la peau tellement douce. Et il ne cessait de repenser à ce qu'il avait éprouvé en caressant ses seins.

— Pourquoi ne pouvez-vous pas m'en parler, Pete ?

— C'est compliqué.

— Alors pourquoi votre père tient-il autant à ce que vous vous confiiez à moi ?

— Je ne sais pas.

— Encore une question, et je vous laisse tranquille.

— Allez-y.

Elle hésita, haussa les sourcils et le dévisagea.

— Est-ce que vous pouvez laisser de côté vos raisons pendant trois petites heures ?

Pete la fixa pendant plusieurs secondes, puis se pencha vers elle et effleura ses lèvres. Il lui suffisait de se redresser pour mettre fin à ce contact, mais il n'en eut pas la force.

— Alors, et vos arguments ? lui demanda-t-elle d'un ton presque provocateur.

Il chercha une raison objective de ne pas aller plus loin.

Ils se connaissaient à peine. Non, ça ne suffisait pas. Il désirait plus que tout mieux la connaître.

Il avait envie de tout savoir de sa personnalité, mais également d'explorer la moindre parcelle de sa peau.

Il n'avait pas d'avenir à lui offrir. Mais elle ne demandait que trois heures ! Et, s'il se fiait à ce qu'il éprouvait déjà, il se souviendrait longtemps de ces quelques heures.

Il était chargé de la protéger. Et alors, ne comptait-il pas rester tout près d'elle ?

Néanmoins, il y avait une raison qu'il ne pouvait ignorer. Il n'était pas celui qu'elle croyait. Il ne voulait pas lui mentir mais, hélas, il était porteur d'un secret qui n'était pas le sien. Il n'avait pas le droit de le lui confier.

Exaspéré, il se leva brusquement et la prit dans les bras. Ses yeux bleus étaient de la couleur du ciel. Il la serra contre lui et l'embrassa.

Son désir était dévastateur et balayait tout sur son passage. Dès le moment où il lui avait parlé pour la première fois à l'hôpital, elle l'avait attiré. Depuis, cette attirance n'avait fait que s'intensifier. Il la prit par la main et la tira vers la porte.

— Dois-je comprendre que vous avez décidé de profiter des trois heures à venir ?

Si elle continuait, ils n'arriveraient même pas jusqu'à la chambre.

Pete l'embrassa passionnément et la poussa vers le couloir dans le même mouvement. Andrea ne s'offusqua pas de son empressement, au contraire, car elle ne voulait pas risquer qu'il change encore une fois d'avis.

Il lui ôta son T-shirt, puis elle s'attaqua aux boutons de sa chemise. Leurs gestes étaient maladroits et précipités.

A peine eut-elle ouvert la porte de la chambre qu'il dégrafa son soutien-gorge noir sexy. Ils s'embrassèrent, elle écarta les pans de sa chemise pour la lui ôter complètement et se mit à caresser son torse. Puis il lui enleva son soutien-gorge et recula d'un pas pour mieux la contempler.

Elle n'était pas timide, loin de là, et pourtant, les yeux de Pete brillaient avec une telle intensité que c'était comme si un homme la regardait pour la première fois.

— Je crois que, de toute ma vie, c'est la meilleure des mauvaises décisions que j'aie prises, confia-t-il.

— Vraiment ?

Elle fit descendre un doigt sur son torse jusqu'au bouton de son pantalon.

— Alors qu'attendez-vous ? ajouta-t-elle.

— J'ai envie de savourer le moment.

Son regard était embrasé de désir pour elle. Il la prit dans les bras, l'allongea sur le lit, puis embrassa ses seins, l'un après l'autre, lentement.

Elle portait encore son jean ; il le déboutonna et le fit lentement glisser le long de ses jambes.

— Vous êtes magnifique, chuchota-t-il. Je pourrais rester la journée entière à vous regarder.

— Vous n'avez pas intérêt.

Elle remonta plus haut sur le lit pour mieux l'admirer. Puis elle lui adressa un clin d'œil malicieux et désigna son pantalon.

— Enlevez tout, monsieur.

— Oui, madame.

Avec dextérité, il se débarrassa de ses derniers effets, puis s'allongea à côté d'elle pour reprendre ses caresses expertes.

Des frissons lui parcoururent la colonne vertébrale. Il dessina de petits cercles concentriques sur sa peau jusqu'à faire se dresser ses tétons d'excitation.

— Oh ! C'est tellement doux, gémit-elle de plaisir.

Elle explora elle aussi son corps des deux mains. Ses muscles étaient fermes, ses cuisses puissantes. Elle était aux anges.

Enfin, il s'allongea sur elle et la pénétra. Elle croisa les bras autour de son cou et accompagna chacun de ses mouvements. Elle ne réfléchissait même pas à ce qu'elle faisait, tout lui venait instinctivement, comme si, de manière innée, ils avaient adopté des gestes qui n'appartenaient qu'à eux.

Nous étions faits l'un pour l'autre, ne cessait-elle de se répéter. Leurs corps étaient unis, ils s'embrassaient encore et encore. Le plaisir monta jusqu'à l'extase. Parfait. C'était absolument parfait.

20

— Tu crois que maintenant tu pourrais m'expliquer pourquoi tu ne voulais plus avoir affaire à moi ? lui demanda Andrea, blottie tout contre lui, la tête sur son épaule.

Elle n'avait qu'à moitié remonté le drap sur elle, si bien que Pete pouvait continuer à contempler ses formes et sa peau soyeuse.

— Je préférerais te refaire l'amour, plutôt que songer aux raisons qui devraient m'en dissuader.

— Ne te tourmente pas parce que tu es censé me protéger.

— Facile à dire. Que dois-je inscrire dans mon rapport ?

— Tu peux noter que j'ai passé une agréable matinée dans ma chambre. Tu ne mentionnes tout de même pas tous les détails dans les rapports pour mon père, n'est-ce pas ?

Il préféra répondre par l'humour :

— Si. Maintenant tu sais pourquoi je préférais éviter de fricoter avec toi.

Elle lui donna un petit coup de coude et monta à califourchon sur lui.

— Pete, j'ai vraiment envie de savoir. J'étais sérieuse quand je disais qu'une fois partie j'aimerais rester en contact avec toi.

Elle marqua une pause et prit un air grave.

— Mais toi, tu n'as aucune envie de continuer une relation avec quelqu'un qui vit loin d'ici.

— Du calme, Andrea. D'abord, je n'ai jamais dit que je

refusais de m'engager dans une quelconque relation, que ce soit avec quelqu'un qui vit loin d'ici ou pas.

— Alors quel est le problème ? Je sens bien que tu as des réticences. C'est à cause de mon père ?

Avant même qu'il ait eu le temps de répondre, elle reprit :

— J'en étais sûre. Avoir un père qui travaille pour la Sécurité intérieure fait fuir tous ceux qui s'intéressent à moi. Mais Pete, tu es shérif, tout de même. Tu ne penses pas qu'il pourrait découvrir quelque chose à ton sujet qui…

Il n'arrivait plus à la fixer droit dans les yeux. Elle lisait trop bien dans ses pensées ou, du moins, se montrait très douée pour interpréter ses expressions et silences.

Elle s'allongea de nouveau à côté de lui et remonta le drap sur elle. Il se tourna vers le côté opposé.

Une fois encore, Andrea le surprit : au lieu de le presser de questions, elle resta silencieuse et lui caressa douce-ment le dos, comme pour lui faire comprendre qu'elle lui laissait le temps de trouver ses mots.

— J'aurais dû te refaire l'amour, murmura-t-il.

Elle éclata de rire et se pressa tout contre lui.

— Eh bien, ta proposition m'intéresse.

Il se retourna et plaqua le front contre le sien.

— Ce n'est ni à cause de ton père ni à cause de toi, Andrea.

— Entendu. Comme tu ne me connais pas depuis longtemps, je t'assure que je sais garder un secret. Quand j'étais enfant, j'ai gardé celui de ma meilleure amie pendant presque deux ans. Certes, c'est en partie parce que je l'avais oublié, mais…

— Chut, la coupa-t-il avant de l'embrasser.

Ils échangèrent de longs baisers et ne dirent plus un mot. Il avait envie de tout lui raconter. Elle méritait de savoir qu'elle n'y était pour rien. Mais leurs baisers en entraînèrent d'autres et, très vite, le désir revint à la charge.

— C'était complètement fou ! déclara Andrea.

Elle se laissa tomber à côté de Pete.

— J'en ai le souffle coupé. Combien de temps reste-t-il avant que nos trois heures soient passées ?

Elle avait succombé au charme de Pete en moins de temps qu'il en fallait à une étoile filante pour traverser le ciel. Et elle était heureuse. Pete était un amant merveilleux et un homme complexe, mystérieux, mais surtout très attachant. Si elle ne voulait pas se consumer aussi rapidement qu'une étoile filante quand elle entrait dans l'atmosphère, elle devait faire très attention.

— Assez pour prendre une douche et un petit déjeuner.

— Le déjeuner, tu veux dire, répliqua-t-elle avec malice.

— Voire le dîner, si on considère que nous avons tous les deux travaillé toute la nuit et que nous n'avons pas dormi.

— Waouh, shérif, autant d'énergie sans une seule minute de sommeil ? Je suis impatiente de voir ce que ça donne quand tu es en pleine possession de tes moyens, ajouta-t-elle dans un éclat de rire.

Elle plaisantait, mais que Pete soit aussi alerte alors qu'il était éveillé depuis plus de trente heures l'impressionnait vraiment.

— Une douche, on mange et ensuite on dort. Dans cet ordre.

— Oui, ce n'est pas bête, reconnut-elle. Enfin, si je parviens à bouger. Peut-être que je ferais mieux de rester là à récupérer pendant deux jours entiers.

Pete s'assit au bord du lit et rassembla ses vêtements.

— On fait la course.

— D'accord. Le premier qui a fini de se doucher prépare à manger.

— Finalement j'ai une meilleure idée, proposa Pete.

On prend une douche ensemble et ensuite on cuisine tous les deux.

— J'en ai déjà l'eau à la bouche. Joe a dit qu'ils seraient de retour vers 13 heures, non ?

— Tu as raison. Je crains qu'il nous faille reporter la douche à une autre fois.

— Entendu.

Qui sait, peut-être auraient-ils un peu de temps en fin de journée avant de repartir travailler. Andrea s'habilla, remit les boucles d'oreilles équipées de capteurs GPS et s'étira.

Elle aurait bien aimé mettre de la musique pour rester éveillée, mais elle n'avait plus son baladeur MP3. Heureusement, tout était sauvegardé dans sa bibliothèque numérique. Il lui suffisait de se connecter pour y accéder. Elle sortit sa tablette de son sac puis, attirée par l'odeur de bacon grillé, se rendit dans la cuisine.

— Oh ! Mais ça sent divinement bon !

Pete se retourna et elle lui donna un petit baiser. Elle voulait à tout prix éviter qu'il reprenne ses distances, comme si ce qui venait de se passer entre eux n'avait été qu'une parenthèse.

— Rien de sorcier, confia-t-il. Je suis trop fatigué pour me lancer dans de la cuisine sophistiquée.

— Peu importe, je meurs de faim.

Elle avait envie d'en savoir plus sur lui. Savait-il cuisiner ? Aimait-il cela ? Elle voulait tout connaître de lui, même les détails les plus insignifiants. Jusque-là, ils avaient principalement parlé de la disparition de Sharon ou des voyous qui cherchaient à l'enlever.

Elle alluma sa tablette et la posa sur la table.

— Qu'est-ce que tu aimes comme musique ? La country ? Le hard-rock ? Pitié, ne me dis pas que tu es un fan de classique, je ne le supporterais pas.

Il éclata de rire. Elle adorait provoquer cette réaction chez lui : ses traits se détendaient, ses fossettes se creusaient.

Spatule en main, il la prit dans les bras et la regarda. Elle se serra contre lui.

— Tu as beaucoup de chance d'être shérif, dit-elle.

— Pourquoi ?

— Eh bien, à l'heure qu'il est, mon père doit avoir demandé qu'on se renseigne sur toi pour s'assurer que tu es digne de sortir avec sa fille unique.

— Tu es sérieuse ?

Il la lâcha et recula d'un pas.

— Il ne peut pas faire ça, tu dois lui demander d'arrêter, reprit-il.

— Hé, qu'est-ce qui se passe ?

Manifestement, elle venait de toucher un point sensible. Il ne souriait plus, au contraire il avait un air grave qui l'inquiéta.

— Appelle ton père, s'il te plaît. Tu veux bien ?

— Ecoute, je sais que mon père peut se montrer envahissant, mais je t'assure qu'il n'y a pas de quoi se mettre dans un état pareil. De toute façon, il a certainement demandé des renseignements sur toi dès le jour où il t'a sollicité pour rejoindre son équipe.

— Je m'en doutais. Il faut que je lui explique qu'il n'y a rien entre nous : ça le dissuadera d'approfondir ses recherches. J'espère qu'il n'est pas trop tard.

Il se retourna, coupa le feu sous la poêle dans laquelle il avait fait cuire des œufs brouillés, les disposa sur deux assiettes et lui en tendit une sans un mot.

Il était évident qu'il était très inquiet à l'idée qu'un secret soit révélé. Mais lequel ? S'il avait enfreint la loi, il ne pourrait pas être le shérif du comté. Alors que cherchait-il à protéger ? Ou qui ?

— Franchement, tu penses réellement que j'ai autant d'influence sur le commandant ? En plus, je croyais qu'il se passait quelque chose entre nous. Je me suis trompée ?

— Laisse tomber et mange.

Ils s'assirent tous deux, mais restèrent longuement à contempler le contenu de leur assiette. Andrea ne savait que faire et n'osait pas le pousser à se confier.

Mais elle ne supportait pas non plus le silence. Poser des questions, inciter les gens à parler, c'était dans sa nature profonde. Pete, lui, semblait être passé maître dans l'art de garder ses secrets pour lui. C'était un paradoxe qu'elle soit autant attirée par un homme comme lui.

Enfin, il reprit :

— En plus de la situation présente, qui devrait nous dissuader de nous engager dans une véritable relation, il y a un autre élément que tu dois connaître.

— Je t'écoute.

Elle fit de son mieux pour rester stoïque, mais qu'il réaffirme qu'ils ne devaient pas avoir de relation était douloureux.

— Je ne peux pas quitter Marfa.

— C'est tout ? Je n'espérais pas le contraire. En tout cas, pas à court terme. Si je parviens à décrocher un poste à l'étranger, tu pourras venir me voir, du moins si tu le souhaites. Enfin, comprends-moi, ce n'est pas parce que nous avons fait l'amour ce matin que j'attends de toi que tu plaques tout pour moi.

— Si je pouvais venir te rendre visite, je le ferais. Mais c'est impossible.

— Pourquoi ? C'est un problème de passeport ? Tu as la phobie de l'avion ?

— Non, ça n'a rien à voir, répliqua-t-il en se passant nerveusement la main dans les cheveux, comme s'il se débattait avec lui-même pour décider si oui ou non il allait lui révéler la véritable raison.

Elle posa la main sur la sienne.

— Parle-moi, tu peux me faire confiance, je te le jure.

— « Pete Morrison » n'est pas mon véritable nom.

— Je sais, la semaine dernière, Honey m'a dit que tu

avais été adopté. Ce n'est pas un secret. Alors qu'est-ce que c'est ? Je ne comprends pas. Tu vis ici, tout le monde te connaît, les photos au mur dans le bureau de ton père prouvent que tu as passé quasiment toute ton existence à Marfa.

— Je m'explique mal.

Il se leva, marcha jusqu'à la fenêtre et regarda dehors.

— Bon sang, je ne sais même pas pourquoi je te parle de ça. Je ne devrais pas et je ne le ferais pas si tu ne m'avais pas parlé de la possibilité qu'il y ait une enquête de routine sur moi. Il faut que tu appelles ton père pour tout arrêter, mais je ne peux pas t'expliquer pourquoi.

— Ah non, c'est trop tard, maintenant ! Tu ne peux pas me demander ça sans m'expliquer pourquoi.

Elle s'exprimait calmement, elle en était même étonnée. Un peu plus tôt, elle l'avait poussé à admettre l'attirance qu'il éprouvait pour elle. Désormais, elle désirait plus que tout qu'il ait une entière confiance en elle. Si elle explosait et lui faisait une scène, elle n'y parviendrait pas.

— Je ne veux pas te bousculer, Pete. Si tu préfères attendre encore pour tout me dire, je respecterai ta décision car, après tout, tu me connais à peine. Mais, tôt ou tard, tu devras tout m'avouer.

Elle se força à prendre une bouchée de bacon qu'elle fit descendre avec une gorgée de café. Du café presque froid.

— C'est compliqué, répondit-il en baissant la tête.

— Raison de plus pour te confier à quelqu'un qui portera un jugement objectif et désintéressé sur tes propos.

Sois patiente, s'intima-t-elle.

— Je ne peux pas. J'en ai envie, ce serait plus simple, mais je ne peux pas.

Il se mit à arpenter la cuisine de long en large.

Elle le suivit du regard et se retint de se lever. Même s'il n'arrivait pas à laisser sortir ce secret, il lui avait fait savoir qu'il aurait aimé le partager avec elle. En soi, ce n'était pas rien. Pourquoi elle ? Et pourquoi cette idée la mettait-elle dans un tel émoi ?

— Quel que soit ton véritable nom, ça ne changera rien à notre… amitié.

S'ils ne pouvaient être ensemble, ils seraient au moins amis.

— Même si je suis le fils d'un meurtrier et que Joe ne m'a jamais légalement adopté ?

Elle en resta bouche bée. Lui, le fils d'un meurtrier ? Jamais adopté ? Elle avait du mal à le croire.

— Je n'aurais jamais imaginé cela, je dois l'avouer.

— Oh ! Crois-moi, quand Joe m'a tout expliqué, je me suis demandé s'il n'avait pas gardé des séquelles de sa crise cardiaque tellement j'étais abasourdi.

Il se laissa lourdement tomber sur sa chaise.

Elle eut envie de le prendre dans les bras et de le serrer longuement, mais se retint.

Elle ne pouvait pas non plus sauter sur le téléphone pour appeler son père car il serait forcément intrigué et, s'il n'avait pas encore demandé d'enquête sur Pete, cela ne ferait que l'y encourager.

— Excuse-moi, Pete, mais si tu veux que je réussisse à convaincre mon père, j'aurai besoin de détails. En as-tu déjà parlé avec Joe ?

— Cela fait six semaines que nous repoussons sans cesse le moment de la grande explication.

— A ta place, je ne serais pas parvenue à tenir aussi longtemps.

— En fait, je n'ai pas attendu pour obtenir des réponses. Un des avantages de ma fonction est que je peux facilement avoir accès à des informations confidentielles. J'ai vite pu rassembler les éléments. En revanche, je ne comprends pas pourquoi mon père considère que ce n'est pas grave. Si la vérité venait à sortir, tout ce qu'il a construit pendant toute sa vie s'effondrerait.

— A cause de l'adoption qui n'a pas été légalisée ?
Peut-être obtiendrait-il des circonstances atténuantes. Je
suis sûre qu'il serait pardonné.

Pete posa les coudes sur la table et se prit le visage entre
les mains. Elle se sentait démunie, ce qui ne lui arrivait
pas souvent. De quoi Pete avait-il besoin ? D'être consolé ?
D'une oreille attentive ?

Quand il releva la tête, ses yeux étaient humides. Peu
importait ce qu'il voulait, elle était décidée à le réconforter.
Et elle savait précisément pourquoi. Elle était en train de
tomber amoureuse de lui.

21

Quel idiot ! Il avait révélé le secret de son père à une femme qu'il connaissait depuis moins d'une semaine. La fille d'un homme qui bénéficiait de tous les passe-droits pour aller fouiller dans son passé et qui, d'un claquement de doigts, pouvait anéantir son père.

— Ça va, Pete ? lui demanda Andrea.

Oh oui, ça allait. Même s'il se sentait à la fois en colère contre Joe et coupable de l'être ! C'était comme ça depuis six semaines. Car, après tout, comment aurait-il pu en vouloir à l'homme qui l'avait élevé, alors que rien n'y obligeait Joe ? Mais son père adoptif lui avait caché des choses. Et ça, ça faisait mal…

— Je ne sais plus ce que je dois ressentir. Mon père m'a menti pendant vingt-six ans. Toute sa vie, il a travaillé pour le maintien de la loi, il m'a élevé dans cet idéal. Mais tout n'était que mensonges.

— Non, je ne pense pas qu'il t'ait menti sur ses sentiments pour toi. Il suffit de vous voir ensemble pour comprendre qu'il y a beaucoup d'amour entre vous.

— Je refuse qu'il perde tout à cause de moi. Peux-tu appeler ton père ?

— Je doute qu'attirer son attention sur cette affaire soit judicieux. Il n'est pas certain qu'il ait demandé une enquête approfondie sur toi. D'ailleurs, il ne t'a pas ordonné de quitter son équipe, ce qui prouve qu'il ignore encore que tu portes une fausse identité.

Elle s'arrêta un instant, puis reprit :

— Comment Joe a-t-il obtenu ton certificat de naissance et autres papiers légaux ?

— Justement, je n'en ai pas. C'est le point de départ de cette histoire. Quand j'ai été nommé shérif par intérim, les services administratifs du comté m'ont envoyé un courrier pour m'avertir qu'ils ne disposaient ni de la copie de ma carte d'identité ni de mon certificat de naissance. C'est alors que mon père m'a avoué qu'il avait usé de complicités pour que je sois enregistré dans les bases de données administratives en dépit de l'absence de certains documents. Il m'a également révélé que mon numéro de sécurité sociale était un faux. Il se l'était procuré à mon entrée à l'école. Je n'en avais jamais rien su.

Andrea déglutit. Elle commençait elle aussi à redouter les conséquences si le commandant apprenait tout cela.

— Ça paraît…

— … totalement contraire à la loi. Et passible d'une peine de prison.

Voilà pourquoi savoir qu'une agence gouvernementale risquait de fouiller dans son passé l'inquiétait tant. Quelles qu'aient été les raisons de Joe d'agir ainsi, il risquait des poursuites.

— Je comprends ton inquiétude, Pete. Mais je reste persuadée que ton père avait de solides motivations.

— Ça, je n'en sais rien. Je ne lui ai pas posé la question.

— Tu dois être l'homme le moins curieux que je connaisse. Mais tu vas lui demander des explications, n'est-ce pas ? Tu dois tout savoir.

Elle se leva pour faire réchauffer son assiette au micro-ondes.

— Veux-tu que je mette la tienne également ?

Il repoussa son assiette devant lui.

— Non, merci. Ça m'a coupé l'appétit.

Pete observa Andrea en silence. Elle était belle, mais elle avait également un aplomb étonnant. Il lui avait révélé être le fils d'un meurtrier, et elle avait digéré la nouvelle en l'espace de deux secondes.

Il avait d'autant plus envie d'une vraie relation avec elle, pas d'une simple passade. Mais cela s'annonçait difficile à tous points de vue.

Elle revint s'asseoir à table et mangea en silence. Aux regards intempestifs qu'elle lui lançait, elle brûlait d'envie de lui poser d'autres questions, mais il n'était pas certain d'être prêt à y répondre.

La voix de Joe le sortit de ses pensées :

— Est-ce bien une odeur de bacon que je sens ? lança son père depuis la porte d'entrée.

— On est là, papa, répondit-il en retour.

Son père fit son entrée.

— Ah, parfait, vous êtes encore debout tous les deux.

Il s'approcha de la table et se tourna vers Andrea.

— Il me suffit de voir la tête que fait Pete pour comprendre que vous avez suivi ma suggestion de lui poser quelques questions. Il était temps. Tu lui as expliqué, Pete ?

Il acquiesça.

Andrea termina son café. Etonnamment, elle ne disait rien.

— Bien, reprit Joe en tirant une chaise pour s'asseoir. Nous devons en parler sans faux-fuyants et il faut que tu arrêtes de te sentir obligé de me protéger.

— Pas maintenant.

Il appréciait Andrea, mais il avait besoin de parler en privé à son père.

— Tu ne veux pas qu'elle sache elle aussi pourquoi ?

— J'étais en train de dire à Pete que j'avais du mal à garder les yeux ouverts, intervint Andrea. Restez là et discutez. Moi, je vais aller me reposer.

Elle se leva et quitta la pièce.

Quelques instants plus tard, la porte de sa chambre claqua.

Pete était seul avec son père, et l'évidence le frappa. Biologique ou adoptif, peu importait. Joe Morrison serait toujours son père. Il lui avait déjà pardonné.

Joe se versa une tasse de café.

— C'est vraiment une chic fille, commenta-t-il.

— Oui, acquiesça Pete, et elle est également de bon conseil.

— C'est-à-dire ?

— Eh bien, par exemple, elle m'a fait comprendre que j'aurais dû te demander des éclaircissements sur les conditions de mon *adoption* beaucoup plus tôt. Je n'arrive pas à croire que l'homme qui, toute ma vie, m'a répété qu'il fallait respecter la loi a pu faire exactement l'inverse.

Joe prit le temps de s'appuyer à la table avant de répondre.

— Au cours des quatre premiers mois qui ont suivi ton arrivée ici, je n'ai pas eu besoin de faire appel à une baby-sitter quand j'étais au travail. Il y avait toujours quelqu'un qui se proposait spontanément pour te garder, et tout le monde disait qu'on se ressemblait. C'était beaucoup plus simple de prétendre que tu étais mon neveu. Et cette explication satisfaisait tout le monde.

— Mais enfin, papa, tu as pris des risques insensés. Pourquoi ?

— Facile. Je l'ai fait pour toi.

— Il va falloir que tu développes un peu.

— C'était ce qu'il y avait de mieux à faire, fils. Si le cas se représentait, je n'hésiterais pas à recommencer.

Un sourire passa sur ses lèvres.

— Tu as affirmé savoir qui était ton véritable père. Je suppose que tu l'as deviné après que je t'ai appris que c'était moi qui l'avais arrêté.

— Eh bien, je savais que seulement trois personnes que tu avais arrêtées avaient été transférées hors du comté. Je suis parti du principe que ce devait être l'une d'elles. Deux avaient été envoyées à San Antonio, la dernière à la prison de Huntsville. Philip Stanley a passé onze ans dans le couloir de la mort et, peu de temps après mes quatorze ans, je me souviens que tu t'étais rendu là-bas. Pour assister à son exécution ?

— Oui, c'est bien cela. Une journée épouvantable. Cet homme avait braqué un magasin de spiritueux à El Paso. Une fusillade avait éclaté et il avait tué le vendeur.

— J'ai lu dans le rapport qu'après le vol il s'était enfui, réfugié dans une maison, qu'il avait pris les habitants en otage et que c'est toi qui avais mené les négociations pour qu'il les libère sans heurts.

— En effet, il retenait une famille. Peu de temps après les faits, ils ont d'ailleurs déménagé. Le plus jeune des enfants de la famille avait cinq ans, à l'époque, et je crois que Philip Stanley a fait le rapprochement avec toi. Il ne voulait pas que tu marches sur ses pas, il voulait que tu aies un foyer, que tu sois heureux. A sa façon, il t'aimait. Lorsque je lui ai fait la promesse de te trouver une nouvelle famille, il a accepté de libérer les otages. Au départ, j'ai cherché à qui je pourrais te confier. Mais ton père était fils unique, tes grands-parents paternels étaient décédés, ta mère et ses parents à elle aussi. Il m'a fallu neuf mois pour le découvrir.

— Et pendant tout ce temps, j'ai vécu avec toi ? Pourquoi ne pas m'avoir placé dans un orphelinat ?

— J'avais donné ma parole à ton père que je n'en ferais rien. Il redoutait qu'en grandissant dans ce genre d'environnement tu ne prennes un mauvais chemin. A cette époque-là, j'avais déjà raconté à tout le monde que tu étais mon neveu. Lors de la prise d'otages, le shérif Russ Grimshaw était avec moi, et il m'a encouragé à donner ma parole à ton père d'agir selon sa volonté. Et c'est aussi lui qui m'a aidé à mener l'enquête pour déterminer si tu avais encore des parents à qui confier ta garde. Lui aussi a fini par te considérer comme un membre de sa famille. Ensemble, nous nous sommes convaincus que nous avions pris la bonne décision. Nous étions deux vieux célibataires déterminés à t'offrir un véritable avenir, comme le souhaitait ton père. Et, au bout de neuf mois, il était trop tard pour que je te déclare comme orphelin et que je fasse une demande officielle pour obtenir ta garde, car on m'aurait reproché d'avoir attendu beaucoup trop longtemps. Je n'aurais eu aucune chance d'être entendu.

— Et comment tu t'y es pris pour m'inscrire à l'école ? Tu n'avais pas besoin de fournir de justificatifs ?

— Je me suis servi du numéro de sécurité sociale de ta mère. Tant qu'on fournit des infos, la plupart du temps, personne ne va chercher plus loin. Surtout que tout le monde connaissait ton histoire. Plus tard, c'est Russ qui s'est chargé de te faire embaucher par le comté. Il est arrivé une ou deux fois qu'on me fasse remarquer qu'il manquait des justificatifs dans ton dossier mais, chaque fois, je répondais que je me chargerais de les envoyer dès que je le pourrais et, comme je connaissais quelques agents à l'état civil, on me faisait confiance et on laissait courir.

— Mais tu es conscient que tu es passible de prison ferme ?

— Fils, tout le monde s'en moque et sait que tu es quelqu'un de bien. C'est ça l'important, personne ne te mettra de bâtons dans les roues pour t'empêcher de devenir shérif.

— Papa, le père d'Andrea m'a enrôlé dans son équipe. Ce qui signifie qu'il va demander qu'on se renseigne sur moi. Et alors, on comprendra que tu as falsifié des informations. Et, crois-moi, le gouvernement ne va pas passer outre.

— Tu t'inquiètes trop. Le temps a fait son œuvre. Si besoin, nous mettrons tout à plat pour que tu puisses changer de nom en toute légalité. Quoi qu'il en soit, tu n'as rien fait de mal.

— Bon sang, papa, ne fais pas comme si de rien n'était !

Il était à deux doigts de hurler. Comment son père pouvait-il prendre cette affaire à la légère ?

En plus, désormais, c'était *leur* secret, et les gens penseraient certainement qu'il avait toujours été au courant.

Mais son père restait remarquablement calme et semblait même soulagé d'un poids.

— Fils, je comprends la gravité de la situation, mais j'en assume toutes les conséquences. Si cela s'apprend, tant pis.

— Il n'y a pas de fatalité. Si je démissionne, le commandant Allen n'aura plus aucune raison de s'intéresser à mon passé.

— Non, je refuse que tu démissionnes.

— Papa, nous sommes assis sur une bombe à retardement. Il n'y a pas de *si* ou de *mais*. La seule question en suspens est de savoir quand cette bombe va exploser.

— Je ne suis pas d'accord. Il y a…

L'arrivée d'Andrea dans la cuisine les interrompit.

— Excusez-moi, fit-elle. Je suis désolée, je sais que le moment est mal choisi mais ça ne peut pas attendre.

— Aucun problème, je vous en prie, asseyez-vous, Andrea, dit Joe.

Pete aurait aimé finir sa discussion avec son père, mais Andrea semblait très agitée.

— Non, merci, je ne veux pas m'asseoir. Je… Enfin, il faut que vous lisiez vous-mêmes. Je crois que Sharon travaillait pour les hommes qui ont essayé de m'enlever. Souhaitez-vous prévenir les autres membres de l'équipe ?

— Du calme, Andrea, intervint Pete, montre-nous d'abord ce qui t'a fait arriver à cette conclusion.

— Oui, évidemment, désolée.

Elle se posta entre son père et lui, posa sa tablette numérique sur la table et toucha l'écran.

— Regardez. C'est un mail envoyé par un expéditeur inconnu à Sharon.

Elle toucha une seconde fois l'écran.

Si tu t'arranges pour qu'elle se retrouve seule, on te versera 500 dollars. Dis-nous où et quand. N'essaie pas de nous berner, Sharon, sinon tu sais ce qui t'attend.

— Alors, qu'en pensez-vous ?

— C'est troublant, mais quand même un peu léger, commenta Pete. Y a-t-il d'autres mails de ce type ?

— Oui, deux. L'un dans lequel elle répond que je prendrai sa place vendredi soir et que je serai à la plate-forme d'observation. Et elle ajoute la plaque d'immatriculation de sa voiture.

— Donc, c'était un piège.

— Mais comment avez-vous trouvé ces mails ? voulut savoir Joe.

Andrea s'appuya sur l'épaule de Pete. Elle semblait l'avoir fait machinalement, mais il en fut troublé, et Joe dut s'en rendre compte, car il lui adressa un petit sourire.

— Cette tablette vient de l'université, elle n'est pas à moi, expliqua Andrea. Le soir de l'accident, j'ai perdu mon baladeur. Alors, pour avoir accès à ma musique téléchargée, je devais accéder à mon *cloud*. Mais, quand j'ai voulu me connecter, la tablette s'est automatiquement mise en route sur le compte de Sharon. Elle a dû utiliser la tablette avant moi et oublier de fermer sa session.

Pete fit défiler les autres messages de la boîte mail.

— Pourquoi cette tablette n'a-t-elle pas été remise à l'équipe de ton père ? La Sécurité intérieure dispose sans doute de l'équipement nécessaire pour déterminer d'où ces mails ont été envoyés. Ils ont déjà récupéré le téléphone de Sharon, ou du moins ce qu'il en restait dans l'incendie du véhicule de Logan, ainsi que son ordinateur portable.

— Je suppose que personne n'y a pensé, suggéra Andrea. Encore une fois, cette tablette appartient à l'université, tous les étudiants l'utilisent.

— Je vais la porter à Cord.

— Hé, pas si vite, protesta Andrea, qui tenta de la lui ôter des mains.

De toute évidence, elle comptait se servir elle-même de la tablette. Pour quoi faire ? Envoyer un mail aux complices de Sharon et les obliger à bouger ?

— Donne-moi ça, Andrea. Je dois la remettre à Cord. Il est hors de question que je te laisse te mettre en danger.

— On ne devrait pas plutôt contacter Beth, l'agent de l'Antidrogue ? Peut-être qu'elle sait comment remonter à l'expéditeur.

Pete se leva et la prit par les épaules.

— Andrea, nous ne nous chargerons pas nous-mêmes d'identifier l'expéditeur et de le traquer. C'est clair ?

— Mais ces types retiennent peut-être Sharon prisonnière.

— Je sais. Mais ce n'est pas à moi de m'en charger. Ce n'est pas mon boulot.

— Tu plaisantes ? Pourquoi tu fais partie de l'équipe, alors ?

— Pour veiller sur toi.

Elle se renfrogna.

Manifestement, il la décevait. Mais tant qu'elle était en sécurité, il pouvait vivre avec ça.

22

Observer les échiquiers était réconfortant, songea Rook. Cela lui permettait de s'éloigner de ses problèmes et, d'une certaine façon, l'aidait à les résoudre.

Il releva la tête et se tourna vers Patricia.

Elle était assise, comme prête à recevoir ses instructions. Depuis leur dernière entrevue, elle s'était comportée docilement et sa posture témoignait de sa soumission.

L'opération devait prendre place dans deux jours. Tout était en ordre, si ce n'est qu'Andrea Allen n'était toujours pas entre leurs mains. Sans elle pour leur servir de monnaie d'échange, tout devenait plus risqué.

Il contempla de nouveau ses échiquiers, à la recherche de la solution.

La seule façon de garantir la réussite de l'opération était de suivre le plan d'origine, à savoir créer une diversion pour affaiblir la surveillance de la frontière. Si des hommes étaient mobilisés pour rechercher la fille d'un officier de la Sécurité intérieure, il y en aurait forcément moins pour prévenir le passage d'une importante quantité d'armes et de drogue de l'autre côté de la frontière.

Certes, les modalités bougeraient peut-être, mais la stratégie de fond restait la même. Il fallait mettre la main sur la jeune femme.

— Cette étudiante dont nous nous sommes servis, elle est toujours sous bonne garde, n'est-ce pas ?

Patricia leva la tête.

— Oui, bien sûr. Vous avez demandé qu'elle soit envoyée au Mexique avec les armes et que les hommes se partagent l'argent une fois qu'ils l'auront vendue à une maison de passe.

— Parfait, parfait.

— Encore autre chose, monsieur Rook : nos amis communs souhaitent que vous supervisiez l'opération vous-même.

— Oui, évidemment, Patricia. Au fait, vous ai-je déjà parlé de Wilhelm Steinitz ? Il a développé plusieurs règles du jeu d'échecs. La première stipule que le droit d'attaquer revient au joueur qui a les meilleures positions. Comme je suis le mieux placé pour savoir ce qui va advenir, je considère que mon rôle est de mener l'offensive. Si je ne le fais pas, alors je n'ai plus qu'à me retirer.

— Je crois comprendre ce que vous voulez dire, répliqua Patricia, dont l'expression prouvait qu'en vérité elle était perdue.

— Steinitz pensait qu'une attaque devait toujours être portée sur la pièce la plus faible de son adversaire. Savez-vous quelle est la pièce la plus faible des hommes que nous affrontons ?

Elle fit non de la tête.

— Andrea Allen.

— Mais elle est sous protection vingt-quatre heures sur vingt-quatre. Avez-vous un plan pour que, cette fois, son enlèvement soit un succès ?

— Oui, j'en ai un et j'aurai besoin de l'étudiante que vous retenez. Quand pouvez-vous me l'amener ?

— Dès demain. Dites-moi seulement où je dois la déposer.

— Oui, oui. Passez-moi mon téléphone, s'il vous plaît.

Il envoya un message pour indiquer son prochain coup. Si son adversaire poursuivait dans la même veine, il ne tarderait pas à remporter la partie.

— Compte tenu de la personnalité de Mlle Allen et de l'inexpérience du nouveau shérif, j'ai de bonnes raisons de croire que notre problème sera résolu sous peu. Vous ferez déposer la jeune étudiante près du camp abandonné au sud-ouest.

— Et ensuite ?

— Je vous transmettrai de nouvelles instructions.

Il observa Patricia. Bientôt, Andrea Allen serait assise à sa place. Il avait hâte.

23

Ce matin, père et fils étaient venus ensemble la chercher à l'observatoire. Assise sur la banquette arrière, Andrea contemplait le paysage. Elle aimait beaucoup la région. Le lever du soleil créait une lumière absolument unique et, à la nuit tombée, c'était un endroit rêvé pour admirer les étoiles.

Joe lui avait proposé de s'installer à l'avant, mais elle avait préféré se réfugier à l'arrière. Elle était mieux toute seule, sans Pete tout près d'elle pour la distraire et lui faire revenir en tête toutes les pensées qui l'agitaient.

Elle était en plein conflit intérieur. Elle voulait participer aux recherches de Sharon mais, en même temps, cela lui faisait peur. Et puis, il y avait ses sentiments pour Pete… Des sentiments mêlés.

— *Elle* ne m'a pas dit deux mots depuis qu'hier je lui ai répondu non, disait Pete à son père.

Elle ne réagit pas à leur provocation. La veille, elle n'avait pas eu de mal à les ignorer en restant enfermée dans sa chambre. Là, ce serait plus compliqué. D'autant qu'une question lui brûlait les lèvres : l'inspection de la tablette numérique utilisée par Sharon avait-elle permis de découvrir de nouveaux éléments ?

— Après tout, Pete, tu ne fais que ton boulot, soupira Joe. Je comprends que tu sois déçu qu'*elle* ne comprenne pas ce que cela implique. Toi, tu veilles sur *elle*, le reste de l'équipe se charge de décoder ces mails secrets…

Père et fils continuaient leur petit jeu. Ils la narguaient avec ces mails *secrets*. Mais, non, elle ne leur adresserait pas la parole, surtout pas à Pete. Il l'avait insultée et ne s'était même pas excusé. Enfin, peut-être exagérait-elle un peu. La veille, quand elle s'était montrée déçue de son attitude et qu'elle était partie s'enfermer dans sa chambre, Pete lui avait lancé qu'il n'allait certainement pas s'excuser de donner la priorité à sa sécurité.

Mais rester muette la torturait. De nombreuses questions l'agitaient. Où était Sharon ? Pourquoi Joe n'avait-il pas légalement adopté Pete ? Pourquoi avait-il menti toutes ces années ? Et surtout, que ressentait Pete après les explications de son père adoptif ?

Il semblait les avoir acceptées et être passé à autre chose. Sa relation avec Joe ne paraissait même pas en avoir été altérée.

Andrea était également dépitée de ne pas parler parce qu'elle aurait aimé partager les progrès de ses travaux. Quand Joe venait la chercher le matin, elle appréciait de lui raconter sa nuit. Certes, la plupart du temps, il n'y comprenait rien, mais ce n'était pas grave. Evoquer ses avancées lui faisait du bien. La nuit précédente, elle avait été confrontée à de nombreuses difficultés, et pouvoir évacuer sa frustration lui aurait fait du bien.

Pete prenait le dernier virage avant leur arrivée au ranch quand la radio grésilla.

— Pete, tu es là ?

— Oui, Honey, qu'est-ce qui se passe ?

— Nous avons un appel pour Mlle Allen. Elle est toujours avec toi ? Tu veux qu'on te le transmette ?

— Qui l'appelle ?

— Une jeune femme ne cesse de répéter que c'est très urgent et demande si nous avons un numéro où la joindre.

Je suppose que ce n'est pas quelqu'un de l'observatoire, puisque Andrea y a passé la nuit. Et ses parents ont ton numéro, j'imagine.

— Transmets-le et essaie de localiser d'où l'appel est passé.

Pete lui tendit le micro.

— Fais attention, Andrea, c'est bizarre. Qui que ce soit, ne donne surtout pas un numéro direct auquel te rappeler ; nous devons d'abord savoir de qui il s'agit réellement.

— D'accord.

La radio grésilla de nouveau au moment où il se garait devant l'écurie.

— Andrea ?

— Sharon ? C'est bien toi ? Dieu merci, tu es en vie. Où es-tu ? Qu'est-ce qu'il s'est passé ?

Pete lui couvrit la main pour lui faire relâcher le bouton du micro.

— Laisse-la parler, Andrea, nous avons besoin de détails.

— Ils ne me laisseront pas partir tant que…, gémit Sharon. Je suis désolée, je n'y comprends rien.

Andrea était tétanisée par la peur. Elle n'osait plus presser le bouton du micro pour parler. Elle retenait son souffle. Qu'est-ce que les types qui retenaient Sharon allaient exiger d'elle ?

Il y eut alors un cri.

— Sharon, ça va ? Sharon !

— Trois mille dollars. Ils veulent de l'argent. Toi… et personne d'autre…

Sharon bafouillait entre deux sanglots.

— Apporte la somme ce soir, à la tombée de la nuit. Les… coordonnées… Tu… tu es prête à noter ?

Joe sortit un carnet et nota les chiffres donnés par Sharon.

— Sais-tu où tu es ? lui demanda Andrea.

— Non. Andrea, je t'en supplie, viens. Je te rembourserai, je te le promets.

Il y eut un nouveau cri.

— Ecoutez, qui que vous soyez, l'argent n'est pas un problème. Vous l'aurez, je vous en supplie, ne lui faites pas de mal, implora Andrea.

— J'ai peur ! hurla Sharon.

— Nous te retrouverons.

La communication fut brutalement coupée.

— Vous croyez qu'elle m'a entendue ?

— Oui, je suis sûr qu'elle en a entendu assez, affirma Joe.

Elle observa Pete. Il avait le visage fermé, l'air extrêmement préoccupé.

— Il me semble que les coordonnées renvoient au canyon près de chez Nick Burke, là où Cord McCrea avait arrêté des trafiquants après une fusillade, commenta-t-il.

— Oui, je me disais la même chose, répliqua Joe. Ce qui signifie que nous aurons besoin de chevaux et que ces types savent très bien qu'Andrea ne viendra pas seule. Je vais appeler Burke. Je suppose que tu veux aller voir McCrea sans tarder. Tu emmènes Andrea ?

— Evidemment qu'il m'emmène ! intervint-elle puisque les deux hommes l'ignoraient.

— Je n'ai pas le choix, elle ne peut pas rester seule.

Joe acquiesça.

— Bien sûr, je n'ai pas besoin de te dire que c'est une embuscade.

— Oui, je sais. Et cela confirme les infos de l'indic de McCrea selon lesquelles le cartel prépare une opération pendant le rassemblement sur les ovnis. Je voulais t'en parler hier, Andrea, ajouta-t-il en tournant la tête vers elle, mais je… n'en ai pas eu le temps.

Il s'efforçait de dissimuler ses émotions mais, dans son regard, l'inquiétude qu'il ressentait pour elle se lisait clairement. Même si le moment était grave, elle en fut touchée.

— Bon sang, marmonna Joe. S'ils profitent du rassemblement, ils vont se fondre dans la foule, et en plus la plupart des gens vont porter des masques d'extraterrestres. Comment allons-nous faire pour les repérer ?

— Dites-moi… Est-ce que mon avis vous intéresse ? lança Andrea.

Tous deux la dévisagèrent. Mais, avant qu'elle puisse ouvrir la bouche, la radio se manifesta de nouveau.

— Pete ? Nous n'avons pas pu localiser l'appel. As-tu besoin de renforts ? Combien d'hommes dois-je envoyer ?

— Pour le moment, tout le monde reste à Presidio mais doit se tenir à la disposition de McCrea, d'accord ?

Pete reposa le micro et se passa la main sur la mâchoire, l'air songeur.

— A ton avis, pourquoi ont-ils attendu aujourd'hui pour demander une rançon en échange de la libération de Sharon ? lui demanda son père.

Pete claqua des doigts.

— Ils veulent encore faire diversion. La convention des ovnis commence cet après-midi. Leur but est de profiter de l'agitation autour de l'événement pour faire passer de la marchandise de l'autre côté de la frontière.

— « La nuit des extraterrestres » ! s'exclama soudain Andrea. L'agent de la Sécurité intérieure que j'ai secouru a prononcé ces mots avant de perdre connaissance. Cela me revient à présent.

— Sans doute essayait-il de vous prévenir des projets du cartel.

— Oui, mais il n'a pas eu le temps de m'en dire davantage.

Soudain, une autre idée lui passa par la tête.

— J'y pense, la caméra n'a pas été retrouvée après l'accident, mais les hommes qui détiennent Sharon ne doivent pas l'avoir non plus. Sinon, ils auraient consulté l'enregistrement et ils auraient su que l'agent de la Sécurité intérieure n'avait pas eu le temps de me transmettre d'infos cruciales. C'est pour ça qu'ils veulent absolument s'emparer de moi. Pour déterminer ce que je sais de leurs projets.

Pete acquiesça.

— Je demanderai à Hardy de retourner sur les lieux de l'accident et de chercher de nouveau cette caméra.

— Même s'il la retrouve, ça ne change rien, reprit Andrea. Nous n'avons pas le choix, nous devons nous rendre au rendez-vous fixé par les ravisseurs de Sharon. Sinon, ils comprendront que nous avons deviné leurs projets. Il faut la sauver, c'est tout ce qui compte. Il y a déjà eu trop de morts, et Sharon a la vie devant elle.

— Tout comme toi, rétorqua Pete. Alors tu n'y vas pas.

— Oh ! C'est bon ! Je sais que ton boulot consiste à me tenir à l'écart du danger. Demande qu'on recherche encore une fois la caméra. Qui sait, avec beaucoup de chance on mettra la main dessus et on découvrira que l'agent a eu le temps de donner toutes les informations dont nous avons besoin. On a toujours le droit de croire au Père Noël ! Mais pour moi, ça ne change rien. J'y vais, tu ne m'en empêcheras pas !

— C'est un défi ?

Elle n'allait pas discuter depuis la banquette arrière. Elle savait comment défendre une position, son père le lui avait appris. Elle prendrait donc le temps de fourbir ses arguments.

— Merci beaucoup d'être venus spontanément, déclara Pete.

Que Cord McCrea et Beth Conrad les aient rejoints d'eux-mêmes au ranch le soulageait : cela lui évitait de se déplacer avec Andrea.

— Aucun souci, nous n'étions pas loin, de toute façon.

— Les mails de Sharon vous ont-ils permis d'en apprendre plus ?

Tout en parlant, il se posta derrière Andrea et posa les mains sur le dossier de sa chaise. Il avait envie de la toucher mais, s'il le faisait, tous comprendraient ce qu'elle représentait pour lui et, pour le moment, mieux valait l'éviter.

— Eh bien, rien de formel, répondit Beth, mais ce qui ressort de leur lecture, c'est qu'apparemment elle n'avait aucunement l'intention de nuire à Andrea. Et, si je devais faire une suggestion, je dirais que la personne qui fait pression sur elle est une femme.

— Qu'est-ce qui vous le fait penser ? voulut savoir Joe.

— La construction des phrases, le choix des mots. J'ai fait un peu de profilage. Dans un mail précédent, l'expéditeur affirme faire partie de vos amis, Andrea.

Tous les regards se tournèrent vers elle.

— C'est absurde. Je ne connais personne dans la région et, quand bien même ce serait le cas, pourquoi souhaiter me rencontrer au milieu de nulle part ? Jamais je n'aurais été d'accord.

Elle voulut se lever, mais Pete lui posa une main sur l'épaule pour l'en dissuader.

— Ce que Beth voulait dire, déclara Joe, c'est que l'expéditeur du mail essayait de faire croire à Sharon qu'il voulait vous faire une surprise. Mais Sharon n'a pas mordu à l'hameçon, d'où le ton beaucoup plus menaçant des mails suivants.

Pendant quelques secondes, personne ne dit rien.

Soudain, Andrea se leva brusquement et, cette fois, Pete n'eut pas le temps de la retenir.

— Il faut que quelqu'un m'emmène à une agence bancaire pour que je retire trois mille dollars.

Beth lâcha un soupir.

— Ça m'intrigue, ces trois mille dollars. Vous ne trouvez pas que c'est un montant bizarre pour une rançon ?

— Peu importe, répliqua Cord. Nous devrions nous

préparer, le temps presse. Nick va apporter des chevaux et nous aidera à suivre la position de ces types, si besoin.

— A quelle heure partons-nous ? demanda Andrea. Il faut que je me change et que je passe à la banque avant.

Pete tapa du poing sur la table.

— Cord s'occupe d'apporter la rançon. Tu ne vas nulle part, Andrea.

— Comment ça, je ne vais nulle part ? Bien sûr que si. Sinon, jamais ils ne libéreront Sharon.

— Non, Beth prendra ta place.

Ce n'était pas du tout le plan initial, ils n'en avaient pas parlé avant et tout le monde savait pourquoi Andrea était restée à Marfa : pour servir d'appât. Il n'y avait donc quasiment aucune chance qu'on l'écoute, mais il devait essayer. Sa crainte qu'il arrive malheur à Andrea était plus forte.

— Euh, Pete…, commença Cord.

Au même moment, Beth secoua la tête.

— Je ne suis pas certaine que ce soit très sage.

Pete ne se laissa pas démonter. Au diable les ordres et le respect des consignes !

— Ecoutez, on m'a demandé d'assurer la sécurité d'Andrea. Comment voulez-vous que j'y arrive si je la laisse se jeter dans la gueule du loup ? Car nous savons tous que c'est un piège. Laisser Andrea ici avec mon père relève du simple bon sens.

— Tu n'as pas à prendre cette décision ! s'emporta Andrea. Tu sais que mon père a déjà arrêté les plans.

— En plus, je ne sais même pas monter à cheval, reconnut Beth, un peu confuse.

— Pete, nous ne pouvons pas nous passer d'elle. Ce serait jouer un coup de dés trop incertain, renchérit Cord en lui posant la main sur l'épaule.

Il s'écarta.

— On croirait une mauvaise blague. Vous êtes tous en

train de dire que le père d'Andrea a tout décidé, qu'on ne peut plus revenir en arrière. A-t-il envie de voir sa fille mourir ?

Le sang lui battait aux tempes, il respirait avec difficulté tant il avait la poitrine comprimée. Personne ne disait plus rien.

Un bruit de moteur à l'extérieur attira leur attention. Nick venait d'arriver, une remorque accrochée à sa camionnette. Bientôt, ils partiraient. Tous. Il était trop tard. Il avait tout tenté, en vain.

— Rien de bon ne sortira de tout cela. Rien du tout !

Puis il sortit en claquant la porte derrière lui.

24

Ils étaient en chemin pour aller sauver Sharon et traversaient les terres du ranch de la famille Burke. Andrea avait gagné, elle était de l'équipée. De ce fait, tout le monde était mal à l'aise, elle en était consciente, mais son père avait laissé des consignes : ils ne devaient pas passer à côté de l'occasion qu'elle leur offrait de remonter jusqu'aux leaders du cartel.

Beth ne cessait de tirer sur les rênes de sa jument et elle aurait bien de la chance si sa monture ne finissait pas par la désarçonner.

— Allez-y doucement, lâchez les rênes, lui lança Nick Burke. La jument sait ce qu'elle doit faire.

— Vous plaisantez ? rétorqua Beth qui tira de plus belle sur les rênes.

Apparemment, elle ne supportait pas que sa jument fasse le moindre écart.

Nick répliqua et la discussion menaça de tourner au vinaigre.

— Si elle continue, elle va tout faire rater, dit discrètement Andrea à Pete.

— Nous arriverons à temps, répondit-il.

En une semaine, elle avait appris à lire son langage corporel. Dans des situations d'extrême tension, il restait parfaitement calme, comme si le danger avait une vertu apaisante sur lui.

Elle, c'était tout l'inverse. Elle ne tenait pas en place, des questions ne cessaient de la traverser.

La jument de Beth se mit à hennir et à tournoyer sur elle-même, excédée par sa cavalière. Ils n'avançaient pas.

Pete se rapprocha d'elle.

— Andrea, si les hommes qui retiennent Sharon tentent de s'emparer de toi, nous ne pourrons pas les en empêcher. Tu en es consciente ?

Il semblait tellement inquiet qu'elle en eut mal.

— Les agents de mon père sont sur le pied de guerre, rappela-t-elle. Ils auront constamment connaissance de ma position. Tout ira bien.

Elle aurait aimé s'en convaincre, mais elle en doutait. Depuis le début de la journée, Pete ne s'était pas déridé une seule fois et son sourire lui manquait.

Il se rapprocha encore d'elle. Malgré la présence des autres autour d'eux, il lui passa un bras autour des épaules et se pencha pour lui donner un bref mais intense baiser.

— Je sais que tu es persuadée que c'est ton devoir de faire ça, mais tu te trompes.

Elle secoua la tête.

— Il y a une chance que Sharon soit libérée.

Nick descendit de cheval pour calmer la jument de Beth.

— Une chance très mince, Andrea, observa Pete.

— Il faut quand même essayer. De toute façon, nous savons tous que le véritable objectif est de démasquer les responsables du cartel et de localiser leur camp de base. Nous retrouverons Sharon et nous mettrons fin à leurs activités.

Pete échangea un regard avec Cord, comme s'il la jugeait naïve. Peut-être l'était-elle, d'ailleurs, mais tant pis. Elle ne reculerait pas.

— Souviens-toi bien de tout ce qui a été dit, Andrea : essaie de savoir en permanence où tu es. J'ai compris que je ne pouvais pas t'empêcher de le faire mais, quoi qu'il arrive, je ne serai jamais loin de toi. D'accord ?

— Oui.

— Et surtout, ne tente rien d'insensé. Contente-toi de leur obéir, sans braver leur autorité.

— Allez, il faut avancer, intervint Cord. Nick, tu es prêt ?

Avant que ce dernier ait le temps de répondre, un coup de tonnerre retentit au loin et son écho résonna dans les montagnes. Les chevaux prirent peur, mais tous parvinrent à maîtriser leur monture, à l'exception de Beth ; sa jument détala.

— Bon sang, elle a lâché les rênes ! s'exclama Cord.

— Je m'en occupe, annonça Nick en se lançant à sa poursuite. Ne nous attendez pas.

— On ferait mieux de faire demi-tour, suggéra Pete. Cette opération tourne à la catastrophe.

— Nous ne pouvons pas faire ça, rétorqua Andrea, qui ne pensait qu'à sa mission. Il faut continuer. Pour Sharon.

Sans attendre, elle fit tourner sa monture et partit au galop.

— Andrea ! Attends ! cria Pete. Qu'est-ce que tu fais ?

Elle se lança dans l'ascension d'une côte, résolue à s'arrêter seulement quand elle serait au sommet et qu'il serait trop tard pour repartir en arrière. Mais, lorsqu'elle arriva en haut de la colline, elle se retrouva face à six hommes armés, équipés de chevaux et de quads. En revanche, pas de Sharon. C'était l'embuscade que Pete redoutait.

Elle voulut faire volte-face, mais un homme la saisit au niveau de la taille. Elle se débattit, tenta d'assener des coups de pied à son agresseur, mais l'homme tint bon. Il lui plaqua une main sur la bouche pour l'empêcher de crier. Puis un autre homme se posta face à elle et lui braqua une arme sur la tempe.

Cord et Pete arrivèrent à leur tour au sommet de la colline.

— Arrêtez-vous et jetez vos armes, dit l'homme armé. Faites ce que l'on vous dit et tout se passera bien.

— Lâchez-la ! s'exclama Pete.

— Nous avons l'argent. Où est la fille ? ajouta Cord.

Andrea vit Pete la chercher du regard. Bien sûr, ils savaient que ces hommes n'étaient pas là pour procéder à un échange d'otage contre rançon.

L'homme qui la retenait prisonnière la remit entre les mains de deux de ses complices. Pete voulut descendre de cheval, mais un des deux malfrats qui la tenaient l'en dissuada en pointant une arme contre son dos.

Pete poussa un juron et se réinstalla sur sa selle.

— Ça va aller, lui dit-elle.

Son père lui avait assuré que son équipe saurait toujours où elle était, mais la détermination dans le regard de Pete était tellement grande que c'était cela qui lui donnait le plus de courage. Il ne l'abandonnerait pas, elle ne risquait rien.

Elle avait tout de même peur. Maintes fois, elle s'était préparée à ce scénario. Mais, dans la réalité, c'était beaucoup plus effrayant.

Les deux hommes la tirèrent vers un des quads.

— Attendez, on peut forcément faire un marché, tenta Pete.

— Vous ne voulez pas l'argent ? leur lança Cord.

— Gardez votre petite monnaie, rétorqua un des hommes. On s'en passera.

Un autre des malfrats eut un petit rire.

— Allez, maintenant, vous pouvez descendre, leur dit-il avant de se diriger vers le second quad.

Deux autres hommes à cheval braquèrent leurs armes sur eux et attendirent qu'ils obéissent. Une fois qu'ils eurent mis pied à terre, les deux cavaliers approchèrent pour faire fuir leurs montures. Au moment où l'un passa près d'eux, Pete le saisit par la cheville et le fit chuter. Pendant que la lutte s'engageait, le second cavalier braqua son arme sur Cord pour le dissuader de bouger. Celui qui semblait être le chef de la bande leva la main pour indiquer aux autres de ne pas intervenir dans la bagarre. Pete ne mit pas longtemps à prendre l'ascendant sur son adversaire et le mit KO avec une série d'uppercuts et un dernier crochet à la mâchoire.

Mais, quand il se releva, il se retrouva face au canon d'un revolver.

Andrea retint un cri.

— Bravo, belle démonstration, dit le chef de la bande. Une bonne correction servira à mon homme de main à s'endurcir. Et, comme il est impliqué dans la mort d'un de vos agents, il était normal que je vous laisse prendre votre revanche.

Il donna des instructions pour qu'on porte l'homme inconscient sur un des véhicules.

— Allez, fini de rire. Inutile d'en faire davantage, nous sommes trop nombreux.

— Ça ne coûtait rien d'essayer, rétorqua Pete.

— Jimmy aurait préféré que vous vous absteniez, à mon avis, répliqua le chef avec un petit sourire.

— Je vous retrouverai, lui lança Pete.

Le chef eut un rire moqueur puis monta sur le quad où était Andrea. Il démarra et s'éloigna pendant que l'homme à cheval tenait Pete et Cord en joue.

Andrea tourna la tête pour avoir Pete le plus longtemps possible dans son champ de vision. Bientôt, il disparut tandis que le quad, qui roulait à grande vitesse sur un terrain irrégulier, était secoué dans tous les sens.

Ils longeaient la nationale. Mais où l'emmenaient-ils ?

Heureusement, ils ne l'avaient pas fouillée à la recherche d'un mouchard. Tant qu'ils ne le feraient pas, elle pouvait espérer.

25

— Il y a vingt minutes, ils ont perdu un premier signal GPS. Et là, ils viennent de perdre le second, déclara Cord qui rangeait son téléphone.

— Où ? lâcha Pete. Où a-t-elle été localisée en dernier ?

A l'expression de Cord, on lui avait demandé de ne pas divulguer cette information.

— Bon sang, Cord, dis-le-moi. Tu savais que ça arriverait. Nous le savions tous et pourtant nous avons suivi le plan. Quelle folie ! J'aurais dû tout arrêter.

— Ecoute, Pete, tu as fait tout ton possible pour la dissuader.

— Non, je n'aurais pas dû céder, j'ai été faible.

— Nous devons rester là. Beth et Nick sont toujours portés disparus.

— Qu'a-t-il pu leur arriver ? Nous n'avons pas entendu de coups de feu et, si le cartel avait voulu davantage d'otages, ils se seraient emparés de nous.

— Nous faisons tous deux partie des forces de l'ordre. Nous enlever ou nous tuer aurait causé trop de remous et ç'aurait été nuisible à leurs projets. Bref, nous n'avons pas d'autre choix qu'attendre.

— Hors de question. Tout indique que l'opération va avoir lieu à Presidio. Moi, j'y vais. Tu m'accompagnes ou pas ?

— Hé, une minute, je te rappelle que nous faisons partie d'une équipe, nous ne pouvons pas faire cavalier seul.

Seule Andrea occupait ses pensées. Il lui avait promis de la retrouver et rien ne l'en dissuaderait.

— On fait peut-être partie d'une équipe mais, moi, j'en ai assez d'être assis sur le banc des remplaçants. Alors tu viens ou pas ?

Le renfort de Cord ne serait pas de trop mais, s'il y était contraint, Pete ferait sans lui.

Cord n'hésita pas longtemps.

— C'est bon, je viens.

Pete se rendit à sa voiture et prit le micro de sa radio.

— Standard ?

— Oui, Pete, je t'écoute.

— Sais-tu où est Hardy ? Je lui avais demandé d'aller faire une course pour moi et, à l'heure qu'il est, je pensais avoir des nouvelles de lui.

— Ne bouge pas, j'essaie de le joindre.

Et si le cartel était branché sur la fréquence de la police ?

— Peach, dis-lui d'appeler mon père à la maison.

— Entendu, shérif.

Pete sortit de sa poche un petit appareil et le mit en marche.

— Parfait, ça marche.

— Un appareil de géolocalisation ? s'enquit Cord. Ne me dis pas que tu en as équipé Andrea ?

— Non, mais pourquoi crois-tu que je me suis battu avec un des ravisseurs, sachant que c'était perdu d'avance ? En fait, j'en ai profité pour planter un mouchard sur ce dénommé Jimmy.

— Tu aurais pu me prévenir !

— Oui, mais ça aurait été moins drôle. Et puis, je ne voulais en parler à personne. Comme ça, Andrea n'est pas au courant et ne risque pas de vendre la mèche.

— Quand même, tu as pris un risque énorme en te battant avec ce type.

— Peut-être, mais ça en valait la peine. Allons-y.

Jamais il ne mit aussi peu de temps pour parcourir les quarante kilomètres qui séparaient Marfa de Presidio. Il faisait nuit et la lune ne produisait pas beaucoup de lumière.

— Et s'ils l'ont emmenée ailleurs ? se demanda-t-il à voix haute. J'aurais dû rester dans les montagnes et les suivre.

— Cesse de douter de toi, Pete. Je t'assure que tu m'impressionnes par ta présence d'esprit. Si tu n'avais pas jeté discrètement ton couteau avant que ces types nous fouillent et nous lient les poignets, nous serions toujours en train d'attendre qu'on vienne nous libérer.

— J'ai surtout eu de la chance. Quand j'ai fait tomber de cheval ce malfrat, ils auraient pu m'abattre.

— S'ils avaient voulu nous abattre, ils nous auraient tiré dessus dès qu'ils nous ont eus en ligne de mire.

Sur ce, Cord consulta son portable.

— En revanche, toujours aucune nouvelle de Nick.

— Il connaît les montagnes aussi bien que nous, rappela Pete. Il a sûrement mis un bon moment avant de rattraper Beth, car sa jument est partie au triple galop.

Il n'arrivait pas à s'attarder sur le sort de Nick et de Beth. Sa seule obsession était d'arriver le plus vite possible à Presidio. Mais débarquer sur place avec un plan aurait été encore mieux.

— Alors, tu ne crois pas que nous aurions dû essayer de suivre les ravisseurs d'Andrea ?

— Cesse d'y penser, Pete. Avec la tombée de la nuit, nous aurions eu toutes les peines du monde à nous repérer. En plus, il y avait deux véhicules : ils auraient pu se séparer à un moment, et qui dit que nous aurions suivi le bon ? Se rendre à Presidio, c'est ce que nous avons de mieux à faire. Tu le sais aussi bien que moi.

Cependant, ils risquaient de chercher une aiguille dans une botte de foin. Ils ne savaient pas à quel endroit précis de la frontière le cartel allait tenter de faire passer sa marchandise.

— Une fois sur place, comment allons-nous procéder ? J'ai glissé le mouchard dans la veste de Jimmy, mais nous ne sommes pas certains qu'il la porte encore.

— Je fais autant confiance à ton instinct qu'au mien, admit Cord.

— Je redoutais que tu dises cela.

Andrea avait encore les vêtements mouillés. Ses ravisseurs avaient anticipé la possibilité qu'elle soit équipée d'un mouchard. En la plongeant dans une baignoire, ils s'étaient épargné la peine de la fouiller et avaient la certitude que tout équipement électronique qu'elle aurait pu avoir sur elle était désormais fichu.

Une fois cela fait, les six hommes s'étaient séparés. Le chef l'avait fait monter dans un hélicoptère, sans lui bander les yeux. Ils n'avaient pas franchi le Rio Grande, ce qui signifiait qu'ils étaient toujours aux Etats-Unis et qu'ils avaient pris la direction du sud.

La ville la plus proche était Presidio.

A l'atterrissage, ils lui avaient posé un masque de nuit sur les yeux. Elle ne savait plus où elle allait et ignorait toujours tout du sort de Sharon.

Les informations du contact de Cord semblaient exactes, tout comme les propos de l'agent infiltré. Pete avait eu raison ; elle, en revanche, s'était trompée sur toute la ligne : les chances qu'on la retrouve étaient désormais très minces. Elle ne pouvait plus que s'encourager à garder espoir et s'en remettre à elle-même.

Quel bénéfice ces hommes comptaient-ils tirer de sa présence ?

Elle était enfermée dans une petite pièce confinée, et le son d'un haut-parleur lui parvenait vaguement. Parfois, il y avait même des vibrations. Elle devait se trouver sur le lieu de la convention des ovnis et le concert avait commencé.

Une faible lumière éclairait la pièce, équipée d'une table et de deux chaises. Ce n'était d'ailleurs pas à proprement parler une pièce. Le plafond était bas, les parois, en métal : elle devait être dans un conteneur.

Depuis combien de temps ? Elle n'aurait su le dire. Elle était attachée sur une chaise et avait les poignets engourdis.

La porte s'ouvrit et un homme dont l'allure la surprit pénétra dans le conteneur. Il était grand, vêtu d'un costume de marque et avait les cheveux d'un blond très clair. Rien à voir avec les autres ravisseurs, tous de type hispanique.

Il referma derrière lui.

— Oh ! ma pauvre ! Ne me dites pas que personne n'a pris soin de vous détacher.

Il claqua des mains.

Immédiatement, un autre homme apparut avec un couteau pour trancher ses liens.

Qui claquait encore des mains pour se faire obéir ? Pourtant, c'était ce que faisait ce type et nul ne semblait songer à ne pas obtempérer dans la seconde.

— Qui êtes-vous ?

— Appelez-moi « M. Rook ».

On lui apporta un grand fauteuil pour qu'il puisse s'asseoir.

Une fois qu'elle fut libre, Andrea se massa les poignets pour faire circuler le sang.

— Autant vous prévenir, n'envisagez même pas de vous enfuir. Mes hommes encerclent le conteneur et, avec le bruit du concert, personne n'entendrait vos cris. En plus, nul ne connaît votre position, nous avons fait le nécessaire.

— Je… je n'en suis pas si sûre, trouva-t-elle la force de répliquer en cherchant à mettre le plus de conviction possible dans sa voix.

— Oui, vous vous accrochez à l'espoir que votre petit

shérif tiendra sa promesse. Il n'en sera rien, je peux vous l'assurer. Et, dès demain, vous serez loin d'ici afin que je puisse passer un accord de longue durée avec votre père.

— Où comptez-vous m'emmener ?

— Vous le découvrirez bien assez tôt.

La porte s'ouvrit de nouveau et une femme blonde vêtue d'une jupe et d'une veste en cuir les rejoignit. Sans un mot, elle déposa un téléphone devant le dénommé Rook. Celui-ci s'en empara et porta l'appareil à l'oreille d'Andrea en la fixant du regard. Elle en eut des frissons. Ses manières courtoises avaient disparu. Dans son regard, il n'y avait plus que haine et méchanceté.

— J'ai votre fille. Andrea, parlez.

Il n'activa pas le haut-parleur, mais c'était bien la voix du commandant :

— Andrea, tu vas bien ?

— Papa, tu m'entends ? Oui, je vais bien. Tu avais raison…

La femme lui posa trois doigts sur la gorge pour l'empêcher de continuer. Elle se débattit, finit par se libérer et fut prise d'une quinte de toux.

Rook continuait la discussion avec son père, mais elle ne comprit pas les instructions qu'il lui donnait.

Il raccrocha et reposa le téléphone sur la table.

— Il est temps de commencer.

La femme s'en alla.

— Commencer quoi ? Que comptez-vous faire ?

L'homme s'approcha d'elle et la gifla.

— Attachez-la et conduisez-la dans un des conteneurs qui doivent partir.

Elle garda la tête basse mais observa l'homme à la dérobée. Il parlait bien et était bien habillé. Pete lui avait dit que les criminels qui s'habillaient avec soin pour passer inaperçus négligeaient souvent les chaussures et que c'était ce qui les trahissait. Mais lui portait des chaussures de belle facture et impeccablement cirées. Il avait tout du businessman.

Deux hommes avec des masques d'extraterrestres sur le visage lui bandèrent les yeux, puis la prirent par les bras et la tirèrent vers la porte. Ils parcoururent une cinquantaine de mètres, puis elle se retrouva de nouveau dans un conteneur.

Une fois que la porte fut refermée, elle se débarrassa de son bandeau. Ce qui ne changea rien, car elle était dans l'obscurité la plus totale. Il ne lui restait plus qu'un espoir : que Pete la retrouve car, désormais, son père avait les mains liées par les menaces de Rook.

Elle devait avoir foi en Pete. Elle croyait en lui.

Elle était même étonnée de la confiance qu'elle lui témoignait. Ce qu'elle ressentait pour lui était bien plus que de l'affection, jamais elle n'avait connu un tel sentiment auparavant. Elle appréciait sa douceur, sa gentillesse, sa modestie. Plus que tout, elle était admirative de son attitude envers Joe, de sa volonté de protéger son père.

Grâce à ces pensées, elle trouva l'obscurité plus supportable. Pete allait la sauver, elle ne devait pas en douter.

26

Pete suivit avec Cord le signal du mouchard GPS. Ils se retrouvèrent dans la périphérie de Presidio. S'ils mettaient la main sur Jimmy, ce dernier pourrait les conduire à Andrea. Ils étaient tout proches.

— Il va falloir jouer serré, observa Cord, qui ajusta son holster et vérifia son arme.

— Oui, mais au moins on sait qui chercher et où aller. C'est mieux que si l'on s'était retrouvés au milieu d'une foule de gens masqués.

Le téléphone de Cord sonna.

— C'est le commandant Allen, annonça-t-il avant de répondre. Oui ? Oui, monsieur.

Il enclencha le haut-parleur.

— Il se sert d'elle pour garantir le passage de la marchandise, expliqua le commandant. Le convoi doit passer au poste frontière de la N 67. Il sait que vos hommes sont rassemblés dans le secteur et il souhaite que je me charge en personne de laisser entrer un convoi qui transporte de la drogue aux Etats-Unis. Il est doué, il faut le reconnaître. Quand il m'a appelé, j'ai entendu de la musique en fond, ce qui signifie qu'il retient peut-être Andrea sur le site de la convention des ovnis, comme vous le soupçonniez. Pensez-vous parvenir à localiser Andrea avant le départ des camions ?

De la musique ? songea Pete. Le concert était censé

démarrer dans un quart d'heure. Etait-ce un piège pour qu'ils pensent qu'elle était là-bas ?

— Nous avons une chance, monsieur, reprit Cord. Pete a réussi à placer un mouchard sur un des hommes de l'organisation. En ce moment même, nous sommes sur sa trace.

— Bravo, c'est un coup de maître. Je suis à moins de dix minutes en hélicoptère du poste frontière. Appelez-moi dès que vous saurez précisément où elle est. Et il faut à tout prix prendre le chef du cartel vivant pour mettre un terme à toutes ses opérations. Je veux qu'il sache que je ne le laisserai jamais faire entrer et sortir des armes et de la drogue du territoire, même si la vie de ma fille est en jeu. Terminé.

Cord rangea son téléphone. Sans un mot. Tous deux portaient un grand poids sur les épaules, se dit Pete.

Il devait sauver Andrea. Indirectement, le commandant leur avait fait comprendre que, de son côté, il ne pouvait rien faire.

Il baissa la tête pour observer encore une fois le point vert qui bougeait sur l'écran de son moniteur GPS.

— Notre homme se déplace. Il se dirige vers le lieu de la convention. S'il y arrive avant nous, il risque de disparaître dans la foule.

Cord accéléra. Pete lui indiqua dans quelle rue se trouvait l'homme qu'ils traquaient. Cord, qui connaissait la ville comme sa poche, s'enfila dans les ruelles et, quand ils débouchèrent dans la rue en question, ils devançaient leur cible. Ils se garèrent le long du trottoir. Quelques secondes plus tard, un vieux pick-up roulait dans leur direction, et le signal GPS confirma à Pete que le mouchard était à l'intérieur. Cord donna un brusque coup de volant et barra le passage. Pete sortit de voiture et braqua son arme sur le pick-up. Pris de court, le conducteur pila sèchement.

— Ne bougez plus. Posez les mains sur le tableau de bord, ordonna Pete.

Cord était lui aussi sorti et avançait vers le pick-up, arme en main. Il y avait deux hommes à l'intérieur qui se rendirent sans opposer de résistance. Pete identifia le conducteur : Jimmy, le type avec lequel il s'était battu. Le passager était un des cavaliers qui avaient tendu l'embuscade à Andrea. Les deux hommes échangèrent quelques mots en espagnol.

Jimmy ne fut pas long à se mettre à table. Il avait été engagé pour quelques jours seulement et était censé rejoindre ses comparses à la convention. Tous ceux qui prenaient part à l'opération devaient porter un masque intégral d'extraterrestre. Il n'avait pas reçu d'autres instructions.

Dans le pick-up, il y avait effectivement deux masques, remarqua Pete.

Cette vision le laissa songeur quelques secondes. Une idée le titillait.

— Une diversion, dit-il.

— Pardon ? lui demanda Cord qui faisait monter les deux hommes à l'arrière de sa voiture.

— Le type qui dirige les opérations ne cesse de brouiller les pistes. C'est comme cela qu'il réussit ses coups. Réfléchis : pourquoi aurait-il enlevé Andrea et annoncé au commandant Allen ce qu'il comptait faire puisque, jusque-là, il est parvenu à mener ses opérations en toute discrétion ?

Cord réfléchit à son tour.

— Mais, si c'est une diversion, quel est son véritable objectif ?

Pete bondit sur le hayon arrière du pick-up et souleva la roue de secours.

— Son but, c'est de nous inciter à renforcer les contrôles sur ce qui entre dans le pays pendant que lui continue tranquillement à faire sortir sa marchandise.

Il extirpa d'une caisse cachée sous la roue de secours un calibre 38.

Cord tapa du plat de la main sur le capot du véhicule.

— Bon sang, c'est tellement simple que tu dois avoir raison. Et c'est pour cette raison que ses hommes ont reçu l'ordre de se rassembler ici et pas au Mexique. Je pense qu'Allen sera en mesure de mobiliser des renforts aériens, mais je ne sais pas à quelle vitesse. Toi, je suppose que tu veux partir à la recherche d'Andrea ?

— Après tout, c'est pour la protéger que j'ai été intégré à l'équipe.

— Et de toute façon, il faut la secourir. Je vais appeler Allen pour l'avertir de ces nouvelles avancées. Vaudrait mieux pas nous séparer, mais je ne vois guère d'autre solution. Tu as un plan ?

— Je vais me faire passer pour Jimmy afin d'essayer d'en apprendre le plus possible pour retrouver Andrea. A plus tard, fais attention à toi.

— Toi aussi, et bonne chance.

Cord conduirait les deux hommes qu'ils venaient d'arrêter au poste frontière pour rejoindre le commandant Allen. Si ces types en savaient davantage sur les projets de leur chef, ils le découvriraient.

Lui, il allait sauver Andrea. Il lui avait juré de la retrouver et il tiendrait promesse. Pour y parvenir, il devait infiltrer l'organisation.

Il prit le volant du pick-up de Jimmy et se rendit à la convention.

Le concert venait de débuter et tout le monde était déguisé et masqué. Mais, comme les complices de Jimmy étaient tous censés porter le même masque, il savait lesquels chercher en priorité. Il enfila la veste de Jimmy, passa le masque et redémarra pour rouler jusqu'au parking. Puis il sortit et se mit en quête d'autres hommes avec un masque vert.

Il avait du mal à respirer et son champ de vision était limité. Mais, au moins, il passait inaperçu. La variété des costumes était impressionnante. Des gens se faisaient photographier en riant, d'autres semblaient prendre l'affaire très au sérieux.

Soudain, un peu à l'écart de la foule, il repéra un masque identique au sien. L'homme semblait tourner en rond, comme s'il cherchait quelqu'un. Pete s'approcha discrètement et attendit d'être repéré. Quand il le vit, l'homme lui fit un discret signe de tête pour l'inviter à le suivre, puis tourna les talons. Pete obtempéra en prenant soin de rester à plusieurs mètres de distance. Ils contournèrent la scène. A l'arrière, une douzaine d'autres hommes, tous masqués, étaient déjà là, chargeant des caisses identiques à celle retrouvée dans le pick-up.

Mais où était Andrea ?

Les caisses étaient chargées dans des conteneurs fixés sur les remorques de deux camions. Mais ensuite, où iraient ces camions ? Personne ne serait assez fou pour franchir la frontière ainsi. Cependant, jamais Pete n'aurait cru que le cartel aurait l'audace de procéder au chargement de sa marchandise sur le lieu d'un concert où la moitié des policiers du comté et de la ville de Presidio étaient mobilisés.

— Hé, toi, l'interpella un homme, où est ta caisse ? Dépêche-toi d'aller la chercher et de la charger dans un conteneur.

Il acquiesça et retourna à grands pas à la voiture de Jimmy. Il décida d'en profiter pour appeler Cord. Tandis qu'il s'activait sur son téléphone, un autre type tapa à la vitre et ôta son masque pour lui parler.

— Mec, tu as besoin d'aide pour porter... Hé, tu n'es pas Jimmy !

Pete s'empressa de jeter son téléphone sur le siège passager et ouvrit la portière.

— Jimmy m'a dit que je pouvais me poser dans sa voiture pour passer un coup de fil.

— Tu mens ! Jimmy ne donne jamais ses clés à personne !

— Du calme, fit Pete, je ne veux pas d'ennuis, je t'assure.

Pour toute réponse, il reçut un direct à l'estomac et, l'espace de quelques secondes, eut le souffle coupé. Il se redressa et conjura la douleur.

— Tu fais erreur, je te jure !

Il voulait à tout prix éviter d'attirer l'attention. Si des policiers intervenaient pour interrompre la bagarre, on le reconnaîtrait, les contrebandiers sauraient qu'ils avaient été infiltrés et il ne retrouverait jamais Andrea.

Il laissa l'ami de Jimmy le saisir par le col et le tirer discrètement à l'écart. Quand ils furent à l'abri des regards, il dégaina son arme et la braqua sous le menton de son adversaire, qui se figea.

— Pas un mot. Où est la fille ?

L'homme fit signe qu'il ignorait de quoi il parlait, ce qui était sans doute la vérité.

Pete sortit ses menottes, les referma sur les poignets du type et le jeta sur la banquette arrière du pick-up. Dans son téléphone, la voix de Cord, qui avait décroché, résonna.

— Pete ? Pete, tu es là ?

— Je suis là, Cord. Ils sont en train de charger les armes dans deux camions mais je ne sais pas encore quel itinéraire ils vont emprunter. Envoie des agents à l'arrière de la scène. Terminé.

Il bâillonna son prisonnier, l'enferma dans le pick-up puis récupéra la caisse d'armes à l'arrière.

Bientôt, le secteur grouillerait de policiers et les contrebandiers ne tarderaient pas à mettre les voiles. Il lui restait peu de temps pour retrouver Andrea. Il retourna à l'arrière de la scène et, dès qu'il le put, chargea sa caisse. Il y avait suffisamment de lumière pour distinguer l'intérieur du conteneur. Mais, en dehors d'autres caisses, il n'y avait rien ni personne. Discrètement, il passa de l'autre côté et tapa contre un autre conteneur.

— Andrea, tu es là ? demanda-t-il en se retenant de crier tant sa voix lui manquait.

Quelques instants plus tard, le premier camion démarra.

Si Andrea était là quelque part, c'était forcément dans un des conteneurs fixés à la remorque du second camion. Pour en avoir le cœur net, il devait rester avec le camion. Il s'assura que personne ne le voyait, puis se hissa sur un conteneur, s'aplatit et attendit. Peu après, le second camion démarra. Au bout de quelques kilomètres, après avoir franchi la voie ferrée, les camions prirent la direction de la frontière. Plus loin, ils quittèrent la route, descendirent vers le Rio Grande et s'arrêtèrent. Le bruit des pales d'un hélicoptère déchira alors le silence de la nuit. Pete comprit ce qui allait se passer et sortit son téléphone pour appeler McCrea.

— Cord, nous sommes à l'ancien pont de chemin de fer. Il y a un hélicoptère de portage qui va faire franchir le fleuve aux conteneurs. Dans combien de temps pouvez-vous être sur place ?

— Laisse tomber, Pete. Nous sommes écartelés sur quatre fronts, mais nous alerterons les autorités mexicaines pour qu'elles les interceptent.

— Non, je ne pars pas, il faut que je sache si Andrea est dans un des conteneurs ou pas.

Il rangea son téléphone, sortit son arme et rampa jusqu'au conteneur suivant. Il tapa dessus avec la crosse de son revolver, profitant du bruit de l'hélicoptère qui couvrait celui qu'il produisait.

— Andrea, tu es là ?

— Pete ? Pete ! Enfin, te voilà. Fais-moi sortir d'ici.

— Je suis tout seul. Ne fais pas de bruit et prends ton mal en patience le temps que je trouve un moyen de nous faire dégager.

**
*

Des hommes montaient sur les conteneurs de l'autre camion et y fixaient des câbles pour que l'hélicoptère puisse les accrocher et les transporter de l'autre côté.

Pete se baissa pour ne pas être repéré et chercha que faire. Pour libérer Andrea, il lui fallait les clés du cadenas qui maintenait la porte fermée.

S'il s'attaquait à l'homme qui criait des ordres, il ne faudrait pas longtemps pour que dix autres le neutralisent. Discrètement, il descendit et, dès qu'il le put, se mêla aux hommes qui s'activaient avec les câbles en gardant la tête basse pour qu'on ne voie pas son visage.

Sur l'autre rive du fleuve, toute proche, un train arriva.

Quand, sur le premier camion, les câbles furent en place, l'hélicoptère décolla pour transporter le conteneur jusqu'au train. Tout était parfaitement huilé, constata Pete. A ce rythme, ce serait terminé bien avant l'arrivée des autorités.

Le temps jouait contre lui.

Il devait s'en prendre au chef et lui arracher les clés qu'il voyait pendre à sa ceinture, il n'y avait pas d'autre solution. C'était périlleux, il allait certainement se faire tirer dessus mais, pour Andrea, il était prêt à courir le risque.

Il ramassa un câble et le fixa au conteneur où était enfermée Andrea. Celui-ci était prêt à être emporté. Le chef leva les pouces pour indiquer au pilote de l'hélicoptère qu'il pouvait redécoller.

Tout le monde avait la tête tournée vers l'appareil, c'était le moment où jamais.

Arme à la main, Pete se rua sur le chef et lui assena un coup de crosse à la mâchoire pour le faire chuter. Puis, à la vitesse de l'éclair, il arracha le mousqueton avec les clés attaché à un passant de son pantalon et courut à l'arrière du conteneur juste avant qu'il ne quitte le sol.

Il y eut des cris, des jurons, des coups de feu. Tandis qu'il se hissait sur le conteneur, les balles sifflèrent à ses oreilles, mais aucune ne l'atteignit.

Enfin, il put s'aplatir sur le conteneur qui était déjà dans les airs. Il était hors de portée des hommes au sol. En dessous de lui, Andrea poussait des cris de panique et demandait ce qui se passait, mais il n'avait pas le temps de le lui expliquer. Rapidement, ils franchirent le fleuve et, déjà, le conteneur descendait pour être posé sur le train. Dès qu'il ne risqua plus de chuter, Pete crapahuta jusqu'à la porte, déverrouilla le cadenas et ouvrit d'un coup de pied. Il se retrouva face au visage souriant d'Andrea. Mais alors que le conteneur était quasiment en place, une balle fusa près de lui. Sans attendre, Andrea le saisit par la ceinture et le tira à l'intérieur. Avant qu'il ait le temps de réagir, elle le serra brièvement contre elle.

— Et maintenant, que faisons-nous ? lui demanda-t-elle.

— On improvise, avoua-t-il.

— Nous sommes au Mexique, c'est ça ? Peut-on espérer qu'on vienne à notre rescousse de ce côté-ci de la frontière ?

— Officiellement, les autorités américaines ne peuvent pas intervenir. Il faut que nous atteignions le poste frontière.

Il jeta un œil par la porte restée entrouverte : des hommes prenaient position derrière des véhicules garés à proximité.

— Nous avons tout ce qu'il faut en armes et munitions, ici, dit Andrea en désignant les caisses derrière eux. Si nous réussissons à les tenir en respect et à monter dans une voiture, nous avons une chance.

— Ça ne va pas être facile. Alors pas d'acte de bravoure inutile, d'accord ? Dès que nous serons descendus du train, il faudra courir et ne pas s'arrêter.

— Promis, répondit-elle avant de lui donner un rapide baiser.

Ils se postèrent des deux côtés de la porte, prêts à faire feu.

— Descends du train, Andrea. Je te couvre.

— D'accord. Mais, ensuite, c'est moi qui te couvrirai pour que tu puisses me rejoindre.

— Andrea, il ne s'agit pas de tirer sur des cibles immobiles.

— Arrête, Pete, ce n'est pas le moment de me faire la leçon. Je suis armée et je sais tirer, rétorqua-t-elle en exhibant l'arme qu'elle tenait en main.

Il n'insista pas. Il la fixa du regard et lui fit un petit signe de tête. Elle sauta et roula au sol. Au même moment, il fit feu vers les hommes. Il rechargea, tira de nouveau et la suivit.

Quand il se redressa, Andrea lui montra un hélicoptère de l'autre côté du fleuve.

— Tu crois que c'est mon père ? Que faisons-nous ? On essaie de retraverser à la nage ?

— A cet endroit et à cette saison, c'est très peu profond, on doit quasiment pouvoir traverser en marchant.

Il sortit son portable et appela Cord. La discussion ne dura que quelques secondes.

— Il faut en effet qu'on essaie de retraverser. Si ton père franchit la frontière, on est bons pour l'incident diplomatique et les autorités mexicaines ne sont pas encore près d'arriver. Nous devons ramper jusqu'au fleuve et ne surtout pas relever la tête.

— D'accord, mais laisse-moi te dire merci d'être venu à mon secours.

— Ce n'est rien, je n'ai fait que mon...

— Tais-toi, ne dis pas que c'était ton boulot. Allez, maintenant on y va.

Elle se baissa, se mit à plat ventre et partit en rampant vers le fleuve. Il n'y avait pas beaucoup de distance à parcourir, mais c'était périlleux. Il observa les alentours : les types qui leur avaient tiré dessus ne se préoccupaient plus d'eux, ils pensaient davantage à détaler avant que ce soit trop tard. Il s'allongea par terre et suivit Andrea.

27

Andrea crapahuta en déployant toute son énergie. Elle était à découvert, mais il semblait que les hommes du cartel avaient fait un choix : faire partir le train avant qu'il ne soit trop tard, quitte à la perdre comme otage. Personne ne les poursuivait. Le cartel n'avait pas choisi cet endroit par hasard : le Rio Grande y était très étroit, il fallait très peu de temps pour le franchir. Et, comme Pete l'avait prévu, ils n'eurent à nager que sur quelques dizaines de mètres. Très vite, ils furent de retour sur le sol américain et à peine sortirent-ils de l'eau que des policiers les accueillirent. Son père arriva juste après et la prit dans les bras.

— Tu n'es pas blessée ? Mon Dieu, quelle chance ! Alors ta mère ne va pas me quitter, plaisanta-t-il.

Elle resta serrée contre lui le temps de reprendre son souffle.

— Et Sharon ?

— Elle était dans un camion qui devait partir plus tard. Nous sommes intervenus sur le lieu du concert et nous avons arrêté tous les hommes présents sur place. En résumé, c'est un beau coup de filet.

Sharon était saine et sauve. Andrea avait eu très peur, mais elle n'avait pas fait tout cela en vain.

Un peu plus loin, l'homme qui dirigeait le commando était allongé à plat ventre, mains dans le dos, tout comme ses complices.

Andrea chercha Pete des yeux et finit par le repérer, entouré de plusieurs de ses agents. Elle croisa son regard et lui fit signe de s'approcher, mais il ne bougea pas.

— Et le cerveau de l'opération, M. Rook, où est-il ? demanda-t-elle à son père.

— Les Rangers l'ont intercepté sur la route d'Alpine où un jet privé l'attendait.

— Alors tout est terminé, je ne risque plus rien.

— Nous ne connaissons pas encore toutes les ramifications de cette organisation, alors tu rentres à Austin avec moi. C'est sans appel.

Elle tourna la tête : Pete affichait une expression résignée. Il avait entendu.

D'instinct, elle courut vers lui.

— Pete, je t'en supplie, ne me laisse pas, viens avec moi, le supplia-t-elle en s'accrochant à lui.

— Tu sais que je ne peux pas, Andrea, répondit-il avec fatalisme. Je dois rester auprès de mon père, même s'il me faudra démissionner pour épargner sa réputation. Tu sais que j'aimerais que tout soit différent, hélas, c'est comme ça.

— Mais, Pete, je t'ai…

Il lui posa un doigt sur les lèvres pour l'empêcher de terminer. Mais cela ne changeait rien. Oui, elle l'aimait, elle en était certaine. Et en était tellement heureuse qu'elle ne supportait pas la tristesse et la résignation de Pete.

— Ne dis rien, reprit-il. Sinon, je n'arriverai pas à te laisser partir.

— Il y a forcément une solution, répliqua-t-elle. Je refuse que tu choisisses entre ton père et moi.

— Ce n'est pas cela, mais nos pères sont qui ils sont et on ne peut rien y changer.

— A t'entendre, on se croirait dans *Romeo et Juliette*. Mais nos familles ne sont pas en guerre, au contraire, ton père et le mien s'apprécient.

— C'est bien là le problème. Je ne peux pas te demander de mentir à ton père et moi, je ne peux pas dire la vérité. Pas après tout ce que mon père a fait pour moi. S'il était reconnu coupable de parjure ou de falsification d'identité, tu imagines ce qui se passerait ? Tous les criminels qu'il a arrêtés feraient appel de leur condamnation et demanderaient un réexamen de leur dossier, ce serait une catastrophe.

— Je comprends, mais je refuse de me résigner à ce que nous renoncions à notre histoire.

— Andrea, il est temps de partir, appela son père derrière elle.

Elle croisa les bras autour du cou de Pete et l'attira à elle. Il se laissa faire et l'embrassa fiévreusement. Mais pour lui, c'était clairement un baiser d'adieu, et ça, elle le refusait.

— Je t'en prie, ne pleure pas, Andrea, chuchota-t-il tout contre son oreille. Tu dois y aller, ton père t'attend.

Il lui prit les mains pour l'inciter à le lâcher alors qu'elle aurait voulu encore profiter de lui. Dans un effort désespéré, elle recula d'un pas, tourna les talons et partit en courant.

Elle monta dans l'hélicoptère, la porte se referma derrière elle et, dans la seconde qui suivit, ils quittèrent le sol.

— Tu sais, j'avais le projet d'offrir un boulot à Pete Morrison, lui apprit son père. Et quel ne fut pas mon étonnement de découvrir qu'officiellement Pete Morrison n'existe pas. J'avoue que ça me fait bizarre de te voir embrasser aussi passionnément un homme qui n'existe pas.

Andrea n'en revenait pas.

— Tu sais tout, mais tu n'as rien fait ?

— Eh bien, je suis parti du principe qu'il y avait forcément une explication rationnelle. Mais peut-être en sais-tu davantage que moi ?

Il lui sourit. C'était son père qu'elle avait à côté d'elle, « le commandant » avait disparu. Un fol espoir gonfla en elle.

— Papa, j'ai une énorme faveur à te demander.

C'était une nuit comme les autres. Pete était dans sa voiture de service, il roulait sur la N 90, tout était calme. Trop calme. Il ne cessait de penser à Andrea et de se maudire de l'avoir laissée partir.

Son sort était-il de vivre seul au ranch pour le restant de ses jours ?

Son père était en colère contre lui, tout comme Honey et Peach. Tous trois étaient déçus de son attitude.

Pourtant, il n'avait pas eu le choix. Il n'avait pas le droit de demander à Andrea de vivre dans le mensonge. C'était son fardeau, c'était à lui de le porter.

— Arrête de te comporter comme un idiot, tu n'as pas commis d'erreur, tu la protégeais, se dit-il tout haut.

— Shérif ? appela la voix d'Honey dans la radio.

— Oui, madame ?

— Nous avons eu un appel pour signaler d'étranges activités du côté de la plate-forme d'observation. Tu crois que les contrebandiers pourraient avoir remis cela ?

— Je me rends sur place sans attendre. Terminé.

Il n'était qu'à quelques kilomètres. Tandis qu'il approchait, aucune lumière étrange n'apparut dans le ciel.

Bizarre.

Il entra sur le parking de la plate-forme, où était garée une voiture. Une silhouette lui tournait le dos. Une silhouette familière.

Andrea ?

Non, il devait se tromper, jamais son père ne l'aurait autorisée à revenir dans le secteur.

Il descendit de voiture, sans prévenir Honey de son arrivée.

Il avança en direction de cette silhouette et dut se retenir de courir pour ne pas l'attraper par les épaules et la faire se retourner. L'impensable allait-il se produire ?

— Mademoiselle, vous avez besoin d'aide ?

— Non, mais Honey pensait que ça te ferait arriver plus vite.

Andrea se retourna. Elle tenait une grande enveloppe à la main.

— Mais qu'est-ce que… Tu ne devrais pas… Qu'est-ce que tu fais là ? bafouilla-t-il.

— Je dois te poser une question.

— Maintenant ? Et tu ne pouvais pas simplement m'appeler ?

— Non, il fallait que je voie ton visage, dit-elle en faisant tourner son enveloppe entre ses doigts.

— Quelle est ta question ?

— Je voulais également que ça se passe ici pour que nous soyons seuls au moment où je te poserais cette question et que personne ne me voie te remettre cela.

— Qu'est-ce qu'il y a dans cette enveloppe ?

— Ma question d'abord. Est-ce que tu m'apprécies ?

— Evidemment. Où veux-tu en venir ?

— M'apprécies-tu suffisamment pour donner une chance à notre relation ? Dans la mesure où tu ne me forcerais pas à mentir à mon père, bien sûr, car c'est la seule raison que tu as donnée pour me laisser partir. Mais peut-être était-ce pour toi une échappatoire commode.

— Andrea, j'aurais donné cher pour ne pas te laisser monter dans cet hélicoptère, je te le jure.

Maintenant qu'elle était là, devant lui, il ne pourrait pas la laisser partir une seconde fois. Il en avait la conviction.

Elle tourna la tête vers les montagnes et soupira. Sans réfléchir, il marcha vers elle et la prit par la taille pour la serrer contre lui. Il n'osa toutefois pas l'embrasser, même s'il en avait une terrible envie, car il devait entendre ce qu'elle était venue lui dire.

— Je pourrais facilement prendre goût à ce que tu me tiennes ainsi, tu sais, dit-elle en posant la tête sur son épaule.

Lui aussi pourrait facilement s'y habituer.

— J'ai toujours voulu découvrir une étoile que personne n'aurait vue avant moi. Et puis je suis venue ici. On y voit tellement d'étoiles chaque nuit qu'en découvrir une nouvelle a fini par me sembler vain.

Elle se tourna pour lui faire face, passa les mains dans ses cheveux et les croisa autour de son cou. Elle tenait toujours son enveloppe dans sa main gauche.

— Tu m'as manqué, Andrea. A peine étais-tu partie que je me suis senti vide. Nos conversations me manquaient, sentir ton shampoing me manquait. Je... je...

L'émotion le submergeait tellement que les mots le fuyaient, et pourtant il devait le lui dire. Elle méritait la vérité.

— Si les choses avaient été différentes, je ne t'aurais jamais laissée partir. Je n'ai jamais rien éprouvé de tel pour quiconque, Andrea.

Il voulut l'embrasser, mais elle inclina la tête pour échapper à ses lèvres.

— Je ressens la même chose pour toi, Pete. Alors je voulais t'annoncer que je viens d'accepter un emploi.

Ce fut comme si on le transperçait d'une lame. Un océan de solitude et de tristesse s'ouvrit devant lui.

— Je ne comprends pas. Pourquoi prendre le risque de revenir ici pour m'avertir que tu pars à l'autre bout du monde ?

— En fait, c'est un tout petit peu moins loin, dit-elle avec un sourire.

D'habitude, ce sourire énigmatique le faisait craquer, mais, là, il l'exaspérait.

— Arrête de me faire mijoter. Où vas-tu travailler ?

— A l'observatoire. J'ai toujours cru que je n'étais pas faite pour enseigner et, à ma grande surprise, ici, en me retrouvant au contact d'enfants qui posent tout un tas de questions, j'ai compris que ce que je souhaitais, c'était transmettre mon savoir, pas étudier le ciel toute seule dans mon coin.

— Mais ça signifie que...

— Que l'on peut envisager de donner une chance à notre relation, le coupa-t-elle en se tapotant la cuisse de l'enveloppe qu'elle tenait.

— Qu'y a-t-il à l'intérieur ?

— Eh bien, figure-toi que le commandant a appris que tu portais une fausse identité.

La panique s'empara de lui. Qu'allait-il arriver à Joe ?

— Avant que tu n'imagines le pire, laisse-moi continuer : mon père a eu une longue conversation avec le tien. Et, une fois que ton père a eu terminé son histoire, le commandant a décidé de faire jouer quelques relations pour tout mettre en ordre.

Enfin, elle lui tendit l'enveloppe.

— Tu trouveras à l'intérieur un passeport, un certificat de naissance et un certificat officiel d'adoption. Et ne va pas reprocher à ton père de ne t'avoir rien dit, c'est moi qui lui ai demandé d'être la première à te l'annoncer.

— Je... Je ne sais pas quoi dire. Jamais je n'aurais cru que...

— Je sais. Quand j'ai discuté avec mon père, je ne pensais pas non plus qu'il avait le bras assez long pour en faire autant. Au mieux, je me disais qu'il devrait être capable d'éviter que la vérité éclate au grand jour. Mais il s'avère qu'il a des relations très haut placées qui ont compris que ton père et toi, vous étiez sincères. Et maintenant, c'est fait, plus personne ne peut contester ton identité.

— Viens là.

Il l'embrassa avec fougue, bouleversé. Comment avait-il pu se convaincre de vivre sans elle ? Cela n'avait aucun sens.

— Il y a juste un petit point sur lequel mon père a insisté, reprit-elle.

— Tout ce qu'il voudra. Quoi que ce soit, je m'adapterai. Hors de question que je te laisse repartir.

— Tant mieux, car il insiste pour que je vive chez toi et que je fasse comme si j'étais assignée à résidence jusqu'à la fin officielle de l'enquête sur le cartel et ses opérations.

— Je prends cela pour une récompense. Tu es sûre que tu ne te lasseras jamais de contempler le ciel dans ce coin du Texas ?

— Tant que l'homme que j'aime sera à côté de moi pour observer les étoiles, je serai comblée.

Disparition en Louisiane, de Mallory Kane - N°366
LES BRUMES DU BAYOU - TOME 1

De retour en Louisiane pour assister aux funérailles de son ami Tristan qu'il n'a pas vu depuis des années, l'agent fédéral Zach Winter apprend avec stupéfaction que les circonstances de la mort de Tristan n'ont pas été élucidées et que son corps n'a jamais été retrouvé… Intrigué, Zach décide de mener sa propre enquête. En se rendant au domicile de Sandy, l'épouse de Tristan, il rencontre une femme : Maddy Tierney. Sublime et mystérieuse, elle semble assurer auprès de Sandy une protection aussi étrange que rapprochée…

Jusqu'au bout de l'espoir, de Mallory Kane
LES BRUMES DU BAYOU - TOME 2

Le cœur étreint par la tristesse, Sandy scrute les eaux sombres du golfe du Mexique et caresse son ventre qui s'arrondit de jour en jour. C'est là, sur cette côte, que Tristan, son mari, a disparu quelques semaines plus tôt. Noyade accidentelle, tentative de meurtre… Nul ne sait ce qui s'est réellement passé ce jour-là, mais on n'a jamais retrouvé le corps de Tristan, et Sandy, contre toute raison, continue d'espérer. Comme si l'homme qu'elle aimait, traqué par ses ennemis – blessé peut-être –, se cachait quelque part, attendant le moment opportun pour revenir vers elle…

Pour un sourire de Molly, de Robin Perini - N°367

Après l'attentat qui a coûté la vie à sa sœur Ivy, Laurel McCallister prend la fuite avec sa jeune nièce, Molly. Avant de mourir, Ivy lui a révélé qu'elle menait une enquête secrète pour la CIA et lui a demandé de contacter un homme : Garrett Galloway.
Traquée par les assassins qui pensent manifestement qu'Ivy lui a fait d'importantes révélations, Laurel se rend chez Galloway. Mais, tandis qu'elle lui raconte sa folle cavale, elle sent un doute l'envahir. Qui est réellement Garrett Galloway ? Et peut-elle sans risque confier sa vie et celle de Molly à cet homme aussi mystérieux que séduisant et qui, malgré l'étoile d'argent qui brille sur sa poitrine, semble être bien plus qu'un simple shérif

La mémoire de la nuit, d'Angi Morgan

Comment faire confiance à une femme qui n'est pas capable de tenir sur un cheval ? C'est la question que se pose le rancher Nick Burke tandis que l'agent fédéral Beth Conrad prétend utiliser sa propriété comme QG pour arrêter une bande de trafiquants. Pourtant, Nick sait bien que ce ne sont pas seulement les habitudes de citadine de Beth qui le retiennent d'accéder à sa demande. En effet, quelques semaines plus tôt, il lui a servi de guide à la frontière mexicaine et, traqués par le cartel, ils ont passé une nuit en pleine montagne. Une nuit de passion au cœur du danger, dont ni l'un ni l'autre aujourd'hui ne souhaite reparler…

BLACK — ROSE

Etrange faux-semblant, de Paula Graves - N°368

Dans un café du Tennessee, Jack Drummond croit reconnaître une de ses ex-petites amies, Mara Jennings. Mais, alors qu'il s'avance pour la saluer, il se fige. Car, en dépit des apparences, la femme qui se tient devant lui n'est pas Mara... Curieux, il cherche à en savoir plus et finit par arracher la vérité à l'inconnue : à la mort de sa jumelle, elle a pris son identité pour échapper à la bande de hackers dont elle venait de démanteler le réseau. Aujourd'hui, ceux qui la recherchent ont retrouvé sa trace et elle est en danger de mort. Troublé par le souvenir de la femme avec laquelle il a vécu autrefois, attiré malgré lui par la personnalité de la nouvelle Mara, Jack décide de l'aider.

Un voisin si énigmatique, de Debra Webb et Regan Black

Trop attentionné, trop séduisant, trop... proche. Décidément, Riley O'Brien, le nouveau charpentier de la ville, a tout pour intriguer Abby Jensen, chef de la police locale. D'autant qu'il vient d'emménager juste à côté de chez elle et que, sans pour autant négliger son travail, il semble s'être donné pour mission d'assurer sa protection. Méfiante par nature, Abby se demande bientôt si Riley n'est pas là pour démanteler à sa place le réseau terroriste qui sévit dans la région. Une aide dont elle n'a nul besoin, car elle vient juste de prendre ses fonctions et entend bien faire ses preuves toute seule...

Les promesses de Noël, de Jan Hambright - N°369

Alors qu'elle se rend chez Baylor McCullough pour l'interroger sur la mystérieuse disparition du procureur James Endicott, dont on est sans nouvelles depuis deux semaines, Mariah frôle la mort en se retrouvant ensevelie sous une coulée de neige. Sauvée in extremis par l'homme même sur lequel elle enquête, elle ne sait comment réagir quand il l'emmène chez lui pour la soigner. Car Baylor, qui est également soupçonné d'avoir assassiné sa femme un an plus tôt, se montre si attentionné envers elle qu'elle a bien du mal à garder son objectivité dans cette affaire...

Ce regard dans l'ombre, de Carla Cassidy

En lisant le message déposé sur le pare-brise de sa voiture, Meredith West sent un malaise désormais familier l'envahir. Depuis quelques semaines, elle a la terrible impression d'être suivie. Epiée par un inconnu qui, sans jamais se montrer, lui fait parvenir des fleurs et des lettres de plus en plus pressantes. Qui donc peut bien la harceler ainsi ? Désemparée, Meredith demande sa protection à Chase McCall, un ami de son frère. Sans savoir que cet homme, dont la force et la sérénité la rassurent, a en réalité bien des secrets à lui cacher...

*Amour + suspense
= Black Rose*

HARLEQUIN
www.harlequin.fr

Vous êtes fan de la collection Black Rose ?
Pour prolonger le plaisir, recevez gratuitement

◆ 2 romans Black Rose gratuits ◆
et 2 cadeaux surprise !

Une fois votre colis de bienvenue reçu, si vous souhaitez continuer à recevoir nos romans Black Rose, cela se fera automatiquement. Vous recevrez alors chaque mois 3 volumes doubles inédits de cette collection au tarif unitaire de 7,40€ (Frais de port France : 1,95€ - Frais de port Belgique : 3,95€).

➡ ET AUSSI DES AVANTAGES EXCLUSIFS :

➡ LES BONNES RAISONS DE S'ABONNER :

Aucun engagement de durée ni de minimum d'achat.

◆

Aucune adhésion à un club.

◆

Vos romans en avant-première.

◆

La livraison à domicile.

Des cadeaux tout au long de l'année.

◆

Des réductions sur vos romans par le biais de nombreuses promotions.

◆

Des romans exclusivement réédités notamment des sagas à succès.

◆

L'abonnement systématique et gratuit à notre magazine d'actu ROMANCE.

◆

Des points fidélité échangeables contre des livres ou des cadeaux.

➡ REJOIGNEZ-NOUS VITE EN COMPLÉTANT ET EN NOUS RENVOYANT LE BULLETIN !

✂

N° d'abonnée (si vous en avez un) ⌶⌶⌶⌶⌶⌶⌶⌶⌶⌶⌶   IZ5F09
IZ5FB1

Mme ☐ Mlle ☐ Nom : .... Prénom : ....

Adresse : ....

CP : ⌶⌶⌶⌶⌶ Ville : ....

Pays : .... Téléphone : ⌶⌶⌶⌶⌶⌶⌶⌶⌶⌶

E-mail : ....

Date de naissance : ⌶⌶⌶ ⌶⌶ ⌶⌶⌶⌶

☐ Oui, je souhaite être tenue informée par e-mail de l'actualité d'Harlequin.

☐ Oui, je souhaite bénéficier par e-mail des offres promotionnelles des partenaires d'Harlequin.

Renvoyez cette page à : Service Lectrices Harlequin – BP 20008 – 59718 Lille Cedex 9 - France

Vous n'avez pas le temps de lire tous les romans Harlequin ce mois-ci ?
Découvrez les 4 meilleurs avec notre sélection :

HARLEQUIN

La romance sur tous les tons

Toutes nos actualités et exclusivités
sont sur notre site internet.

E-books, promotions, avis des lectrices,
lecture en ligne gratuite, infos sur
les auteurs, jeux-concours… et bien
d'autres surprises !

Rendez-vous sur

www.harlequin.fr

facebook.com/LesEditionsHarlequin

twitter.com/harlequinfrance

pinterest.com/harlequinfrance

HARLEQUIN
www.harlequin.fr

OFFRE DÉCOUVERTE !

Vous souhaitez découvrir nos collections ? Recevez **2 romans gratuits*** et **2 cadeaux surprise !** Une fois votre colis de bienvenue reçu, si vous souhaitez continuer à recevoir nos romans, cela se fera automatiquement. Vous recevrez alors chaque mois vos romans inédits en avant première.

Vous n'avez aucune obligation d'achat et cette offre est sans engagement de durée !

*1 roman gratuit pour les collections Nocturne, Best-sellers Policier et sexy.

☛ COCHEZ la collection choisie et renvoyez cette page au
Service Lectrices Harlequin – BP 20008 – 59718 Lille Cedex 9 – France

Collections	Références	Prix colis France* / Belgique*
❑ AZUR	ZZ5F56/ZZ5FB2	6 romans par mois 27,25€ / 29,25€
❑ BLANCHE	BZ5F53/BZ5FB2	3 volumes doubles par mois 22,84€ / 24,84€
❑ LES HISTORIQUES	HZ5F52/HZ5FB2	2 romans par mois 16,25€ / 18,25€
❑ BEST SELLERS	EZ5F54/EZ5FB2	4 romans tous les deux mois 31,59€ / 33,59€
❑ BEST POLICIER	XZ5F53/XZ5FB2	3 romans tous les deux mois 24,45€ / 26,45€
❑ MAXI**	CZ5F54/CZ5FB2	4 volumes multiples tous les deux mois 32,29€ / 34,29€
❑ PASSIONS	RZ5F53/RZ5FB2	3 volumes doubles par mois 24,04€ / 26,04€
❑ NOCTURNE	TZ5F52/TZ5FB2	2 romans tous les deux mois 16,25€ / 18,25€
❑ BLACK ROSE	IZ5F53/IZ5FB2	3 volumes doubles par mois 24,15€ / 26,15€
❑ SEXY	KZ5F52/KZ5FB2	2 romans tous les deux mois 16,19€ / 18,19€
❑ SAGAS	NZ5F54/NZ5FB2	4 romans tous les deux mois 29,29€ / 31,29€

*Frais d'envoi inclus

**L'abonnement Maxi est composé de 4 volumes Hors-Série

N° d'abonnée Harlequin (si vous en avez un) ☐☐☐☐☐☐☐☐

Mme ☐ Mlle ☐   Nom : _____

Prénom : _____   Adresse : _____

Code Postal : ☐☐☐☐☐   Ville : _____

Pays : _____   Tél. : ☐☐☐☐☐☐☐☐☐☐

E-mail : _____

Date de naissance : _____

☐ Oui, je souhaite recevoir par e-mail les offres promotionnelles des éditions Harlequin.
☐ Oui, je souhaite recevoir par e-mail les offres promotionnelles des partenaires des éditions Harlequin.

Date limite : 31 décembre 2015. Vous recevrez votre colis environ 20 jours après réception de ce bon. Offre soumise à acceptation et réservée aux personnes majeures, résidant en France métropolitaine et Belgique, dans la limite des stocks disponibles. Prix susceptibles de modification en cours d'année. Conformément à la loi Informatique et libertés du 6 janvier 1978, vous disposez d'un droit d'accès et de rectification aux données personnelles vous concernant. Par notre intermédiaire, vous pouvez être amenée à recevoir des propositions d'autres entreprises. Si vous ne le souhaitez pas, il vous suffit de nous écrire en nous indiquant vos nom, prénom et adresse à : Service Lectrices Harlequin BP 20008 59718 LILLE Cedex 9. Service Lectrices disponible du lundi au vendredi de 8h à 17h : 01 45 82 47 47 ou 33 1 45 82 47 47 pour la Belgique.

Harlequin® est une marque déposée du groupe Harlequin. Harlequin SA – 83/85, Bd Vincent Auriol – 75646 Paris cedex 13. SA au capital de 1 120 000€ – R.C. Paris. Siret 318671591000069/APE5811Z